DS

DANIELLE STEEL

Southern Lights

ДАНИЭЛА СТИЛ

Огни Юга

АСТ
МОСКВА
2013

УДК 821.111(73)
ББК 84(7Сое)
С80

Danielle Steel
SOUTHERN LIGHTS

Перевод с английского В.Н. Матюшиной

Компьютерный дизайн В.Ю. Щербакова

Печатается с разрешения автора и литературных агентств
Janklow & Nesbit Associates и Prava I Prevodi
International Literary Agency

Подписано в печать 01.02.13. Формат 60x90 $^1/_{16}$.
Усл. печ. л. 13. Тираж 5050 экз. Заказ № 1258/13.

Стил, Даниэла

С80   Огни Юга : [роман] / Даниэла Стил; пер. с англ. В.Н. Матюшиной. — Москва: АСТ, 2013. — 318, [2] с.

ISBN 978-5-17-079186-6

Женщина с сильным характером.

Когда-то она вошла в респектабельное семейство, став женой южного джентльмена.

А потом вдруг оказалось — эти настоящие мужчины умеют лгать и предавать, быть подлыми и слабыми.

И тогда она уехала на Север — туда, где женщина-юрист может пробиться упорным трудом и сделать блестящую карьеру.

Алекса Хэмилтон — один из лучших прокуроров Нью-Йорка.

К ее мнению прислушиваются, ее уважают и даже побаиваются.

С годами она стала еще привлекательнее, но разуверилась в любви. Неужели же сердце этой красивой, умной женщины никогда не оттает?..

УДК 821.111(73)
ББК 84 (7Сое)

Моим самым чудесным детям Беатрикс, Тревору, Тодду, Нику, Сэму, Виктории, Ванессе, Максу и Заре, которые являются светом моей жизни. Пусть ваши дни будут всегда полны счастья, радости и веселья.

С любовью

мама Д. С.

Глава 1

Парень, сидевший в тесном полутемном гостиничном номере на стуле с потертой обивкой, сквозь прорехи в которой торчала вата, кажется, задремал и стал клевать носом. Парень был высокий, мощного телосложения, с татуировкой на спине в виде змеи, которая выглядывала из ворота рубашки. Его длинные руки безвольно лежали на подлокотниках стула. Из коридора в комнатушку проникал тошнотворный запах готовящейся пищи. Орал включенный телевизор. В углу комнаты стояла узкая неубранная кровать, занимавшая большую часть грязного, покрытого пятнами грубого ковра. Ящики комода выдвинуты, на полу валялась одежда, которую парень принес с собой. На нем были джинсы, рубашка с коротким рукавом и тяжелые ботинки. Грязь, прилипшая на подошвы, подсыхая, понемногу отваливалась и падала на ковер. Вдруг парень широко открыл холодные как лед голубые глаза, всхрапнул, вскинул голову и насторожился. У него был сверхъестественно развитый слух. Он снова закрыл глаза и прислушался. Потом встал и схватил пиджак. Как только парень поднял голову, татуировка в виде змеи снова исчезла под рубашкой.

Люк Квентин бесшумно перелез через подоконник и, закрыв за собой окно, спустился по пожарной лестнице.

Стоял холодный нью-йоркский январь. Квентин прожил в городе две недели, а до этого побывал в Алабаме, Миссисипи, Пенсильвании, Огайо, Айове, Иллинойсе, Кентукки, навестил приятеля в Техасе. Он путешествовал много месяцев. Если подворачивалась работа, работал. Ему немного было надо. Квентин привык обходиться малым. Крадучись, словно пантера, он уже шел по улице Ист-Сайда, когда люди, шаги которых он услышал, едва успели дойти до его номера в гостинице. Он не знал, что это были за люди, но не стал рисковать. Наверняка это полицейские. Дважды отсидев в тюрьме — за подделку кредитной карточки и грабеж, — Квентин хорошо знал, что бывший заключенный всегда первым окажется под подозрением, что бы ни случилось. Дружки из тюрьмы называли его Кью.

Он остановился, чтобы купить газету и сандвич, поежился от холода и не спеша пошел дальше. В иных обстоятельствах его можно было бы даже назвать красивым за атлетическую фигуру и правильные черты лица. В свои тридцать четыре года он пробыл в тюрьме в общей сложности десять лет. Отсидел от звонка до звонка, так и не получив досрочного освобождения. Зато теперь был свободен как ветер, гулял на свободе уже два года и до сих пор ни в какие истории не попадал. Несмотря на свой рост, он умел раствориться в любой толпе. У него были неприметные рыжевато-белокурые волосы, светло-голубые глаза, время от времени он отпускал бородку.

Квентин шел на север и, дойдя до Сорок второй улицы, свернул к западу. Там зашел в кинотеатр, расположенный на Таймс-сквер, и, сидя в темном зале, заснул. Когда он вышел из кинотеатра, была полночь. Вскочив в автобус, Квентин направился назад, в деловую часть города, полагая, что к этому времени визитеры, приходившие ранее, кем бы они ни были, успели уйти. Не иначе кто-нибудь из обслуживающего персонала гостиницы сообщил полицейским, что он бывший заключенный. Правда, татуировки на руках и без того с головой выдавали его знающим людям. Он просто не хотел присутствовать при обыске и надеялся, что к нему утратят интерес, когда ничего не найдут в комнате. Когда он вернулся в свою мрачную гостиницу, было половина первого ночи.

Квентин поднимался по лестнице. Лифты казались ловушками — он предпочитал двигаться в открытом пространстве. Клерк за конторкой кивнул, и Квентин направился вверх по лестнице. Он находился на лестничной площадке под своим этажом, когда услышал какой-то звук. Не шаги. Не скрип двери — щелчок. И все. Это сняли с предохранителя пистолет; в мгновение ока Люк сбежал по лестнице, чуть замедлив шаг у конторки. Что-то было не так. И тут он понял: за ним идут и спустились уже до половины лестницы. Их было трое. Люк не стал ждать, чтобы узнать, кто они такие. Он мог бы заговорить с ними как ни в чем не бывало, но инстинкт подсказывал — надо бежать. Он так и сделал, помчавшись во весь дух. Когда они выскочили из дома, он успел добежать до середины улицы. Люк бегал быстрее, чем другие. В тюрьме он тренировался на электрической беговой дорожке. Говорили, что он бегает быстрее ветра. И сейчас он это подтвердил.

Люк перемахнул через забор на каких-то задворках и, ухватившись за крышу гаража и раскачавшись, перекинул тело через следующий забор. Он твердо знал, что возвращаться в гостиницу не может. Что-то стряслось, и он понятия не имел почему. За поясом джинсов он нащупал курносый пистолет и вышвырнул в мусорный бак: у него не должны найти оружие. Люк помчался в узкий переулок за домом. Он все бежал, стараясь оторваться от преследователей, пока не налетел на еще один забор. Откуда-то сзади вдруг появилась рука, схватившая его за горло словно тисками. Слава Богу, что избавился от пистолета. Теперь оставалось избавиться от копа. Люк ударил локтем под ребра человека, державшего его железной хваткой. Но тот все сильнее сжимал горло Люка. Сильно закружилась голова, и Люк всем своим весом рухнул на землю. Коп знал, в каком месте надо хватать. Он ударил ногой в спину Люка, который издал сдавленный стон сквозь зубы.

— Сукин сын. — Люк схватил копа за ноги, они принялись кататься по земле.

Не прошло и нескольких секунд, как коп подмял его под себя. Он был моложе Люка, находился в лучшей спортивной форме и уже несколько месяцев предвкушал удовольствие пообщаться с Квентином, а проще говоря, с Кью. Шел за ним следом по всем штатам, побывал в его гостиничном номере дважды на этой неделе и один раз — на прошлой. Чарли Макэвой знал Люка Квентина лучше, чем собственного брата, и уже почти год назад получил от междуштатной оперативной группы специальное задание преследовать его. И даже если это вгонит его в гроб, он Люка достанет. Уж теперь он его не упустит. Чарли встал на колени и, когда Люк поднял голову, ударил его лицом о землю. Из носа хлынула кровь, и тут за спиной Чарли появились еще два агента-детектива в гражданской одежде, но все в них выдавало копов.

— Осторожно, мальчики, повежливее, — сказал старший сыщик Джек Джонс, подавая Чарли наручники. — Попробуем не убить его по дороге в участок.

Судя по глазам Чарли, убить Квентина было его заветным желанием. Джек Джонс знал об этом и понимал, почему он этого хочет. Однажды вечером, когда они как следует выпили, Чарли сам рассказал ему об этом. На следующее утро Джек Джонс пообещал никому ничего не говорить. Но он видел, что происходит сейчас с Чарли, которого трясло от ярости, а Джек не любил, когда личная месть смешивается с делом. При малейшей попытке Люка улизнуть Чарли пристрелил бы его. Он не стал бы стрелять в руку или в ногу, а убил на месте.

Третий человек из группы запросил по рации патрульную машину. Свою машину они оставили в нескольких кварталах отсюда и не хотели рисковать.

Кровь из разбитого носа Люка заливала рубашку, но никто из копов не предложил ничего, чтобы остановить кровотечение. Милосердия ему не дождаться. Пока Джек зачитывал ему права задержанного, Люк своими холодными глазами нагло поглядывал на него, несмотря на кровоточащий нос. Взгляд Люка оставался бесстрастным.

Такого хладнокровного сукина сына Джеку еще никогда не приходилось видеть.

— Я подам на вас в суд за это, мерзавцы. Кажется, вы сломали мне нос, — пригрозил Люк, и Чарли бросил на него испепеляющий взгляд, а двое других подтолкнули к подошедшей машине. Они засунули его в машину и сказали патрульным копам, что встретятся с ними в участке.

Возвращаясь к своей машине, все трое молчали. Побледневший Чарли взглянул на Джека, включившего зажигание, и плюхнулся на сиденье.

— Ну как? — спросил Джек. — Ты все-таки его взял.

— Да-а, — спокойно сказал Чарли. — Теперь осталось все это доказать. Да так, чтобы он не смог вывернуться.

В участке Люк сидел с весьма самоуверенным видом. С испачканной в крови физиономией, в грязной рубашке, он даже в наручниках вел себя нагло.

— Что, ищете, на кого бы повесить уличное ограбление или кражу кошелька у престарелой леди? — Люк рассмеялся Чарли в лицо.

— Зарегистрируйте задержание, — сказал Джеку Чарли и куда-то ушел. Он знал, что заслуживает похвалы за то, что работал не щадя сил. Чарли слишком долго преследовал его. По чистой случайности Квентин снова появился в Нью-Йорке.

Так сказать, рука судьбы. Чарли был счастлив, что поймал его в своем городе. Здесь у него хорошие связи и ему нравится окружной прокурор — крутой немолодой человек из Чикаго, который больше, чем многие другие, был готов обвинять виновных. Джо Маккарти, окружной прокурор, плевать хотел на то, что тюрьмы переполнены, и не собирался отпускать безнаказанно подозреваемых. И уж если им удастся доказать все, что они раскопали о Люке Квентине, суд над ним станет событием года. Интересно, кому Маккарти поручит вести это дело? Черт возьми, это должен быть настоящий профессионал.

— Ну и какие обвинения против меня сфабриковали? — посмеиваясь, спросил Люк у Джека. — Кражу в магазине? Переход улицы в неположенном месте?

— Не совсем так, Квентин, — сдержанно ответил Джек. — Изнасилование и убийство. Пока четыре случая. Не расскажешь ли что-нибудь в порядке чистосердечного признания? — спросил Джек и приподнял бровь, когда Люк снова расхохотался и покачал головой:

— Кретины. Вы знаете, что вам ничего не удастся доказать, и дело развалится. Что происходит? У вас накопилась куча дел об убийствах, которые вы не можете довести до суда, и вы решили одним махом избавиться от них, повесив все на меня?

Люка, кажется, это абсолютно не тревожило и даже забавляло, но глаза у него были как сталь и имели тот же зловещий светло-голубой оттенок.

Джека такая бравада ничуть не обманывала. Люк — скользкий тип. Имелись доказательства относительно двух убийств, а в совершении еще двух они были почти уверены. Люк Квентин убил за два года более двенадцати женщин, а может быть, и того больше. Они ждали неопровержимых результатов анализа грязи с его башмаков, которую собрал

Чарли с грубого ковра в гостиничном номере Квентина. Если грязь окажется, как надеялся Чарли, той же, что и на месте преступления, то Квентин прогулялся по улицам города последний раз в жизни.

— Вы в полном дерьме, — пробормотал Люк, когда его уводили. — Уцепиться вам не за что. Вы просто блефуете. А у меня имеется алиби на каждую ночь. За последние две недели я почти не покидал гостиничный номер. Приболел, знаете ли, — заявил Люк.

«Да уж, — подумал Джек, — ты действительно очень болен». Все эти типы вроде Люка социопаты, больны. И глазом не моргнув они хладнокровно убивают, закапывают где-нибудь труп, а потом спокойно идут обедать. Люк Квентин красив и, возможно, даже обаятелен. Он идеально подходит для того, чтобы, встретив наивную девушку, заманить ее в укромное местечко, изнасиловать, а потом убить. Джеку уже приходилось видеть таких типов, хотя скорее всего Квентин самый отвратительный из них. Вернее, самый отвратительный из тех, кто им попадался за последнее время. Джек знал, что этим делом чрезвычайно заинтересуется пресса, так что каждую мелочь нужно было отрабатывать с особой тщательностью, иначе из-за какого-нибудь пустяка их могли обвинить в нарушении процессуальных норм в ходе судебного разбирательства. Чарли это тоже знал, поэтому и позволил Джеку самому зарегистрировать арест. Когда Люка увели, чтобы обыскать и сфотографировать для полицейского архива, Джек сам позвонил окружному прокурору.

— Мы его взяли, — с гордостью сообщил он. — Все наши подозрения подтвердились, нам сопутствовала удача. Чарли Маковой чуть не до смерти себя загнал, но взял его. Если бы мне самому пришлось носиться по всем тупикам и переулкам и перелезать через все эти заборы, Квентин был бы уже на полпути в Бруклин. — Джек был в хорошей форме, но сказывался возраст — сорок девять лет, и они с окружным прокурором, его ровесником, поддразнивали друг друга насчет избыточного веса.

Окружной прокурор поздравил его с отличной работой и сказал, что увидится с ним утром. Предстояла встреча с производившими задержание офицерами, чтобы решить, в каком ключе разговаривать с прессой.

Когда полчаса спустя Джек уходил из участка, Люк уже сидел в камере. Было решено посадить его в одиночку. Планировалось предъявить ему обвинение завтра после полудня, и Джек понимал, что к тому времени им не будет проходу от прессы. Арест человека, который предположительно убил двенадцать или более женщин в семи штатах, — настоящая сенсация. А кроме всего прочего, работа нью-йоркской полиции будет выглядеть весьма достойно. Теперь дело за окружным прокурором, обвинителем и следователем.

В тот вечер усталые копы отправились домой вместе. Целый день неотрывно вести наблюдение за гостиницей было очень утомительно. Они видели, как вышел Люк, и Чарли хотелось схватить его немедленно, но Джек приказал ждать. Поскольку Люк ничего не подозревал, должен был вернуться. К тому же в это время дня вокруг было слишком много людей, и Джек не хотел, чтобы в гостинице кто-нибудь пострадал. В конце концов все сложилось для них удачно. И не слишком удачно для Люка.

Квентин сидел в одиночной камере, устремив на стену ничего не выражающий взгляд. Прислушавшись, он уловил знакомые звуки тюрьмы. Как ни странно, это походило на возвращение домой. Если он проиграет, то на этот раз возвратился домой навсегда. Он стал рассеянно рассматривать свои башмаки. Потом Квентин улегся на койку и с самым умиротворенным видом закрыл глаза.

Глава 2

— Поторапливайся! Скорее, скорее! — сказала дочери Алекса, сунув ей коробку кукурузных хлопьев и пакет молока. — Извини за плохой завтрак, но я опаздываю на работу.

Ей пришлось заставить себя сесть и взглянуть на свои деловые бумаги, чтобы не стоять в выжидательной позе, притопывая ногой от нетерпения. У ее семнадцатилетней дочери Саванны Бомон были длинные распущенные белокурые волосы и такая фигура, что с тех пор, как ей исполнилось четырнадцать лет, мужчины на улице присвистывали, глядя ей вслед. Саванна являлась центром жизни матери. Алекса с улыбкой взглянула на нее, оторвавшись от документов. Заметив, что дочь подкрасила губки, она подумала, что, возможно, появился кто-нибудь привлекательный в школе. Саванна училась в выпускном классе хорошей частной нью-йоркской школы. Сейчас она работала над заданиями для подачи заявлений сразу в несколько университетов — Стэнфорд, Браун, Принстон и Гарвард. Ее мать гнала от себя мысль об ее отъезде. Но девочка получила фантастически высокие оценки, она обладала не только красотой, но и умом — пошла, как говорится, в мать, хотя красота была совсем другой. Высокая и стройная, Алекса выглядела как модель, только была здоровее и красивее. Волосы туго стягивала на затылке в пучок и никогда не пользовалась косметикой, отправляясь на работу. У нее не было ни нужды, ни желания привлекать внимание к своей внешности. В свои тридцать девять она работала помощником окружного прокурора. В канцелярию окружного прокурора пришла семь лет назад, сразу после окончания юридической школы.

— Я и так стараюсь, — усмехнулась Саванна.

— Смотри не подавись. Криминальная часть населения Нью-Йорка может и подождать. — Вчера вечером Алекса получила по электронной почте послание от босса о том, что он желает встретиться с ней утром. Поэтому и торопилась, но ведь всегда можно сослаться на то, что поезда подземки тащатся слишком медленно. — Ты сделала вчера задание для Принстона? Я хотела помочь, но заснула. Покажешь мне его сегодня вечером.

— Сегодня не смогу, — с улыбкой сказала Саванна. — У меня свидание. — Она отправила в рот последнюю ложку хлопьев.

Мать приподняла бровь:

— Что-нибудь новенькое? Или, вернее, кто-нибудь новенький?

— Просто приятель. Нас целая компания. — Саванна играла в школьной волейбольной команде. — В Ривердейле сегодня состоится игра, и всем хочется ее посмотреть. Это ненадолго. А задание закончу во время уик-энда.

— Чтобы закончить их все, у тебя остается ровно две недели, — строго сказала Алекса. Они с Саванной жили вдвоем почти одиннадцать лет, с тех пор как дочери исполнилось шесть. — Не слишком увлекайся свиданиями, сейчас не до них.

— В таком случае придется отдохнуть от школы перед поступлением в колледж, — поддразнила ее Саванна. Им было хорошо вместе, и они любили друг друга. Саванна без малейшего смущения признавалась своим приятелям, что мама — ее лучший друг, и те тоже считали ее очень современной и вообще классной. Каждый год в День карьеры Алекса брала нескольких из них в свой офис. Но Саванна не горела желанием посвятить себя юриспруденции. Она хотела стать либо журналистом, либо психологом, хотя пока еще не решила окончательно, пользуясь правом не объявлять о выборе профилирующей дисциплины в течение двух первых лет учебы в колледже.

— Если ты возьмешь каникулы на год, то, возможно, и я сделаю то же самое. Я устала, потому что за последний месяц на меня навалилось множество совершенно дерьмовых дел. Видимо, во время отпусков в людях проявляется самое худшее. Кажется, после Дня благодарения мне пришлось выступить в качестве обвинителя в суде над каждым магазинным вором в городе, — пожаловалась Алекса, когда они вышли из квартиры и направились к лифту. В октябре мать выступала обвинителем по громкому делу об изнасиловании и добилась пожизненного заключения для обвиняемого, который плеснул кислотой женщине в лицо, но с тех пор никаких значительных дел у нее действительно не было.

— Почему бы нам не поехать куда-нибудь в июне, когда я окончу школу? Кстати, папа берет меня на неделю в Вермонт кататься на лыжах, — как бы между прочим сообщила Саванна, когда лифт двинулся вниз. Говоря это, Саванна старалась не смотреть в глаза матери и не видеть выражение ее лица при упоминании об отце. Даже по прошествии одиннадцати лет Алекса не смогла побороть обиду и гнев. И чувство горечи, хотя она никогда не сказала об отце Саванны ничего плохого.

Саванна почти ничего не помнила о разводе, но понимала, что для матери это было тяжелое время. Отец родился в Чарлстоне, в Южной Каролине, и до развода вся семья жила там, а потом мать с дочерью переехали в Нью-Йорк. С тех пор Саванна в Чарлстоне не бывала и, откровенно говоря, даже не вспоминала о нем. Два или три раза в год отец навещал ее в Нью-Йорке, а когда располагал временем, куда-нибудь возил, хотя у него часто менялись планы. Она любила встречаться с отцом и старалась не чувствовать себя предательницей по отношению к матери. Родители общались между собой через электронную почту, но после развода никогда не разговаривали и не виделись друг с другом. На взгляд Саванны, это немного напоминало «Анге-

17

лов Чарли», но так уж все сложилось и, очевидно, больше не переменится. Значит, отец не будет присутствовать на церемонии окончания колледжа. Саванна надеялась, что за четыре года до окончания учебы она сумеет обработать родителей. Ей очень хотелось, чтобы они присутствовали оба. Но несмотря на враждебные отношения с отцом, ее мать была потрясающей женщиной.

— Надеюсь, ты знаешь, что он может все отменить в последний момент? — с досадой осведомилась Алекса. Она терпеть не могла, когда Том разочаровывал их дочь, а он частенько это делал. Саванна всегда его прощала, а Алекса нет. Она критиковала все, что бы он ни делал.

— Мама, — с упреком сказала Саванна, словно они с матерью поменялись местами, — ты же знаешь, что я не люблю, когда ты так говоришь. Это от него не зависит, он занятой человек.

«Чем же, интересно, он так занят, — хотелось сказать Алексе, но она промолчала. — Обедает в клубе или играет в гольф? А может быть, навещает свою матушку в перерыве между ее встречами с членами Союза дочерей Конфедерации?» Алекса поджала губы. Лифт остановился, и они вышли в вестибюль.

— Извини, — со вздохом сказала Алекса и поцеловала Саванну. Сейчас, когда дочери семнадцать лет, все не так страшно, но когда она была маленькой, Алекса приходила в ярость, если он обещал прийти и не приходил. Она не могла видеть, как ее огромные синие глаза наполнялись слезами, хотя та изо всех сил старалась держаться молодцом. У Алексы сердце разрывалось от жалости. Но теперь Саванна сама могла справиться с ситуацией. Она находила оправдания почти всему, что делал отец. — Если у него изменятся планы, мы всегда можем поехать на уик-энд в Майами или кататься на лыжах. Что-нибудь придумаем.

— Придумывать не придется. Он обещал приехать, — решительно заявила Саванна.

Алекса кивнула, они поцеловались на прощание, и Саванна помчалась к своему автобусу, а Алекса по утреннему морозцу направилась на станцию подземки. Чувствовалось, что скоро пойдет снег. Саванна почти не ощущала холода, а Алекса, проехав на поезде несколько коротких перегонов, явилась на работу продрогшая.

Первым она увидела Джека, сыщика, который вместе со своим молодым помощником шел в офис Джо Маккарти.

— Раннее совещание? — непринужденно спросил Джек. За последние семь лет ему часто приходилось работать с Алексой, и она ему очень нравилась. Он с удовольствием пригласил бы ее на свидание, но она казалась слишком молодой. Алекса знала свое дело, не допускала расхлябанности, и, насколько ему было известно, окружной прокурор очень ее ценил. Три месяца назад Джек работал вместе с ней над нашумевшим делом об изнасиловании. Алекса добилась обвинительного приговора. Она всегда добивалась своего.

— Да. Джо вызвал меня вчера по электронной почте. Наверное, хочет получить информацию о целом ворохе мелких дел, которыми я занималась последнее время. Через мои руки прошел каждый магазинный вор в Нью-Йорке, — усмехнувшись, сказала она.

— Приятно слышать, — рассмеялся Джек и представил ее Чарли, который поздоровался с отсутствующим видом, как будто думал о чем-то другом.

— Хорошо провели праздники? — спросил Джек, когда они подошли к офису окружного прокурора и он попросил Чарли подождать за дверью.

— Спокойно. Мы с дочерью оставались дома, я брала отпуск на неделю. Она готовит задания для поступления в университет. Это ее последний год дома. — Это прозвучало так печально, что Джек улыбнулся. Алекса часто говорила о дочери. Сам Джек давно развелся, детей не имел, а о своей бывшей жене был бы счастлив забыть вообще. Двадцать лет назад она вышла замуж за его партнера, а прежде целых два года обманывала Джека. Он собирался снова жениться. Ему всегда казалось, что Алекса думает так же. Она не ожесточилась, но с головой ушла в работу и, насколько он знал, никогда ни с кем из полицейского департамента не встречалась. Пять лет назад ему показалось, что у нее связь с одним из помощников окружного прокурора, но Алекса не распространялась о своей личной жизни и рассказывала только разве о дочери.

Коп, который пришел с Джеком, был очень молод и держался напряженно. Заметив на его физиономии готовность к действиям, Алекса улыбнулась. Такое рвение характерно для всех молодых полицейских.

Джек и Алекса вошли в кабинет окружного прокурора. Чарли остался ждать снаружи. Окружной прокурор с приветливым видом поднялся из-за стола. Это был весьма привлекательный мужчина ирландского происхождения с густой гривой седых волос, несколько длинноватых. По его признанию, он поседел еще в колледже. Седина шла ему. Его джинсы, ковбойские сапоги и поношенный твидовый пиджак поверх ковбойской рубашки уже никого не удивляли — все знали, что в одежде он предпочитает стиль вестерн, даже когда встречается с мэром.

— Вы уже успели поговорить? — спросил окружной прокурор, глядя на Джека, который покачал головой. Отнюдь не глупый, Джек совсем не хотел похищать у окружного прокурора право самому сообщить новость.

— У нас какое-нибудь новое дело? — сразу же поинтересовалась Алекса.

— Да. Я рассчитывал, что нам удастся еще на день уберечь эту новость от внимания газетчиков, пока не уточним все детали, — сказал он, когда они уселись. — Но скорее всего уже сегодня после полудня информация так или иначе просочится в прессу и тут же начнется столпотворение.

— Какого рода дело? — спросила Алекса, у которой загорелись глаза. — Надеюсь, не магазинная кража? Терпеть не могу праздничные дни, — сказала она с отвращением. — Уж лучше, по-моему, отдавать украденное и забывать об этом. Это гораздо дешевле обошлось бы налогоплательщикам, чем преследование магазинного вора в судебном порядке.

— Мне кажется, в данном случае деньги налогоплательщиков будут израсходованы с пользой. Дело об изнасиловании и убийстве. Умноженное на четыре. — Говоря это, Джо Маккарти улыбнулся Джеку.

— Умноженное на четыре? — переспросила заинтригованная Алекса.

— Серийный убийца. Убивал молодых женщин. Мы получили частную информацию. Сначала показалось, что нас ввели в заблуждение, потом стали находить трупы, и полученная информация постепенно начала приобретать смысл. Создали небольшую оперативную группу, которая в течение шести месяцев следовала за ним из штата в штат, но не могла взять с поличным. У нас были только жертвы, и никакой возможности увязать их с преступником. Осведомитель давал информацию из тюрьмы, но никаких улик в подтверждение этих сведений мы не могли получить больше года. Похоже, наш парень кому-то здорово насолил перед выходом из тюрьмы, так что они нам даже позвонили. Этот тип очень осторожен. До последней недели у нас никаких серьезных улик против него не было, но теперь на нем почти наверняка два убийства и вполне возможно — еще два. Мы намерены попытаться доказать все четыре. Это уж ваша работа, — сказал Маккарти, обращаясь к Джеку и Алексе, слушавшим с большим интересом. — Поскольку подозреваемый пересекал границы нескольких штатов, им заинтересовалось ФБР. Но прошлой ночью Джек и Чарли Макэвой, молодой коп, ожидающий за дверью, схватили его. Так как все четыре убийства были совершены в Нью-Йорке, это дело остается за нами.

— Как его зовут? — спросила Алекса. — Не проходил ли он у нас раньше? — Как положено профессионалу, она никогда не забывала ни одной физиономии, ни одного имени.

— Люк Квентин. Два года назад вышел из тюрьмы в Аттике*. Отбывал наказание за разбойное нападение в северной части штата. В нашем суде его не судили, но по делам подобного рода он прежде не проходил. Очевидно, в Аттике, находясь в тюрьме, он кому-то сказал, что любит фильмы об убийствах и что ему нравится наблюдать, как женщины умирают во время полового акта, и он хочет сам попробовать, когда выйдет на свободу. Жутковатый парень. — Окружной прокурор усмехнулся, взглянув на Алексу. — Он ваш.

Глаза Алексы широко распахнулись, и она улыбнулась. Ей только давай дела посложнее, чтобы можно было навсегда изолировать от общества тех, кто этого заслуживает. Но такого сложного дела ей еще никогда не поручали: четыре обвинения в изнасиловании и убийстве — это вам не пустяк.

— Спасибо, Джо, — сказала Алекса, понимавшая, что поручение такого дела — это дань уважения ее опыту.

— Вы этого заслуживаете. Отлично справляетесь со своей работой и никогда еще не подводили меня. Это дело вызовет большой резонанс в прессе, придется соблюдать осторожность. Не хватало еще, чтобы этот парень обвинил нас в нарушении процессуальных норм. Оперативная группа занимается сбором данных в других штатах, где он побывал. Если он тот, кого мы ищем, то он развлекается убийствами в течение последних двух лет. У него, можно сказать, свой почерк. Сначала жертвы бесследно исчезают. Потом мы находим трупы, но не имеем возможности связать их с ним.

---

* Штат Нью-Йорк. — Здесь и далее примеч. ред.

Два трупа обнаружили на прошлой неделе, и нам повезло. Макэвой побывал в его гостиничном номере и собрал с ковра грязь с его башмаков. В ней содержалась засохшая кровь, и мы ждем результатов анализа ДНК. Это только начало. У нас есть трупы еще двух жертв, убитых точно таким же образом: изнасилованы и задушены во время полового акта. Оба трупа обнаружены в водах Ист-Ривер. В грязи с его ковра найдены также два волоска, которые точно совпадают с волосами трупов. В общей сложности это составляет четыре жертвы. В любом случае у вас обоих дел будет по горло. Назначаю Джека ответственным за расследование. А вы возьмите в свои руки дело, — сказал он, обращаясь к Алексе. — Зачтение обвинения назначено на четыре часа.

— Лучше сразу же приступить к работе, — сказала Алекса, которой не терпелось выскочить из офиса и приняться за чтение относящихся к делу документов. Хотелось узнать, какие обвинения можно предъявить на сегодняшний день, хотя впоследствии можно добавить еще обвинения по мере поступления дальнейшей информации, результатов анализов судебно-медицинской экспертизы, а также в случае обнаружения других трупов, которые отнесены к числу нераскрытых преступлений. Теперь Алексе хотелось одного — изолировать Люка Квентина от общества. Именно за эту работу ей платили налогоплательщики, и она свою работу любила.

Они вышли из офиса окружного прокурора, который пожелал им удачи. Чарли двинулся за ними следом; Джек отправил его в лабораторию судебно-медицинской экспертизы узнать, как продвигаются дела, и обещал зайти к нему позднее. Чарли кивнул и исчез.

— Он немногословен, — заметила Алекса.

— Он хорошо делает свое дело, — заверил ее Джек, который решил поделиться с ней частной информацией. — Для него это особенно тяжелое дело.

— Почему?

— Если окажется, что это тот парень, кто год назад убил в Айове сестру Чарли. Это был ужасный случай, именно после него Чарли попросился в оперативную группу. Сначала брать его не хотели, поскольку работа связана для него с личной кровной местью. Но он отличный коп, и в конце концов ему позволили войти в состав оперативной группы.

— Это может плохо отразиться на работе, — встревоженно сказала Алекса, когда они шли в ее кабинет. — Если он хочет помочь нам, то должен иметь ясную голову. Нельзя, чтобы он неправильно понимал информацию или проявлял излишнее усердие потому лишь, что хочет наказать преступника. Из-за этого может рассыпаться все наше дело.

Услышанное ей совсем не понравилось. Все, что касается этого дела, должно быть в идеальном порядке, а обвинительный вердикт, которого она добьется, — неоспорим. И ей это удастся сделать. Алекса не знала пощады, вынося обвинения, и была скрупулезна в работе, научившись этому у матери — тоже юриста, причем хорошего. Алекса пошла учиться в юридическую школу только после развода. Она вышла замуж сразу же после окончания колледжа за первого и единственного мужчину, которого полюбила. Красавец южанин Том Бомон учился в Виргинском университете и, не слишком напрягаясь, работал в банке своего отца в Чарлстоне, где еще был жив дух Конфедерации, поддерживаемый отчасти Союзом дочерей Конфедерации, местное отделение которого возглавляла мать Тома, весьма знатная дама. Разведенный Том имел двоих очаровательных сыновей, которым в то время было семь и восемь лет. Она влюбилась в них, в Тома, а также во все, что относилось к Югу. Самый обаятельный мужчина из всех, кого она знала, Том был на шесть лет старше; Алекса, к их большой радости, забеременела в брачную ночь — или, может быть, за день до этого. В течение семи лет их жизнь напоминала идиллию, и Алекса была самой счастливой женщиной на земле и идеальной супругой, а потом вернулась его бывшая жена Луиза. Мужчина, ради которого она бросила Тома, погиб в автомобильной катастрофе в Далласе. И снова разгорелась Гражданская война, только на этот раз Север проиграл, а Луиза победила. Самым серьезным союзником Луизы оказалась мать Тома, и у Алексы не осталось ни малейшего шанса на победу. Чтобы решить вопрос окончательно и бесповоротно, Луиза забеременела: Том стал тайком навещать ее, вновь очарованный ее прелестями, как когда-то в колледже. Мать Тома напомнила сыну, что он имеет обязанности не только перед Конфедерацией, но и перед женщиной, которая носит его ребенка, матерью его «мальчиков». Том разрывался между двумя женщинами и постоянно пил, пытаясь разобраться в сложной ситуации. В конце концов получалось, что Луиза является матерью троих его детей, а Алекса — только одной дочери. Мать без конца напоминала об этом и убеждала сына, что Алекса так и не приспособилась как следует к их образу жизни.

Все происходило как в очень плохом фильме и превратилось в настоящий кошмар. Об этом судачил весь город. Том объяснил Алексе, что должен развестись с ней и жениться на Луизе. Не мог же он допустить, чтобы его ребенок был незаконнорожденным! Он пообещал восстановить статус-кво, как только Луиза родит, но к тому времени она уже снова управляла его жизнью и, кажется, все, включая Тома, забыли, что у него вообще когда-то были другая жена и ребенок. Алекса, как могла, пыталась остановить Тома от безумного поступка, но она была не в состоянии сдержать стихию. Том, настроенный решительно, убеждал ее, что женитьба на Луизе ради ребенка — это единственно возможный выход.

Покидая Чарлстон, Алекса чувствовала себя так, будто у нее вырвали сердце. Когда она упаковывала чемоданы, Луиза уже втаскивала в дом свои вещи. Взяв Саванну, Алекса с разбитым сердцем вернулась в Нью-Йорк и целый год жила у матери. К тому времени состоялся развод, и Том не знал, как объяснить, что будет лучше оставить все так, как есть. Лучше для него, Луизы и его матери, а также для маленькой девочки, которую родила Луиза. Изгнанные Алекса и Саванна вернулись на Север, откуда появились. Там им самое место, этим янки.

Луиза запретила Тому привозить Саванну в Чарлстон даже в гости. Она полностью взяла его жизнь в свои руки. Чтобы повидаться с дочерью, Том приезжал в Нью-Йорк несколько раз в году, обычно совмещая это с деловыми поездками. Алекса некоторое время писала своим пасынкам, которым к моменту ее отъезда было четырнадцать и пятнадцать лет и судьба которых была ей небезразлична. Но это были не ее дети, и она чувствовала по их письмам, что они разрываются между двумя матерями. Они писали ей примерно полгода, потом постепенно письма перестали приходить, и она не стала упорствовать. Тогда уже она начала учиться в юридической школе и пыталась изгнать их всех из своего сердца. Всех, кроме дочери. Было трудно скрывать от малышки свой гнев, но она старалась, хотя даже шестилетняя девочка чувствовала, как глубоко обижена мать. Отец Саванны, приезжая навестить дочь, был подобен прекрасному принцу; он присылал красивые подарки. Но в конце концов даже Саванна поняла, что в жизни отца ей нет места. Это не возмущало ее, хотя иногда печалило. Она любила их веселые встречи. Роковая слабость, которая привела его в ловушку, расставленную Луизой, была незаметна, когда он навещал дочь в Нью-Йорке. А со стороны было видно лишь, что он красив, весел, любезен и очарователен — олицетворение южного джентльмена с внешностью кинозвезды. Алекса тоже перед этим в свое время не устояла. Что же говорить о Саванне?

— И бесхребетен, как червяк, — добавляла к его характеристике Алекса в разговоре с матерью, когда Саванны не было поблизости. — Человек без хребта — чем не кино? — Мать жалела ее, но напоминала, что не следует ожесточаться, потому что от этого никому не станет легче, а дочь может обидеться. — У нее нет отца! — горько сетовала Алекса.

— У тебя тоже не было, — напоминала ей мать. Отец Алексы умер от сердечного приступа на теннисном корте, когда ей было пять лет. У него оказался какой-то врожденный порок, о котором никто даже не подозревал. Мать мужественно пережила горе и поступила в юридическую школу, как это сделала потом Алекса, хотя это не стало заменой хорошему браку, который, как считала Алекса, у нее был и которого на самом деле не было. — И ты отлично выросла без него, — часто напоминала ей мать.

Мюриэль Хэмилтон гордилась дочерью. Та с честью вышла из сложной ситуации, хотя несла на своих плечах огромную тяжесть. Мать это видела. Алекса отгородилась от внешнего мира прочной стеной, за которую никого не допускала, кроме матери и маленькой дочурки. После развода у Алексы было всего несколько романов. Сначала это был другой помощник окружного прокурора, потом один из ее следователей и еще брат подруги по колледжу. Но все это быстро кончалось. Она не хотела ни с кем встречаться и все внимание отдавала Саванне. Остальное не имело для нее значения, кроме работы, которая стала для нее настоящей страстью.

Покидая Чарлстон, Алекса дала себе клятву: больше никто никогда не разобьет ей сердце. Теперь она хранила его за семью замками там, куда никому не было доступа, кроме дочери. Ни один мужчина больше близко не подойдет к ней и не обидит ее. Алекса окружила себя стеной высотой в целую милю, и единственным человеком, у которого имелся ключ от запертой двери, была ее дочь. Алекса не делала из этого тайны. Дочь стала единственной ее радостью. Кабинет Алексы был полон фотографий Саванны, и она каждый уик-энд и каждую свободную минутку проводила с девочкой. Самое трудное предстояло впереди, когда осенью Саванна уедет в колледж. Но они могли еще девять месяцев жить вместе и наслаждаться обществом друг друга. Алекса старалась не думать о будущем. Ее жизнь опустеет. Саванна — это все, что у нее имелось и что она хотела иметь.

Алекса тщательно просмотрела досье, которые имелись на Люка Квентина, список жертв, которые они пытались увязать с преступником, если сойдутся данные из других штатов. За ним следили в течение нескольких месяцев. Какой-то коп из Огайо связал его с одним из убийств. Связь была недостаточно убедительная, чтобы предъявить обвинение, но вполне достаточная, чтобы насторожить. Не имелось никаких прямых улик, но Квентин оказался в нужном месте в нужное время, как и в нескольких предыдущих случаях. Убийство в Огайо было первым, которое навело на мысль, что Квентин был тем человеком, который им нужен. Но для ареста не было достаточных оснований. Его допросили по поводу убийства в Пенсильвании, но не добились нужных результатов. Он просто расхохотался им в лицо. Только за последние две недели в Нью-Йорке Чарли Макэвой полностью убедился в том, что это он, когда обнаружили трупы двух молодых женщин, а затем из реки достали еще два трупа. Все жертвы оказались именно того типа, какой предпочитал Квентин, и все убиты одинаково, то есть изнасилованы и задушены. Другие признаки надругательства отсутствовали. Маньяк не наносил им ножевых ран и не избивал. Он насиловал их и убивал во время полового акта. Кроме кровоподтеков, образовавшихся на телах жертв во время удушения, других повреждений не было, если не считать царапин и порезов, полученных после смерти, когда тела волокли с места преступления. Кровь из этих порезов и царапин дала экспертам материал, необходимый для анализа ДНК.

Алекса просмотрела файлы, которые пришли из других штатов после ареста, произведенного прошлой ночью. Данные на Квентина пытались перепроверить путем сопоставления с данными о десятке убийств. Сердце обливалось кровью, когда она смотрела на фотографии убитых девушек. Все они очень походили на сестру Чарли, фотография которой тоже прилагалась. Все жертвы были в возрасте от восемнадцати до двадцати пяти лет, преимущественно блондинки и очень похожи друг на друга. Они выглядели как типичные здоровые соседские девчонки. Все перед смертью были изнасилованы и, судя по кровоподтекам на шеях, задушены и умирали от удушья во время полового акта, что совпадало с его предполагаемым желанием попробовать самому убивать женщин во время секса, потому что это сильно возбуждает. У всех девушек имелись родители и друзья, которые их любили, братья и сестры, любимые и женихи, жизни которых сломала их гибель. Не все тела пока еще нашлись, но многие уже были обнаружены. Некоторые девушки просто бесследно исчезли, и никто не знал наверняка, живы ли они, но компьютер выдавал данные о них как о возможных жертвах. Причем внешне они выглядели так же, как и те, кого нашли. В общей сложности, включая пропавших, их было девятнадцать. Останки двенадцати из них были найдены, останки еще семерых не нашли.

У Люка Квентина прослеживалось явное влечение к молодым красивым блондинкам, обычно высоким и стройным. Это были манекенщицы или королевы красоты, гордость окружающих, их ждала счастливая жизнь, пока они не встретились с ним. Он не выбирал неряшливых женщин в барах, не убивал проституток. Он искал и находил общеамериканский образ типичной соседской девчонки. Убийство таких девчонок оставило за собой вереницу скорбящих, ошеломленных, разгневанных родственников в семи штатах. Джек с Чарли и остальные свидетели и члены оперативной группы не сомневались, что Квентин и есть тот самый убийца, которого они искали. Теперь это требовалось доказать, а засохшая кровь и волосы на подошвах его башмаков и на ковре являлись первым шагом на этом пути. Им улыбнулась удача, а большего и не нужно. Один неправильный шаг со стороны убийцы, одна самая ничтожная забытая мелочь — этого иногда бывает достаточно, чтобы рухнул весь карточный домик и убийца оказался в руках правосудия.

Трудно поверить, что один человек мог убить стольких женщин, но такое случается. В мире есть больные люди. И работа Джека заключалась в том, чтобы найти их, а работа Алексы — изолировать от общества. Глядя на фотографии, Алекса знала, что Люк Квентин — убийца и она посадит его за решетку. И что бы ни произошло, она вынесет ему беспощадный обвинительный приговор.

Это, конечно, мало утешит семьи, потерявшие своих дочерей. Во многих случаях родители жертв бывают склонны прощать убийц и иногда даже сами говорят убийцам, что прощают их. Алекса никогда этого не понимала, хотя нередко наблюдала такое явление. Если бы что-нибудь случилось с Саванной, она никогда не простила бы человека, который сделал это. Не смогла бы. Даже мысль об этом вызывала у нее дрожь.

Джек направился вместе с Алексой на предъявление обвинения, назначенное на половину четвертого. К тому времени она прочла все относящиеся к делу документы и знала историю Квентина. Она видела, как его привели в зал судебных заседаний закованного в кандалы и одетого в оранжевый тюремный комбинезон. Алекса обратила внимание на его тюремные легкие брезентовые ботинки — его собственные башмаки взяли, чтобы подвергнуть анализу засохшую на подошвах грязь.

Алекса смотрела, как его ведут по залу заседаний. Несмотря на огромный рост и могучее телосложение, он двигался грациозно. Алексу с первого взгляда поразила его самоуверенность. И почему-то ей вдруг показалось, что он обладает сексуальной привлекательностью. Она понимала, почему ему удавалось заманить девушек в укромное место для того, чтобы поговорить. Он совсем не выглядел зловещим, а выглядел сексуальным, красивым, привлекательным, пока не заглянешь ему в холодные как лед глаза — глаза человека, который не остановится ни перед чем. Будучи обвинителем, Алексе приходилось видеть подобные глаза. Он непринужденно болтал с назначенным ему общественным защитником-женщиной и даже смеялся. Судя по всему, его ничуть не смущала обстановка, не беспокоило, что его обвиняют по четырем случаям изнасилования и убийства. Убийства первой степени, предумышленного, с намерением лишить жизни. Ему будет предъявлено обвинение, и при вынесении приговора, если Квентин будет признан виновным, Алекса попросит судью дать соответствующие сроки по каждому из случаев. Как она надеялась, преступник пробудет в тюрьме по меньшей мере следующую сотню лет. Если он не признает себя виновным, а типы, подобные ему, обычно не признаются в содеянном, то предстоял сложный и долгий процесс с привлечением присяжных заседателей. Такие, как он, обычно держатся вызывающе, потому что им нечего терять. Времени у них сколько угодно, а денег налогоплательщиков тоже не жалко. В некоторых случаях они даже наслаждаются балаганом, который устраивают вокруг средства массовой информации. Судя по всему, Люка Квентина ничто не беспокоило, и пока ждали появления судьи из своего кабинета, преступник медленно повернулся на стуле и взглянул прямо на Алексу. На его руках были наручники, на ногах — кандалы, рядом стоял помощник шерифа, но он пронзил Алексу насквозь взглядом, словно рентгеновским лучом, и по спине у нее забегали мурашки. Когда заглянешь в эти глаза, тебя, естественно, охватывает ужас. Она

31

отвела взгляд и сказала что-то Джеку, который в ответ кивнул. Вдруг стало легко верить, что Квентин убил девятнадцать, а может быть, даже больше женщин. Чарли Макэвой тоже находился в зале заседаний, не спуская с Квентина глаз и желая одного — убить. Он видел тело сестры и то, что сотворил убийца. Теперь Чарли жаждал справедливости, любое наказание будет казаться ему недостаточным.

Тут из своего кабинета появился судья, и Алекса от лица населения штата Нью-Йорк изложила обвинения. Судья, выслушав, кивнул. Потом выступила общественный защитник, которая объявила от имени обвиняемого, что он не признает себя виновным по всем пунктам обвинения, что было стандартной процедурой. Итак, он не намерен признавать вину и в данный момент не собирается обсуждать условия чистосердечного признания, которые, кстати, ему и не предлагались. Для этого еще не подошло время. Не было также попытки назначить залог и отпустить его на поруки. Учитывая тяжесть преступления, такое не предусматривалось; и Алекса заявила, что Большое жюри присяжных заседателей вынесет обвинительный вердикт и решит вопрос о предании преступника суду. Несколько минут спустя Квентина повели к двери, чтобы отправить в тюрьму. Но прежде чем выйти из зала, он повернулся и снова посмотрел на Алексу. Усмехнувшись своей жуткой улыбкой, он скрылся за дверью, которую открыл другой помощник шерифа. Квентин словно оценивал Алексу. Она была старше его и вдвое старше, чем его жертвы, но взгляд преступника говорил, что если бы он захотел, то мог бы заполучить и ее. Алекса поняла: когда поблизости находится этот человек, ни одна женщина не может чувствовать себя в безопасности. Он был олицетворением угрозы для общества и при этом вопиюще самонадеян, без раскаяния, без страха, даже без тревоги. Он выглядел как видный, красивый парень, у которого весь мир в кармане и который имеет все, что пожелает. По крайней мере так могло показаться по его внешнему виду.

Представителей прессы в зал суда не пустили, потому что официального заявления пока не было. А уж затем средства массовой информации сразу же возьмут это дело под контроль. Покидая зал заседаний, Алекса чувствовала, что ей не по себе, как будто Квентин провел по ее телу руками, и ей хотелось дать ему пощечину. Она все еще не избавилась от этого ощущения, когда час спустя, надев пальто в своем кабинете, поднялась по лестнице в другой зал. Там все еще не закончилось заседание. Председательствующая женщина-судья строго предупреждала мужчину, виновного в задержке на шесть месяцев алиментов на содержание ребенка, что упечет его в тюрьму, и он пообещал немедленно заплатить алименты. Здесь в суде по делам, касающимся семейного права, как всегда, разыгрывалось немало драм.

Алекса дождалась перерыва в заседании и проследовала за судьей в кабинет. Она постучала и открыла дверь в тот момент, когда судья снимала с себя мантию, под которой были черная юбка и красный свитер. Это была привлекательная женщина чуть старше шестидесяти. Улыбнувшись Алексе, она подошла, чтобы обнять ее.

— Привет, дорогая. Что ты здесь делаешь? — спросила мать.

Алекса не знала, что ответить. Она просто чувствовала потребность прийти сюда после неприятного ощущения, которое испытала, наблюдая в суде за Люком Квентином.

— Я только что получила одно крупное дело и присутствовала на предъявлении обвинения. У этого парня такой устрашающий вид, что мне стало не по себе.

— Какого рода дело? — заинтересовалась судья.

— Серийный убийца и насильник. Нападал на женщин в возрасте от восемнадцати до двадцати пяти лет. У нас имеются девятнадцать убийств, которые мы пытаемся связать с ним, причем четыре почти наверняка совершены здесь, в Нью-Йорке. Надеюсь, удастся доказать его причастность к остальным случаям, но пока не уверена.

Слушая ее, Мюриэль Хэмилтон поморщилась:

— Слава Богу, у меня, как у судьи по семейным делам, не бывает подобных дел. Я бы просто не выдержала. Хватает того, что приходится иметь дело с мужчинами, которые ничем не помогают своим детям, но при этом покупают новые «порше». Я заставила одного из них продать машину и вернуть алименты бывшей жене. Иногда попадаются такие мерзавцы. Но твой, кажется, совершенно омерзителен. — Мюриэль покачала головой.

— Он напугал меня до смерти, — призналась Алекса. Кроме матери, она никому бы об этом не сказала. Обычно у нее не бывало подобной реакции, но наглые агрессивные взгляды Квентина, брошенные на нее, действительно задели ее за живое.

— Будь осторожна! — предупредила ее мать.

— Я не буду оставаться наедине с ним, мама, — улыбнулась Алекса. Ей нравилось, что они могли говорить с матерью среди прочего и о работе. Мать спасла ей жизнь, когда она вернулась домой из Чарлстона. Мысль о том, чтобы Алекса пошла учиться в юридическую школу, принадлежала матери, и она, как всегда, оказалась права. — Их приводят в суд в наручниках и кандалах, — заверила ее Алекса, но лицо матери по-прежнему выражало беспокойство.

— Иногда у таких типов имеются дружки. Как обвинитель, ты окажешься предметом его ненависти, если добьешься обвинительного акта и заставишь предстать перед судом. И если ты это сделаешь, то, с его точки зрения, его посадят в тюрьму по твоей вине. Пресса, освещая подобное дело, сожрет тебя заживо.

Они обе знали, что и в этом она права.

— Похоже, его не волнует предстоящий тюремный срок. А мужчина, который по твоей милости лишился своего «порше», тоже, наверное, был зол на тебя. — Раз или два во время особенно тяжелых дел в доме матери — в порядке ее защиты — дежурил помощник шерифа. Мать рассмеялась над словами Алексы. У той вдруг возникла идея. — Хочешь прийти поужинать с нами завтра вечером?

Мать слегка смутилась.

— Не могу. У меня свидание.

— Очень вы с Саванной резвые. Мне за вами не угнаться.

— Но ты и не пытаешься. Когда последний раз ходила на свидание?

— В каменном веке. Кажется, тогда люди ходили с дубинками и одевались в звериные шкуры.

Алекса с удрученным видом взглянула на мать. Вечно Мюриэль поднимает эту тему.

— Это вовсе не смешно. Тебе нужно чаще бывать на людях, хотя бы ужинать с друзьями.

Алекса обычно после работы шла домой к дочери — вот и вся ее личная жизнь. Мать это, естественно, беспокоило.

— Теперь я в течение некоторого времени не смогу никуда выходить. Мне нужно готовить это дело.

— Всегда у тебя находятся оправдания, — пожурила ее мать. — Терпеть не могу, когда ты занимаешься такими крупными делами. Почему бы тебе не найти какую-нибудь приличную работу? Что-нибудь из области налогового законодательства, например, или защиты прав животных. Или еще что-нибудь в этом роде. Мне не нравится, когда ты обвиняешь серийных убийц.

— Со мной все будет в порядке, — сказала Алекса.

Она не стала спрашивать, с кем у матери свидание. Это было известно. Мать и судья Шварцман начали встречаться, еще когда Алекса училась в колледже. Прежде мать редко куда-нибудь выбиралась, слишком занятая работой и воспитанием дочери. Теперь они со Стэнли Шварцманом ходили то на ужин, то в кино, а время от времени им удавалось улизнуть и провести вместе уик-энд. Алекса знала, что по субботам он обычно остается у матери на ночь. Никто из них не хотел связывать себя брачными узами, и заведенный порядок действовал годами. Этот привлекательный мужчина, на пять лет старше матери, все еще очень энергичный и в хорошей форме, скоро должен был выйти в отставку. У него имелись две дочери и сын старше Алексы, иногда они все вместе проводили каникулы.

Мать надела пальто, и они вышли из здания. Начал падать снежок, и пришлось взять такси. Высадив на дороге мать, Алекса поехала дальше, к себе домой. В конце напряженного дня ей не терпелось увидеть Саванну, и она расстроилась, не застав ее дома. На мгновение Алекса вдруг почувствовала, как по спине пробежал холодок: она вспомнила, что на свободе гуляют люди вроде Люка Квентина и что Саванна в ее возрасте совсем наивна. Эта мысль вселяла ужас. Но Алекса включила свет и прогнала ее из головы. Она окинула взглядом комнату. Осенью, когда Саванна уедет, ей вот так и придется возвращаться с работы в темный пустой дом. А перспектива не из лучших. Но потом, когда Алекса стояла, мрачно размышляя, позвонила Саванна и сообщила, что придет с друзьями. Значит, пока все идет как надо. И Люк Квентин сидит в тюрьме, где ему и следует находиться. А Саванна по-прежнему является неотъемлемой частью ее жизни. Алекса с облегчением вздохнула, уселась на диван и включила телевизор. И вот вам пожалуйста, в вечерних новостях уже передавали историю Люка Квентина. Показали также снимок Алексы, выходящей из зала суда после вынесения обвинения. Она даже не заметила снимавшего ее фотографа. В сообщении говорилось, что она является старшим помощником окружного прокурора, с успехом выступавшим в качестве обвинителя по целому ряду крупных дел. Глядя на свое изображение на телевизионном экране, Алекса думала только о том, что волосы у нее в полном беспорядке. Неудивительно, что ее больше года никто не приглашает на свидания, подумала она и громко рассмеялась. Переключая каналы, она снова увидела свою фотографию. «Балаган» в средствах массовой информации начался.

Глава 3

Сидя в одиночестве в маленькой темной комнате, Алекса наблюдала сквозь стену, которая представляла собой двустороннее зеркало, за происходящим в соседней комнате. Туда привели Люка Квентина. Джек Джонс и Чарли Макэвой ждали его за длинным столом. Тут же находился еще один офицер — Билл Нили, участвовавший в задержании, а также два копа, которых Алекса видела, но не знала по именам. Следовательская бригада присутствовала в полном составе. Было также несколько человек из оперативной группы, которые подключатся к работе с ними позднее, но сейчас собрались главные действующие лица. В понедельник утром все выглядели отдохнувшими после уик-энда.

Как и во время зачитывания обвинения, Квентин был в наручниках и кандалах, казался спокойным и собранным. Помощник шерифа снял наручники сразу же, как только тот уселся, и Люк окинул взглядом людей по другую сторону стола.

— Не найдется ли закурить? — спросил он с ленивой улыбкой. Курение в кабинетах для допросов теперь запрещалось, но Джеку показалось, что это может помочь Квентину расслабиться. Он кивнул и подтолкнул к нему по поверхности стола пачку сигарет и спички. Квентин отломил ногтем большого пальца спичку и зажег ее. Алексе было хорошо слышно все, что говорилось, она сидела в темноте, настороженная и напряженная. Ей очень хотелось, чтобы допрос прошел как следует. Квентин глубоко затянулся сигаретой, не спеша выдохнул дымок и повернулся точно к тому месту, где сидела Алекса, как будто чувствовал ее присутствие и знал наверняка, что она здесь. Алексе это показалось страшной наглостью. Она не могла бы сказать, что выражал его взгляд — ласку или пощечину, — но она словно ощутила и то и другое. Она выпрямилась на стуле, достала сигареты и закурила. Она была одна в комнате, так что никто не увидит. Время от времени делая затяжку, она пристально наблюдала за Квентином.

— Расскажите, где вы побывали за последние два года? — спросил Джек. — В каких городах, в каких штатах? — Было абсолютно точно известно, где он побывал за последние шесть месяцев, но Джек хотел узнать, скажет ли им подследственный правду.

Тот ответил, скороговоркой перечислив крупные города и мелкие городишки во всех штатах, о которых они знали.

— Чем вы там занимались?

— Работал. Навещал парней, с которыми познакомился в тюрьме. У меня ведь не условно-досрочное освобождение. Я могу делать что хочу, — с самоуверенным видом сказал он.

Джек кивнул в знак согласия. Было известно, что Квентин работал чернорабочим, грузчиком, а в одном из сельскохозяйственных штатов убирал урожай. Со своим ростом и развитой мускулатурой всегда находил работу. Но тот же внешний вид шел не на пользу его жертвам и стоил им жизни. Это тоже было известно. Квентин вел себя нагло, но в его поведении не было угрозы насилия, и, насколько они знали, ни в тюрьме, ни раньше случаев проявления жестокости с его стороны не наблюдалось. Говорили, что Люк — человек миролюбивый, но не даст спуску, если на него нападут. Однажды его порезали ножом, когда он попытался остановить побоище между двумя соперничающими бандами, но о его связях с бандитами никто ничего не знал, а сам Квентин мало говорил о себе.

В тюрьме он занимался бегом трусцой на электрической беговой дорожке и ежедневно бегал в тюремном дворе. Выйдя из тюрьмы, продолжал бегать. Несколько раз его видели в парках, причем именно в тех местах, где обнаруживали трупы жертв, но увязать одно с другим не удавалось из-за отсутствия свидетелей. А тот факт, что Квентин бегал трусцой в том же парке, еще не означал, что жертвы погибали от его руки. Ни на одной из женщин не было обнаружено ни капли спермы, а это означало, что либо он пользовался презервативом, либо имел какое-то связанное с сексом отклонение, которое и заставляло его насиловать. Что и говорить, продумывал он свои преступления блестяще.

Квентин держался нагло, но не хвастался. Он ждал их вопросов, но не проявлял никакой инициативы. Смотрел им в глаза и время от времени бросал взгляд на окно, сквозь которое с серьезным лицом за ним наблюдала Алекса. К тому времени она, сама того не замечая, выкурила полдюжины сигарет.

— Вы знаете, что я этого не делал, — заявил некоторое время спустя Квентин, глядя прямо в лицо Джеку. Он явно смеялся над ним. Его взгляд переместился на Чарли, но не задержался на нем. — Вам, парни, просто надо найти человека и повесить на него убийства. Тогда вы подниметесь в глазах прессы.

Встретившись взглядом с Квентином, Джек решил забыть о вежливом обхождении. В глазах преступника не было ни чувства вины, ни страха, ни даже беспокойства. Единственное, что Джек там увидел, было презрение. Люк смеялся над ними, как над кретинами. Его даже пот не прошиб, что часто случается с подследственными. В комнате было жарко. Все присутствующие копы взмокли, только на Квентина жара, кажется, не действовала. Но на них была уличная одежда, а на нем — тонкий спортивный костюм, и он чувствовал себя комфортно.

— В грязи с ваших башмаков обнаружена кровь, — спокойно сказал ему Джек.

— Ну и что? — с полным безразличием произнес Квентин. — Я ежедневно бегаю. И когда бегаю, не гляжу на землю. Я каждый день наступаю на грязь, собачье дерьмо и человеческие экскременты. Возможно, наступил и на кровь. Ведь на моих руках ее не было. — На его одежде крови тоже не было. Они уже осмотрели все принадлежащие ему вещи. Кровь обнаружилась только в грязи с его башмаков. И он, возможно, говорил правду, хотя в это верилось с трудом. — Вы не можете держать меня здесь без конца. А если это все, что у вас имеется, то ваши обвинения бездоказательны. Вы это знаете так же хорошо, как и я. Придется еще потрудиться. Сами понимаете, вы оказались по уши в дерьме. Арест ничего не дал.

— Это мы еще посмотрим. Я бы не стал на это рассчитывать, — сказал Джек с уверенностью, которой, откровенно говоря, не чувствовал. Требовалась веская улика, на которую можно было бы опереться. Они имели достаточно материала для его ареста, но пока еще недостаточно для того, чтобы предъявить обвинение. Джек надеялся, что если еще немного повезет, они найдут эту улику. В группе работают надежные люди. Может быть, поступит информация от еще какого-нибудь осведомителя, хотя Квентин, судя по всему, был не из болтливых, очень себе на уме. А может быть, результаты анализа ДНК, которых они ждали, позволят вынести обвинение.

Допрос продолжался несколько часов. Спрашивали о том, где он был, что делал, кого знал, с кем знакомился, с какими женщинами встречался, в каких гостиницах останавливался. Проверка показала, что он находился в городах, где были убиты девушки, но пока не обнаружили ничего, что позволило бы увязать это с убийствами других девушек. Правда, пока и этого было достаточно, но все же они с нетерпением ждали результатов анализа ДНК судебно-медицинской экспертизы.

— Вам придется доказать побольше, чем мое пребывание в том же парке, — говорил Квентин. Но даже он понимал, что пока им хватит таких улик, как кровь и волосы.

Во время допроса они ни разу не упомянули о его пристрастии к фильмам про убийства. Не хотелось пока настораживать его. Утром ему предложили пригласить назначенного общественного защитника, но Квентин отнесся к этому с полным равнодушием. Он не боялся копов и считал общественных защитников своего рода объектом для шуток: те всегда были молодыми и наивными, и в большинстве случаев их подзащитные все равно оказывались в тюрьме. Тот факт, что эти парни были виновны, казался ему не относящимся к делу. Общественный защитник, которого ему назначили, был ничуть не лучше — женщина, работавшая в этом качестве около года. Квентину было наплевать. До суда дело не дойдет из-за отсутствия улик, и придется его отпустить. Его вину не могут доказать, а наличия крови на его башмаках недостаточно.

Источником крови всех четырех жертв были царапины, полученные ими от соприкосновения с землей, когда их насиловали или когда волокли их тела, а одним из источников стал порез на предплечье жертвы. Такое кровотечение не могло послужить причиной смерти. Когда убийца насиловал и убивал их, они были голыми, как и тогда, когда обнаруживали их тела. Он всегда предварительно снимал с них одежду и не трудился одевать уже мертвых. Первых двух девушек нашли в неглубокой могиле в парке, которую разрыла собака. Еще две оказались в реке, что было сложнее осуществить, хотя убийца нашел способ избежать свидетелей. От тел жертв в других штатах убийца избавлялся с той же небрежностью, причем некоторых из пропавших девушек пока так и не нашли, хотя они почти наверняка были мертвы. Исчезли, не вернувшись со спортивной пробежки ранним утром или вечером в парке.

Похоже, убийце нравилось пасторальное оформление мест встречи. Одна из девушек на Среднем Западе исчезла с фермы. Ей только что исполнилось восемнадцать лет, и родители говорили о ее привычке добираться до города, голосуя по дороге, но здесь знали каждого на несколько миль вокруг. В тот день она села в машину к явному незнакомцу. Родители ждали несколько месяцев, надеясь получить от нее весточку о том, что она сбежала с каким-нибудь привлекательным парнем, потому что была немного сумасбродная, хотя и красивая девчонка. Весточки от нее так и не дождались, а тело нашли несколько месяцев спустя, когда бульдозер расчищал грязь. Она умерла точно так же, как и другие, то есть была изнасилована и задушена.

Квентина допрашивали в течение трех часов, потом отправили назад в камеру. Он медленно вышел из комнаты, даже не оглянувшись. Выходя, он не взглянул в направлении Алексы. Она чувствовала себя такой же усталой, как офицеры полиции и сыщики, когда они встретились в ее кабинете, чтобы обсудить услышанное. Квентин не дал ничего нового, а лишь подтвердил места, где побывал, и назвал множество людей, с которыми встречался, ужинал, у которых работал или с которыми ходил в бары. Он знал, как не напрашиваться на неприятности, по крайней мере так им казалось. Он никогда не подвергался аресту, с тех пор как освободился из тюрьмы. Не принимал наркотики, если не считать марихуану в тюрьме. Любил текилу и дешевое вино, но то же самое любят все парни в колледже, хотя они не насилуют и не душат женщин. Пить дешевое вино не преступление, а те, кто его знал, говорили, что в выпивке он знал меру и совсем не походил на агрессивных пьяниц, которые ввязываются в драки в барах. Квентин был холоден и расчетлив, скрывал свои мысли и следил за каждым своим шагом. Во время допроса именно так себя и вел.

— Маловато мы получили, — заключил один из младших копов с расстроенным видом.

— Ничего другого я и не ожидал, — сказал Джек. — Он слишком умен и не намерен проговориться и дать нам какую-нибудь зацепку. Придется собирать это дело по щепочке, кирпичик к кирпичику, камешек к камешку, как строили свои домики три поросенка. Он не намерен облегчить нам жизнь. Придется натереть мозоли на задницах, работая над этим делом, пока не припрем его к стенке.

Представив себе эту картину, Алекса улыбнулась, провожая остальных из своего кабинета.

— Ну и что вы об этом думаете? — спросила она Джека, когда они снова остались одни. Оба сознавали, что раньше Квентина еще не обвиняли в преступлениях, связанных с насильственной смертью, хотя со времени последней отсидки в тюрьме он изменил свой modus operandi*. Алекса, как и вся оперативная группа, которая пристально за ним следила и изучала его повадки, не сомневалась, что эти преступления его рук дело.

— Честно? Полагаю, что это сделал он. Нутром чую — он убил их всех, причем, может быть, даже больше, чем нам известно. И нам придется здорово потрудиться, чтобы это доказать. Остается доказать его виновность, а потом вы сделаете свою работу, — сказал Джек.

Алекса кивнула, полностью соглашаясь с ним. Она тоже не сомневалась в его виновности. Ее инстинкт, такой же старый, как у Джека, не подводил, но Квентин оказался скользким, как смазанный жиром мрамор, и поймать его будет трудно. Он имел все признаки социопата — человека,

---

* Образ действий (лат.).

способного совершать гнусные преступления, оставаясь при этом равнодушным и спокойным. Он явно не испытывал ни страха, ни раскаяния. Может быть, позднее в нем проснется совесть?

— Не желаете ли пообедать? Несварение желудка гарантируется, — предложил Джек. — Мы могли бы поговорить об этом деле. Или, если пожелаете, не будем о нем говорить. Мне все еще нужно переварить утреннюю информацию. Порой, когда я обдумываю сказанное, кое-что всплывает. Сначала это кажется пустяком, а потом вдруг оказывается ниточкой, которая ведет к чему-то еще, — объяснил Джек. Вот потому-то он так хорошо справлялся со своим делом: умел сосредоточить внимание на самых незначительных мелочах, что в конце концов приносило результаты. Так бывало всякий раз, когда они вместе работали над каким-нибудь делом. Его считали самым лучшим следователем, а ее — самым лучшим помощником окружного прокурора.

— С удовольствием. Я должна вернуться сюда к двум часам на совещание. Готовлюсь к сбору Большого жюри.

Сбор был назначен через два дня, и Джек отправится туда вместе с ней. Она хотела как следует подготовиться. Ввиду отсутствия более веских, неопровержимых доказательств ее аргументы в пользу того, чтобы Квентин предстал перед судом, должны выглядеть еще более надежными и убедительными. Конечно, пока еще пистолета с дымком из дула не было, но она так же хорошо умела делать свое дело.

Они с Джеком перешли улицу, направляясь к кафетерию, который все дружно ненавидели, но куда заходили почти ежедневно. Алекса пыталась приносить еду из дома, но обычно спешила и не успевала сделать это, а потому либо голодала целый день, либо покупала что-нибудь в автомате, либо, рискуя здоровьем, обедала в этом кафетерии. Кафетерий был отвратительным, но находился ближе всех к зданию, в котором они работали. Они все соглашались с тем, что обедать там может либо человек, умирающий с голоду, либо тот, кто решил свести счеты с жизнью. Пища, тяжелая, жирная, либо пережаренная, либо угрожающе недоваренная, могла нанести немалый вред здоровью. Алекса обычно старалась ограничиться салатом, поглощение которого было сопряжено с минимальным риском для жизни. Джек, как положено мужчине, любил хорошо поесть и брал полный обед, рискуя еще больше.

Джек заказал мясной хлеб и картофельное пюре, Алекса — салат «Цезарь», который оказался вялым и мокрым.

— Господи, как же я ненавижу то, что здесь готовят, — пробормотала она, принимаясь за еду, и Джек усмехнулся:

— Совершенно с вами согласен. Но у меня никогда нет времени пойти в другое место.

Со времени своего развода, который состоялся несколько лет назад, Джек проводил за работой каждый час, когда бодрствовал, даже во время уик-эндов. По его словам, это оберегало от множества проблем. Алекса в своей жизни придерживалась тех же взглядов.

— Мы оба слишком много работаем, — заметила она, состроив гримасу при виде листьев латука, собранных, казалось, неделю назад.

— Ну, что у вас новенького? Как ваша личная жизнь? — поинтересовался он в непринужденной манере. Алекса ему нравилась, и давно. Умная, трудолюбивая, она умела, когда нужно, быть жесткой, даже беспощадной, но при этом оставалась справедливой и доброй, к тому же красивой женщиной. Трудно было бы найти что-нибудь такое, что ему в ней не нравилось бы. Правда, она была на его вкус чересчур худенькой и не слишком заботилась о своих волосах. Она всегда собирала волосы в тугой пучок на затылке, хотя он догадывался, что волосы у нее, должно быть, длинные и роскошно смотрятся в постели. Джек старался не думать об этом и помнить, что она для него — «свой парень». Именно так она и вела себя и, судя по всему, ни с кем не хотела других отношений. Видно, сильно обожглась на своем браке и тяжело перенесла предательство мужа. Как-то раз Алекса сама рассказала ему свою историю. Ее история была, кажется, еще хуже, чем у него.

— Полагаю, вы шутите. Я права? — Она улыбнулась и в ответ на его вопрос сказала: — У кого есть время на личную жизнь? У меня есть ребенок и работа на полную ставку. Этого вполне хватает.

— Похоже, многие люди как-то умудряются не ограничиваться этим. Они даже ходят на свидания, влюбляются, женятся. По крайней мере мне так говорили.

— Должно быть, они живут под воздействием наркотиков, — сказала Алекса, отодвигая тарелку с салатом. С нее было достаточно. — Скажите лучше, что вы думаете о нашем деле? Как по-вашему, нам удастся припереть его к стенке?

— Надеюсь. Я, черт возьми, намерен попытаться сделать это. Абсолютно хладнокровный тип. Мне кажется, что он бы всех поубивал, если бы представилась такая возможность, и ему это сошло с рук.

— Что дает вам основания так думать? — спросила заинтригованная Алекса, всегда доверявшая его суждениям. Он редко ошибался. И скорее всего не ошибся и на этот раз. — Квентин никогда еще не обвинялся в преступлениях, связанных с насильственной смертью, и до этого «разгула», насколько нам известно, никого не убивал. — Она выступала сейчас в роли «адвоката дьявола», придираясь к суждениям обоих.

— Это всего лишь означает, что он хорошо делает свое дело. Не знаю сам, почему я так думаю, но мне, как и вам, уже приходилось встречаться с такими. С холодными как лед и мертвыми внутри. Они похожи скорее на машины, чем на человеческие существа. Он является классическим примером социопата, а тем, как правило, ума не занимать. Это самые опасные для окружающих существа. Убить вас им так же просто, как обменяться рукопожатием. Возможно, когда он был моложе, он никого не убивал, но я убежден, что сейчас он готов убивать. Может быть, что-то в нем сломалось, когда он последний раз отбывал срок в тюрьме. Думаю, этот сукин сын — психически больной извращенец, который еще заставит нас покрутиться за нашу зарплату. Он хорошо заметает следы. Не знаю почему, но нам повезло с этой кровью на его башмаках. Обычно социопаты не допускают подобных ошибок. Возможно, он стал слишком самонадеянным. К тому же наверняка не знал, что мы за ним следим. — Это стало ясно из допроса, и ему об этом не сказали, а просто позволили говорить.

— Черт возьми, я очень надеюсь, что мы его прижмем, — с жаром сказала Алекса, которая больше всего на свете хотела сейчас изолировать его от общества.

— Я тоже, — согласился Джек.

— С ума схожу, когда вижу лица этих девушек. Все они такие юные и такие хорошенькие. И очень похожи на мою дочь. — Она почувствовала, как по спине забегали мурашки. Она об этом раньше не думала, а остальным это давно пришло в голову. Саванна как раз девушка такого типа, который предпочитал преступник. Но к счастью, он сидит в тюрьме, а не разгуливает на свободе. Пока.

— Кстати, как у нее дела? — спросил Джек, меняя тему разговора. Ему казалось, что он ее знает, потому что видел на столе в кабинете Алексы целую галерею ее фотографий и раза два встречал там. Она была красивой, как и ее мать.

— Готовит задания для подачи заявления в колледж, хочет поступить в Принстон. Это по крайней мере в Нью-Джерси. Но я боюсь до смерти, что она поступит в Стэнфорд. Не хочу, чтобы она уезжала так далеко. Когда она уедет, моя жизнь станет совсем одинокой.

Он кивнул и заметил глубокую печаль на лице Алексы. Она была слишком молода, чтобы отдать ребенку всю свою жизнь.

— Может быть, вам следует над этим подумать? Еще есть время принять какие-то меры.

— Прошу прощения. Неужели я это слышу от человека, который работает так же напряженно, как я? Последний раз я ходила на свидание в каменном веке, но что-то мне подсказывает, что ваше последнее свидание было за несколько тысячелетий до этого.

Он громко рассмеялся, услышав ее слова.

— Уж поверьте мне, это большая ошибка. Для меня это слишком поздно. Я теперь могу встречаться с женщинами либо значительно моложе меня, которые хотят завести детей, а я этого не хочу, либо с женщинами своего возраста, которые ожесточились и ненавидят мужчин.

— Неужели нет какого-нибудь промежуточного варианта? — удивилась Алекса. Она знала, что сама ожесточилась по отношению к Тому и вообще к мужчинам. Поклялась никогда больше не верить ни одному мужчине — и не верила даже тем, с которыми встречалась, хотя это случалось редко. Стены, которыми она себя отгородила, были высотой в целую милю.

— Нет, — подтвердил Джек. — Разве что проститутки. Но я не так богат, чтобы платить за секс. — Они оба рассмеялись его словам, потом он расплатился за обед, и Алекса поблагодарила. — Только не говорите, что я приглашал вас обедать не в самое лучшее место. Если бы подтвердилась теория, согласно которой в благодарность за хороший ужин ложатся в постель, вы, наверное, дали бы ногой мне в пах за этот обед. Как чувствует себя ваш желудок после такого салата? Пока не болит?

— Пока нет. Обычно это происходит примерно через полчаса. — Шуточек об этом кафетерии ходило несметное количество, но еда здесь была действительно мерзкой и даже хуже. Все копы клялись, что даже тюремная баланда лучше здешней пищи. Вероятно, они говорили правду.

Они вместе вернулись в здание суда, и Джек обещал держать ее в курсе последних событий, касающихся Квентина. Пресса проявляла к этому огромный интерес, и все они были очень осторожны, стараясь не сказать лишнего. Репортеры уже приставали к Алексе с просьбами дать интервью, но она отказывалась, предоставляя это право окружному прокурору.

Остальную часть дня Алекса проводила совещания, работала над документами, готовясь к Большому жюри, и ушла с работы в шесть часов, то есть раньше обычного. В тот вечер к ним должны были прийти на ужин ее мать и судья Шварцман. Когда Алекса вернулась домой, Саванна только что поставила в духовку цыпленка. Она выглядела красивой, свеженькой и веселой после того, как их волейбольная команда выиграла у соперничающей школы. Алекса, когда могла, старалась ходить на ее игры, хотя это случалось не так часто, как хотелось бы. Увидев дочь, Алекса вновь поразилась ее сходству с жертвами Люка Квентина. Из-за этого она особенно близко к сердцу воспринимала гибель всех этих девушек.

— Как продвигается важное дело с преданием суду серийного убийцы? — спросила Саванна, когда они обе хлопотали на кухне. Алекса готовила салат, в микроволновке стоял картофель. Гостей ждали через полчаса. Пока готовился ужин, можно было поболтать, как обычно.

— Продвигается, — ответила Алекса. — Через два дня назначено Большое жюри. А как продвигаются твои задания? Что-нибудь еще готово? Я хотела бы их посмотреть перед отправкой, — напомнила Алекса, хотя Саванна отлично писала эссе и всегда получала высокие оценки. Такая выдержит любой конкурс. Алекса великолепно делала свою работу, но и Саванна была умной девочкой.

— Закончила задания для Принстона и Брауна. Остались Стэнфорд и Гарвард. Однако вряд ли я попаду туда, уж очень там высокие требования. Попасть в Университет Джорджа Вашингтона тоже неплохо. Или в Дюка.

Поступление в университет все еще казалось ей нереальной перспективой, чем-то вроде несбыточной мечты. Она с нетерпением ждала возможности поговорить об этом с отцом, когда они поедут кататься на лыжах.

Алекса и Саванна продолжали болтать, заканчивая приготовление ужина и накрывая на стол, когда раздался звонок в дверь. Это пришли гости. Стэнли, видный мужчина с аристократической внешностью, оживленный и энергичный, несмотря на свой возраст, казался именно таким, каким в идеале должен выглядеть судья. Немного консервативный, он обладал отличным чувством юмора, и в глазах его мерцали задорные огоньки.

Цыпленок получился великолепный, правда, картофель несколько перестоял в микроволновке, но, казалось, никто этого не заметил. За столом шел оживленный разговор, потому что три поколения женщин всегда радовались случаю побыть вместе, а Стэнли обожал находиться в их компании. Алекса напоминала ему его собственных дочерей, а Саванна — любимую внучку одного с ней возраста. Они поговорили о подаче заявлений Саванной и об одном забавном деле, услышанном Стэнли: один человек подал в суд на своего коллегу, который постоянно на него чихает, отчего тот заболевает. В иске было отказано по причине отсутствия злого умысла и осязаемого материального ущерба, так что никакой компенсации за ущерб истцу не удалось получить.

— Время от времени в голову приходит вопрос: уж не сошли ли с ума все люди, — сказал Стэнли, доедая мороженое. — Над чем ты работаешь последнее время, Алекса?

— Ей поручили крупное дело о серийном убийце, о котором только и пишут все газеты, — ответила за Алексу мать. На Стэнли это, кажется, произвело впечатление.

— Такие дела обычно бывают трудными. Они отнимают много сил. Я потом долго не могу прийти в себя, — кивнув, сказала Алекса. Она уже чувствовала, что дело это начинает ее захватывать. Она изучила во всех подробностях лица этих девушек и их жизни. Меньше всего она пока знала об обвиняемом — о том, как он это сделал, когда, по каким причинам. Но она все это узнает. Она всегда своего добивалась.

— Терпеть не могу, когда Алексе поручают такие дела, — пожаловалась ее мать, ставя посуду в раковину и помогая загрузить посудомоечную машину. Она любила приходить ужинать к Алексе, ей всегда было здесь легко и уютно. И Стэнли любил бывать здесь. У них сложились очень теплые отношения. Было много такого, что нравилось обоим. Этого, конечно, было недостаточно для желания вступить в брак в их-то возрасте, но вполне хватало для того, чтобы много времени проводить вместе и ежедневно общаться по телефону. Иногда они обедали вместе друг у друга в кабинете. — Меня всегда беспокоит, если обвиняемые слишком опасны и имеют не менее опасных дружков на воле.

— Ты что-нибудь заметила? — поинтересовался слегка обеспокоенный Стэнли, но Алекса покачала головой:

— Нет, все в порядке.

Когда вечер закончился, Алекса с Саванной разошлись по своим спальням. Саванна разговаривала с друзьями по телефону, а Алекса просматривала документы, пока не заснула одетая на кровати. Войдя к матери, чтобы пожелать спокойной ночи, Саванна осторожно взяла из ее рук документы, накрыла одеялом и выключила свет. Такое случалось нередко. Алекса засыпала подобным образом особенно часто, когда выступала в суде. Саванна поцеловала ее, но мать даже не шевельнулась. Она тихонько что-то пробормотала, и Саванна, улыбнувшись, закрыла за собой дверь.

Глава 4

На следующий день Алекса получила хорошие новости о своем деле. Самый последний, более детальный анализ ДНК явственно показал, что сухая кровь в грязи, прилипшей к подошвам башмаков Люка, соответствует показателям двух убитых женщин, а волосы — показателям двух других жертв, причем соответствия были тоже неопровержимые. Алекса сочла эту информацию настоящим подарком судьбы, потому что теперь появилась возможность связать с гибелью всех четырех женщин. Каким образом попали в эту грязь кровь и волосы, еще предстояло доказать, но эта неопровержимая улика подоспела как раз к созыву Большого жюри, назначенному на завтра. Когда Джек сообщил ей эту новость, Алекса расцвела улыбкой. Предстояло сделать еще анализы, результат которых будет иметь решающее значение, но информация, которой они сейчас располагали, не вызывала сомнений. Люку Квентину не удастся отвертеться. Алекса, как положено, позвонила общественному защитнику и сообщила эту новость, однако та не проявила энтузиазма.

— Вы действительно думаете, что сможете повесить все это на него? — спросила она. Алекса знала и ценила ее, хотя и видела ее неопытность.

— Да, я так думаю, — решительно заявила Алекса.

— У вас маловато материала для передачи дела в суд, — сказала она и была права.

— У меня имеются четыре трупа женщин, уголовный преступник-рецидивист, дважды отсидевший в заключении, на башмаках которого найдены кровь и волосы жертв. Все это, конечно, попало туда не тогда, когда он обедал в «Макдоналдсе». По его словам, возможно, это оказалось на башмаках, когда он бегал трусцой по парку. Но он не мог пробегать по четырем разным местам преступления. Вот мы и предложим Большому жюри этот материал. Дайте мне знать, если Квентин пожелает сделать чистосердечное признание.

— Сомневаюсь, что он это сделает, — последовал скептический ответ. Ей не хотелось браться за это дело. Убийство четырех молодых женщин сразу же настроит против него общественное мнение. К тому же, как она успела заметить, клиент не испытывал ни малейшего раскаяния и вел себя до крайности самоуверенно. Жюри возненавидит его с первого взгляда. Обе женщины понимали: слишком велики шансы, что она проиграет это дело. А Квентин не имел ни малейшего желания признаваться в содеянном. У него было сколько угодно времени, и ему было что терять. Если его осудят, то он проведет в тюрьме всю оставшуюся жизнь. Он не имел намерения делать им такой подарочек. Чтобы упечь его в тюрьму, им придется потрудиться. — Спасибо, что держите меня в курсе событий, — сказала она Алексе, и разговор на этом закончился.

Алекса, как всегда, тщательно подготовилась к Большому жюри, назначенному на следующий день. Оно проходило на Манхэттене, в здании суда, где находился ее офис. В то утро Джек заехал за ней домой и отвез на работу в полицейской машине без опознавательных знаков. Заседание проходило при закрытых дверях в условиях величайшей секретности. Присутствовали только она как представитель канцелярии окружного прокурора; Джек как глава следственной группы; защитник и адвокат, а также члены Большого жюри. Им надлежало определить, достаточно ли имеется улик для передачи дела в суд. Алекса знала, что восемнадцать из двадцати трех членов Большого жюри будут присутствовать, то есть их будет на два человека больше, чем необходимо для решения о передаче дела в суд. Из них не менее двенадцати человек должны проголосовать за передачу в суд, и она не сомневалась, что они проголосуют. По дороге в здание суда Алекса и Джек почти не разговаривали. Они поднялись по лестнице и вошли в комнату Большого жюри в тот момент, когда Квентина ввели через особый вход в сопровождении четверых охранников, на случай если он попытается бежать. И Джеку, и Алексе много раз приходилось бывать там и раньше, и всегда они добивались хороших результатов. Обращения Алексы к Большому жюри практически никогда не отклонялись, и все подготовленные ею документы всегда находились в полном порядке. Так было и сегодня. По этому делу она старалась избежать малейших процедурных ошибок.

Они заняли свои места за столом представителей окружной прокуратуры, а общественный защитник уселась по другую сторону прохода между рядами. Ввели Квентина. Алекса с удивлением увидела его в костюме. Она не знала, где его удалось раздобыть общественному защитнику, но он сидел на нем хорошо. Возможно, это был его собственный костюм, хотя вряд ли.

Он взглянул через проход между рядами на Алексу, но на этот раз не улыбнулся. Впился в нее взглядом, как будто пронзил насквозь. В глазах его сквозила ненависть. Потом Квентин отвернулся. Можно было без труда представить себе, как он глядел таким же взглядом на девушек, которых насиловал и убивал. Если бы были у нее какие-то сомнения в его виновности, то они бы исчезли.

Большое жюри выслушало представленные обвинения. Свидетелей, которые могли бы их опровергнуть, не было. Джек представил достаточно улик в поддержку решения о передаче дела в суд, не выдавая самой важной информации. Он сказал, что сейчас проводятся расследования в других штатах относительно примерно еще пятнадцати жертв. Члены жюри обменялись несколькими словами с обвиняемым, задав вопрос о его местонахождении и об уликах против него, потом поблагодарили всех за присутствие и сказали, что сообщат о своем решении позднее, после того как проголосуют присяжные. Но Алекса, как и все остальные присутствующие в зале, видела по выражению их лиц, что они проголосуют за передачу дела в суд. Когда имелись четыре трупа женщин и кровь на башмаках Люка Квентина, другого выбора не оставалось.

— Вот и все, — сказал Джек, когда они, поднимаясь по лестнице на следующий этаж, расходились по своим кабинетам. — Пора приниматься за работу.

Алекса кивнула, и они молча расстались, каждый думая о предстоящей работе. Сейчас самая большая тяжесть ложилась на плечи следователей, которые должны были найти улики, необходимые для того, чтобы выиграть дело. Она полностью на них полагалась.

Во второй половине дня Алексе позвонили из Большого жюри. Все проголосовали за передачу в суд дела Квентина по четырем случаям изнасилования и убийства первой степени. Они торопились: в последующие месяцы напряжение будет нарастать, пока не состоится суд. Позвонив общественному защитнику, она спросила, не согласятся ли они на ускоренное судопроизводство. Джо Маккарти поддержал Алексу в том, что было бы в интересах общества как можно скорее предать обвиняемого суду. Общественный защитник призналась, что ей не хотелось бы доводить до суда это дело.

Суд был назначен на май, что давало им еще четыре месяца. К вечеру пятницы, разложив по местам все файлы, освободив письменный стол и запустив в действие механизм правосудия, Алекса ушла домой.

Они с Саванной заказали пиццу на ужин, а потом Саванна отправилась куда-то с друзьями, а Алекса, вытряхнув содержимое своего кейса, принялась за работу. Если суд над Квентином назначен на май, в последующие месяцы у нее не будет вообще никакой личной жизни, которой, правда, и так не было.

У Саванны с друзьями имелись какие-то планы на весь уик-энд, так что Алекса могла полностью отдаться работе, не чувствуя себя виноватой. В воскресенье во второй половине дня они вместе просмотрели документы для поступления в колледжи, которые собиралась подавать Саванна, и последние выполненные задания.

— На мой взгляд, получилось хорошо, — сказала Алекса, с гордостью улыбнувшись дочери. Саванна, как всегда, уложилась точно в срок. — Давай положим все в конверты и отправим, — сказала она. Они вместе заполнили несколько конвертов, наклеили марки и надписали адреса приемных комиссий. Алекса сказала, что отнесет их вниз и опустит в почтовый ящик, потому что все равно необходимо прогуляться на свежем воздухе. Она не выходила из помещения с пятницы и весь уик-энд работала.

Уже выходя из квартиры, она заметила конверт, подсунутый под дверь. Почерк был неуклюжий, корявый, словно писал ребенок.

— Это еще что такое? — сказала она скорее самой себе, чем кому-то еще.

Письмо было адресовано Саванне и доставлено не по почте. Алекса вошла в комнату Саванны и протянула ей конверт.

— Похоже, ты получаешь любовные записки от очень маленьких ребятишек, — поддразнила ее Алекса и хотела было выйти из комнаты, но Саванна, вскрыв конверт, озадаченно смотрела на содержимое. Письмо было распечатано на компьютере. Если его написал ребенок, то такой, у которого был компьютер, хотя в наши дни у многих детей имелись компьютеры.

Саванна слегка нервничала, передавая конверт матери, но не сказала ни слова. В письме говорилось:

«Я люблю тебя и хочу твое тело».

— Ну, это, конечно, многое объясняет. Тебе не приходит в голову, кто мог его написать? — сказала Алекса. Письмо было без подписи, и Саванна покачала головой.

— В этом есть что-то зловещее, мама. Жуткое. Что-то вроде Любопытного Тома.

— Или тайного поклонника. Может быть, это кто-то из жильцов нашего дома, потому что прислано оно не по почте? Будь осторожна, когда входишь в дом или выходишь, не поднимайся в лифте одна с незнакомым человеком. — Все это было из серии полезных советов.

— Зачем кому-то потребовалось писать мне подобные глупости?

— Потому что в мире полно психически ненормальных людей, а ты очень хорошенькая девочка. Просто будь осторожна, не делай глупостей, и все будет в порядке, — повторила Алекса и спустилась вниз, чтобы отправить заявления в колледжи. Она не хотела признаваться дочери, что ее это тоже неприятно удивило. Она вспомнила, что мать призывала ее быть особенно осторожной, пока слушается дело Квентина, и напоминала, что у таких, как он, наверняка имеются дружки на воле, хотя сами они сидят за решеткой. Правда, Квентин не походил на человека, у которого много друзей или вообще есть друзья в Нью-Йорке. В тюрьме его сокамерники говорили следователю, что Квентин — волк-одиночка.

Алекса спросила консьержа, приносил ли кто-нибудь адресованное им письмо, и тот ответил отрицательно. Интересно, каким же образом доставили письмо Саванне? И что еще важнее, кто и зачем мог написать подобное письмо ей? Она постаралась не слишком расстраиваться и снова поднялась по лестнице, но вынуждена была признать, что это ее обеспокоило. Алекса положила письмо в пластиковый пакет.

Саванна снова заговорила о письме, когда они ужинали, заказав еду в китайском ресторане.

— Я снова подумала об этом письме, мама. Мне становится как-то жутко, потому что такое едва ли мог написать ребенок, пусть даже надпись на конверте выглядит по-детски. Дети просто не пишут такие вещи.

— Возможно, ребенок с очень сильно подавленной психикой и мог бы так написать. Какой-нибудь мальчишка, который восхищается тобой на расстоянии, изменил свой почерк, чтобы ты не смогла догадаться, что это сделал он. Не думаю, что это заслуживает большого внимания. Но тебе все равно надо быть осторожнее, хотя никакой угрозы я в этом не вижу, — сказала Алекса с деланным безразличием.

— Я и сама понимаю это, — сказала Саванна. — Но все равно как-то не по себе.

— Да. Мне тоже. И, откровенно говоря, это даже немного оскорбительно. Ведь я тоже живу здесь, а никто в меня не влюбляется и не говорит, что хочет мое тело. — Саванна рассмеялась, но, по правде говоря, Алексе особенно не нравилось то, что анонимный воздыхатель написал подобную записку Саванне. Это ее беспокоило больше, чем она хотела показать.

Не сказав ни слова дочери, Алекса сунула пластиковый пакет с письмом в сумку, а на следующий день отнесла его в судебно-медицинскую лабораторию. Там дежурил ее любимый лаборант Джейсон, молодой азиат, который всегда быстро выдавал результаты анализов и объяснял мельчайшие подробности.

— Кто это написал? — прямо спросила она, и он рассмеялся, когда она протянула ему пакет с конвертом внутри.

— Хотите знать цвет волос и размер обуви? Или какой фирмы его джинсы?

— Я хочу узнать, мужчина это, женщина или ребенок. — Она боялась, что это написано не томящимся от любви подростком и даже не каким-нибудь грязным стариканом. Что-то подсказывало ей — это написано с целью заставить ее нервничать и что это достигло своей цели.

Прищурившись, лаборант надел резиновые перчатки, осторожно извлек конверт из пластикового пакета и осмотрел его. Потом улыбнулся.

— Дайте мне немного времени. Нужно кое-что закончить, иначе парни из отдела по наркотикам меня убьют. Я позвоню вам через час. Думаю, вы захотите также, чтобы я проверил отпечатки пальцев? — сказал он.

Алекса кивнула.

— Спасибо. — Она улыбнулась и поднялась в свой кабинет. Как и обещал, он позвонил ей в течение часа.

— О'кей, слушайте результаты, — как всегда по-деловому сказал Джейсон. — Это взрослый мужчина с устойчивым почерком, вероятно, в возрасте от двадцати до тридцати лет. Американец. Возможно, закончил католическую школу, так что, может быть, он священник, — фыркнул Джейсон.

— Забавно.

— Почерк умышленно изменен, чтобы выглядел как почерк ребенка, но это писал не ребенок. К тому же на бумаге нет отпечатков пальцев. Должно быть, писавший надевал резиновые перчатки. Грозит расправой? — поинтересовался Джейсон. Письма с угрозами были обычным делом. Угрожали копам, помощникам окружного прокурора и даже общественным защитникам. Заключенные злились на адвокатов и судей, а также на тех, кто производил задержание. Это было частью их работы.

— Тут другое. Что-то вроде любовного послания, причем не мне, а моей дочери.

— И вы хотите узнать, кто ее бойфренд?

— У нее нет бойфренда. Это анонимное письмо написал какой-то парень, который говорит, что хочет ею обладать. Работая над делом Квентина, я стала пугаться, когда парни пристают к молодым девушкам. Может быть, у меня паранойя и это просто соседский мальчишка?

— Никогда не помешает проверить на всякий случай, — сказал Джейсон. — Сейчас я работаю над вашим анализом ДНК. Дам знать, когда будет что-то новенькое.

— Спасибо, Джейсон, — снова поблагодарила Алекса и повесила трубку.

Загадка анонимного поклонника Саванны не разрешилась, но Алекса по крайней мере знала теперь, что это мужчина, а не ребенок, хотя от этого ей, как и дочери, становилось жутко. Вряд ли за этим стоит Квентин, который едва ли вообще знает, что у нее есть дочь, но ведь кто-то написал это письмо! Если Квентин каким-то образом умудрился в тюрьме найти по Интернету информацию о ней и узнал, что у нее есть дочь, он мог попросить кого-нибудь из своих знакомых написать Саванне письмо, чтобы запугать Алексу. Она не знала, каким образом он мог это сделать, но понимала, что он обозлен решением Большого жюри передать дело в суд, поскольку надеялся, что до этого дело не дойдет. Квентин, конечно же, винил в этом Алексу, и взгляды, которые он несколько раз бросал на нее, должны были вывести ее из себя и показать, что она для него всего лишь такой же кусок женской плоти, как и любая другая женщина. Наряду с наглостью он обладал немалой мужской сексапильностью, которая не могла пройти незамеченной. И Алексе это обстоятельство не понравилось. Очень не понравилось. Тем более что это касалось ее дочери. Если письмо прислал Квентин, он явно хотел запугать Алексу, показав, что он может достать ее отовсюду, даже находясь в тюрьме.

— Что происходит? — спросил Джек, входя в ее кабинет и с удивлением увидев выражение ее лица.

— Почему вы спрашиваете?

— По глазам вижу.

— Я просто встревожена.

— Чем? — спросил он, присаживаясь на стул, стоявший по другую сторону ее стола.

— Это касается Саванны. В воскресенье мы получили глупое анонимное письмо от какого-то типа, который говорит, что хочет ею обладать. Возможно, у меня паранойя, но я подумала, уж не Люк ли Квентин подговорил кого-нибудь написать это письмо. Не можете ли вы взглянуть, кто его посещал и что это за люди?

— Конечно, смогу, — заверил ее Джек. — Но это едва ли он. Квентин не настолько глуп. Я провел с ним еще два часа и понял, что в уме ему не откажешь. Какой смысл бегать за твоей дочерью? Или посылать анонимные письма, чтобы встревожить вас? Он находится в тюрьме, и ему меньше всего сейчас нужно пугать вас. Вы великолепный оппонент и непременно одержите верх. Не думаю, что это сделал он. Скорее всего это чистая случайность. Она красивая девушка. Любой мог написать ей такое письмо.

— Пожалуй, вы правы, у меня просто нервы не в порядке. Но я не люблю, когда пристают к моей дочери. — Говоря это, Алекса пришла в ярость. Настоящая львица, защищающая своего детеныша.

Джек улыбнулся.

— Она испугалась?

— Не очень. Но это заставило нервничать нас обеих.

— Наверное, это просто какой-нибудь подросток, которому она нравится. В этом возрасте мальчишки делают всякие глупости. Хотя они это делают в любом возрасте.

— По словам Джейсона, письмо мог написать парень в возрасте двадцати или тридцати лет.

— Вы его спрашивали? — удивился Джек. Ему показалось, что прибегать к помощи судебно-медицинского эксперта —

предосторожность излишняя. — Вас это беспокоит? — спросил он, и Алекса кивнула.

— Просто я хотела понять, с кем мы имеем дело. Значит, это мужчина, а не мальчик. Вполне возможно, что это какая-нибудь чепуха.

— Я узнаю, кто навещал Квентина, — сказал Джек. — И если это повторится, дайте мне знать. — Алекса кивнула, и он рассказал ей об утреннем допросе.

Ничего нового узнать не удалось. Но результаты предыдущих анализов ДНК отослали в другие штаты, чтобы узнать, нет ли там соответствующих. И в самом конце рабочего дня Джек сообщил Алексе, что у Квентина вообще не было никаких посетителей, а значит, вряд ли письмо Саванне написали по его инициативе. Однако это не принесло Алексе хоть какого-то облегчения. Если это сделал не Квентин, то кто?

Джек снова пришел к ней в кабинет только два дня спустя. У Алексы день складывался явно неудачно. Все у нее валилось из рук, она только что пролила на стол кофе, подмочила документы и испортила новую юбку.

— Ч-черт! — пробормотала она себе под нос, когда сияющий Джек вошел в кабинет.

— Полоса невезения?

— Нет, просто я пролила кофе. — Она попыталась спасти документы на столе. Юбку спасать было уже бесполезно. — Что новенького?

Он бросил папку на не залитую кофе часть стола.

— Вуаля!

— Чему вы радуетесь? — В это напряженное утро мысли у Алексы разбегались в разные стороны.

— Подтвердились соответствия в Айове и Иллинойсе. Волосы Квентина найдены под ногтями трех жертв. Так что теперь их семь. Полагаю, это только начало.

— Вот это новость так новость! — воскликнула Алекса, обрадованная и опечаленная одновременно. Ей было жаль семьи погибших, но радовало то, что преступник будет сидеть за решеткой. — А нам позволят приобщить их дело к нашему, чтобы суд состоялся у нас, или нам придется отправлять его на суд к ним вместе с подготовленными материалами? — спросила она. Больше всего они боялись, что ФБР заберет у них это дело, потому что он пересекал границы штатов. Алексе хотелось, чтобы они сами довели дело до конца. Того же мнения придерживались Джек и окружной прокурор.

— Пока не знаю. Пока что у них были сведения о действиях убийцы в трех штатах. Теперь дело осложнится, потому что вступают в действие всякие технические детали правового характера. — И тут лицо Джека омрачилось. — Кстати, одной из жертв является сестра Чарли. Собственно говоря, именно поэтому он и напросился на участие в оперативной группе. Но когда он будет знать наверняка, ему станет еще тяжелее.

— Вы сказали ему?

— Пока нет, но скажу. Думаю, следовало отстранить его от этого дела — слишком большой психологический пресс. Он произвел арест, и этого вполне достаточно.

— Согласна с вами. Я не хочу, чтобы он потерял самообладание в суде и провалил дело. Или сошел бы с ума и пристрелил этого парня. У нас и без того имеется масса причин для головной боли.

— Он хороший коп и с ума не сойдет. Просто мне не хотелось бы расстраивать его больше, чем он уже расстроен, — сказал Джек. Алекса с ним согласилась, и они вместе порадовались удаче.

Но в тот день после полудня Джек снова заговорил о Чарли, который упорно не желал отдавать дело и буквально умолял Джека не делать этого. Он участвовал в расследовании с самого начала и тщательно собирал информацию для оперативной группы. Его сильно задели опасения Джека и помощника прокурора, как бы он не потерял самообладание в зале суда. Чтобы войти в состав оперативной группы, Чарли прошел проверку и все рассказал относительно своей сестры. За ним бдительно наблюдали, но пока он никаких промахов не допускал.

— Что я в таком случае за коп? Придурок? Я не собираюсь стрелять в этого сукина сына, хотя мне очень хотелось бы. Целый год я работал как проклятый, чтобы поймать этого мерзавца и отдать в руки правосудия. Я одним из первых заподозрил, что это он. Конечно, нам просто повезло, что удалось сначала связать его с преступлениями, совершенными здесь, в результате чего он подпадает под нашу юрисдикцию. Джек, вы не можете отстранить меня от дела! — У Чарли от обиды даже слезы на глазах выступили. Он хотел сделать это ради своей сестры. Джек понял, что они были близнецами, только когда прочел дату ее рождения на документах, присланных им из полиции штата Айова.

— Ну ладно, ладно. Но если тебе станет невмоготу, я позволю тебе выйти из игры. Или отстраню от работы, если замечу, что ты слишком напряжен.

— Я не слишком напряжен, — спокойно сказал Чарли. — Просто мне еще никогда в жизни не случалось кого-нибудь так сильно ненавидеть. А это разные вещи.

Джек кивнул, надеясь, что поступает правильно, и вспомнил, как Чарли бил Квентина физиономией о тротуар и сломал ему нос в ночь ареста.

— Я оставляю тебя работать по этому делу, но не хочу, чтобы во время допроса ты оставался с ним один на один. И не хочу, чтобы ты смотрел ему в лицо или он — в твое. Понятно? — Чарли кивнул. — Это слишком большая нагрузка как для твоих нервов, так и для моих. Договорились?

— Договорились.

Чарли вышел из кабинета, не переставая думать о том, что подозрения нескольких месяцев подтвердились: Люк

Квентин изнасиловал и задушил его любимую сестру. Придя домой, он бросился на кровать и дал волю слезам. Работа еще только начиналась и многое предстояло сделать, но это дело так или иначе легло тяжким грузом на каждого из них, причем надеяться, что дальше станет легче, не приходилось.

Глава 5

Незаметно пролетела вторая половина января. Алекса была завалена работой. Пришли подтверждения по делу Квентина в отношении пяти жертв в Пенсильвании и одной, о которой они даже не знали, в Кентукки. Теперь вместе со случаями в Айове и Иллинойсе у них имелись факты о тринадцати жертвах изнасилований и убийства. С согласия этих штатов обвинения были включены в их дело, о чем сообщили все газеты.

Алекса сделала краткое заявление для прессы, но от более подробных комментариев воздержалась: не хотелось допустить промах в таком громком деле. Оно приобретало общегосударственные масштабы, и Алексе приходилось постоянно совещаться с детективами из других штатов. Джек собирал информацию, а Алекса с головой ушла в подготовку к судебному процессу. Только в начале февраля у нее нашлось наконец время спокойно поужинать с матерью после работы.

— Ты выглядишь усталой, — с беспокойством заметила мать.

— Прежде чем улучшиться, все должно стать еще хуже. До суда у меня осталось всего три месяца, — сказала Алекса. Каждую ночь она не ложилась спать раньше трех часов, штудируя статьи прецедентного права, и делала пометки.

— Постарайся не измотать себя до смерти. Как Саванна? Ответов из колледжей она еще не получила?

— Их надо ждать в марте или апреле, — со вздохом ответила Алекса. — На следующей неделе Саванна уезжает с отцом кататься на лыжах. Если, конечно, он появится. Он часто ее обманывал и может сделать это снова, — раздраженно сказала Алекса. Она терпеть не могла, когда отец расстраивал Саванну, которая всегда его прощала.

— Может быть, на сей раз не обманет, — миролюбиво заметила Мюриэль. — Я надеюсь.

— Почему?! — раздраженно воскликнула Алекса. Она ненавидела бывшего мужа за все, что он сделал с ними. Он выбросил их из своей жизни из-за собственной слабохарактерности. Ему было проще подчиниться матери и бывшей жене, чем защитить их интересы. Алекса презирала бесхребетного червяка, в которого он превратился. — Почему ты надеешься, что он ее не обманет? — с досадой спросила Алекса.

— Потому что Саванне полезно время от времени видеться с отцом. Она его любит. Ты можешь его ненавидеть, и я с пониманием отношусь к этому. Я и сама его не люблю за то, как он обошелся с тобой. Но он все-таки ее отец, Алли. Пусть уж лучше он будет реальной фигурой со всеми своими недостатками, чем плодом ее фантазий. — Алекса улыбнулась словам матери, которая уже многие годы не называла ее Алли. Но Алекса оставалась ее ребенком, как и Саванна всегда будет ребенком для Алексы.

— Может, ты и права, — сказала Алекса. — Но я выросла без отца. И ничего со мной от этого не случилось. А Том такой мерзавец.

— Она сама это поймет. Дай время.

— Мне кажется, она уже это знает, но все равно его любит.

— Ну и пусть. Ей это нужно. По крайней мере сейчас.

— Ее всегда расстраивает, что я не хочу видеться с ним. Я уже десять лет не виделась с ним и надеюсь больше вообще не увидеться.

— Он приедет на церемонию окончания школы в июне?

— Я просила Саванну не приглашать его, — с виноватым видом сказала Алекса. — Она ответила, что предупреждает меня за четыре года и хочет видеть его на церемонии по случаю окончания колледжа, — печально улыбнулась Алекса. — У меня, кажется, нет выбора. Она не делает из этого проблему, а я стараюсь поменьше говорить на эту тему, хотя и не делаю из этого тайны.

— Тебе надо переступить через это, — тихо сказала мать, и Алекса удивленно на нее взглянула:

— Почему? Какая разница, если я его ненавижу?

— Потому что это вредит тебе. Если ты не перестанешь ненавидеть его, ты никогда не сможешь иметь хорошие отношения с другим мужчиной.

Алекса упрямо вздернула подбородок:

— Проверь лет через тридцать или сорок. Может быть, к тому времени у меня будет болезнь Альцгеймера.

Мать больше ничего не сказала, и Алекса отправилась домой к Саванне, которая лежала на диване и смотрела телевизор.

— Как там бабушка? — спросила она сонным голосом. Она закончила все домашние задания и провела тихий вечер в одиночестве.

— Очень хорошо. Просила передать, что любит тебя.

Вешая пальто в стенной шкаф, Алекса заметила конверт, торчавший из-под двери. Она не заметила его, когда входила. Осторожно подняв за уголок, она его осмотрела. Адрес был написан тем же, что и прежде, детским почерком. Ничего не сказав Саванне, она вскрыла его, надев резиновые перчатки. Там было написано следующее:

«Я знаю, где ты находишься в каждую минуту суток. Оглянись вокруг. Ты не видишь меня. Ты очень красивая девушка».

В тексте не было открытой угрозы, но тот, кто это писал, кем бы он ни был, хотел, чтобы она знала, что за ней наблюдают, причем наблюдает мужчина, которого она сексуально возбуждает. Алекса испугалась. Более того, пришла в ужас. Как и в прошлый раз, положила письмо в пластиковый пакет. Потом прошла в свою спальню и, закрыв за собой дверь, позвонила Джеку по сотовому телефону, тот ответил немедленно. Она рассказала ему о письме, которое осторожно держала в пластиковом пакете.

— Я даже не уверена, что это не дурацкая шутка. Возможно, кто-то просто развлекается или пугает ее. Но если какой-то парень следит за ней, мне это совсем не нравится.

Джек довольно долго молчал, а потом признался, что ему это тоже не нравится.

— Почему бы не дать вам для нее копа? Он мог бы ходить с ней в школу.

Алексе очень не хотелось пугать Саванну, но она понимала, что выбора нет. Взявшись за дело Квентина, она знала, что ей, возможно, будут угрожать. Однако угрожать стали не ей, а Саванне. Правда, прямых угроз не было, но злой умысел ощущался. А если это происходило по инициативе Квентина, то тем более пугало, что он заставил какого-то бывшего заключенного следить за Саванной. При одной мысли об отдаленной возможности такого поворота событий, даже при отсутствии доказательств, Алексе становилось плохо.

— Я пока не говорила ей о письме, но, наверное, придется. Спасибо, Джек. Я действительно хочу, чтобы вы приставили к ней копа, — заявила она. Она боялась за Саванну, не за себя.

— Никаких проблем. Попытайтесь не тревожиться об этом. Возможно, это не имеет никакого отношения к Квентину, но лучше перестараться, чем потом сожалеть. Кто знает, что у него на уме. Все, с кем был знаком или общался Квентин, побывали в тюрьме.

Алекса решила не травмировать Саванну перед сном и сказала о письме только за завтраком. Саванна скорчила недовольную гримасу:

— В этом есть что-то жуткое, мама. Этот парень настоящий псих.

— Да. Я позвонила вчера вечером Джеку Джонсу. Он приставит к тебе копа в гражданской одежде, который будет сопровождать тебя в школу, просто на всякий случай, если кто-нибудь действительно следит за тобой. Уж лучше перестраховаться. Это может быть дурацкая шутка, но я не хочу рисковать. — Дело, над которым работала Алекса, служило напоминанием о том, как опасны некоторые мужчины.

Саванна расстроилась.

— Все это так неприятно. Это надолго?

— Посмотрим, напишет ли он снова. Возможно, придется потерпеть до окончания суда, — сказала Алекса. Она пока не знала, связаны ли эти письма с Квентином, и хотела уберечь Саванну от любых неприятностей.

— Но это будет только через три месяца! — воскликнула Саванна. — Или даже через четыре! — Ей было довольно многое известно о работе матери, и она знала, что суд может затянуться на целый месяц, тем более что это будет крупный процесс, поскольку были убиты тринадцать женщин, которых к тому времени, возможно, окажется еще больше. — Уж лучше я не буду ходить в школу, чтобы не выставлять себя на посмешище, появляясь каждый день в сопровождении копа.

— Ну не ходить в школу ты не можешь, так что придется смириться, — сказала Алекса, довольная тем, что Саванна расстроилась больше из-за копа, чем из-за потенциальной угрозы.

Дочь все еще громко возмущалась, когда раздался звонок в дверь. На пороге стоял красивый темноволосый юноша с большими карими глазами в бейсбольной кепочке и куртке, который улыбался обеим. Представившись офицером Левицки, он предложил называть его Тэдом. Он улыбнулся Саванне, которая уставилась на него так, что Алекса чуть не рассмеялась. Нетрудно было догадаться, что Саванна сочла его привлекательным, и неудивительно. На вид ему было лет шестнадцать, и он казался почти ровесником Саванны, которая вообразила, что сопровождать ее будет какой-нибудь чудаковатый старикан в полицейской форме. Тэд Левицки оказался полной противоположностью.

— Готова идти в школу? — как ни в чем не бывало спросила Алекса, когда Саванна надела пальто.

— Да, пожалуй, — ответила она.

Тэд взял ее сумку с книгами.

— Я подумал, нам будет лучше сказать, что я ваш кузен из Калифорнии, приехавший погостить на несколько месяцев. Меня будут видеть ежедневно, — многозначительно добавил он с мальчишеской улыбкой.

— Ладно. Так и сделаем, — сказала Саванна, и они вышли из квартиры.

— Должен предупредить, что я не силен в истории и математике. По-моему, у меня нет к этому способностей. Зато я преуспеваю в испанском языке, так что могу, если потребуется, помочь.

— Спасибо, — с улыбкой сказала Саванна. Она осторожно оглянулась через плечо на мать, и Алекса кивнула.

— Желаю удачного дня.

Она закрыла дверь. Затем позвонила в школу и объяснила ситуацию, потом поговорила по телефону с Джеком. Назначив Тэда, он сделал именно то, что нужно.

— А почему это вы никогда не присылали таких парней, чтобы охранять меня? Последний раз, когда мне понадобилась защита, меня охранял какой-то старый боевой конь весом не менее четырехсот фунтов. А этот юноша весьма привлекателен.

Джек рассмеялся:

— Я так и подумал, что вам он понравится. А как отнеслась к этому Саванна?

— У нее не было времени сказать мне, но она почти простила меня, когда уходила. Он предложил делать за нее задания по испанскому языку и носить ее книги. Теперь он будет ее кузеном из Калифорнии. Выглядит он лет на шестнадцать.

— Ему двадцать один год, и он действительно отличный парень. Старший из девяти детей, а его отец, дед и брат тоже копы. Это порядочная польская семья из Нью-Джерси. Чем черт не шутит, может быть, они поженятся? Для Саванны это не худшая партия.

Алекса рассмеялась:

— Вы обо всем позаботились. Телохранитель и зять в одной упаковке. Может быть, еще мытье окон и полов предусматривается?

— Как прикажете, мэм. — Джек поддразнивал ее, но всегда, когда он говорил с ней о чем-нибудь, кроме работы, был в его тоне некоторый намек на флирт. Однако он не настолько глуп, чтобы сделать попытку. Она бы сразу же умчалась от него сломя голову, и он лишился бы друга. — Значит, проблема решена. — Он охотно снял с ее плеч хотя бы одну заботу. Их у Алексы и без того хватало.

Уходя в тот день на работу, Алекса с облегчением думала, что Саванна хорошо защищена. А к концу недели Тэд уже завтракал с ними перед тем, как отправиться с Саванной в школу. По словам Саванны, он действительно оказался отличным парнем. У него была девушка, с которой он встречался со времени учебы в средней школе. Они были вместе уже семь лет. Джек говорил о нем как о серьезном, надежном парне и хорошем копе. Алексе показалось, что они с Саванной стали друзьями, хотя в отношениях с ней он уважительно соблюдал дистанцию. Писем больше не приходило. Все было под контролем. Алекса надеялась, что письма, кто бы их ни писал, перестанут приходить совсем. У нее и без того хлопот полон рот. Джейсон проверил письмо на отпечатки пальцев, но и в этот раз писавший надел резиновые перчатки. На письме вообще не было никаких отпечатков.

В конце следующей недели Алекса снова присутствовала на допросе Люка Квентина, но на этот раз находилась в кабинете. Она не задавала вопросов, только наблюдала, но у нее было такое ощущение, будто он раздевает ее каждым своим взглядом. Лицо ее оставалось бесстрастным, она была холодна и выглядела по-деловому, но когда вышла из кабинета, не могла справиться с дрожью.

— С вами все в порядке? — спросил ее в коридоре Джек. Она показалась ему побледневшей.

— Со мной все в порядке. Просто я ненавижу этого свихнувшегося сукина сына, — сказала она, пытаясь успокоиться. Им удалось связать с ним еще два убийства. Карточный домик рухнул. Число убийств достигло пятнадцати.

— Не беспокойтесь, он тоже вас ненавидит. Все эти взгляды, которые он на вас бросает, означают лишь желание деморализовать вас. Не позволяйте ему воздействовать на вас, он ведь именно этого и добивается. Он не выйдет из тюрьмы до конца жизни и ничего вам не сделает.

— Он ведет себя так, будто может иметь любую женщину, какую захочет.

— Он красивый парень. Думаю, что это ему на руку, — сказал Джек. И правда, когда Квентин, глядя ей прямо в глаза, облизнул кончиком языка губы, ей чуть не стало дурно.

— Чего не скажешь о его жертвах, — заметила Алекса и вернулась к себе в кабинет. Ее ждала работа. К тому же на следующий день Саванна уезжала на неделю с отцом в Вермонт кататься на лыжах. Он хотел заехать за ней после школы, когда Алекса еще не вернется с работы. Так что им встречаться не придется. Это ее вполне устраивало.

В последний вечер Алекса и Саванна устроили себе хороший ужин, а на следующее утро попрощались друг с другом, и Саванна ушла с Тэдом, который нес ее книги. Уложенные для поездки в Вермонт чемоданы стояли в коридоре. Накануне вечером Алекса помогала дочери собирать вещи.

— Желаю хорошо провести время с папой, — доброжелательным тоном сказала Алекса. Тэду сообщили, что на следующей неделе он свободен от дежурства и может вернуться к своим обычным обязанностям. Алексе он был не нужен, ведь письма приходили не ей, а Саванне.

— Я позвоню тебе из Вермонта, — пообещала Саванна.

Глядя, как уходит дочь, Алекса загрустила. Она понимала, что будет скучать, но знала также, что Саванна получит удовольствие, катаясь на лыжах с отцом. Великолепный лыжник, когда-то он часто побеждал в соревнованиях. В три года отец научил Саванну ходить на лыжах, и они до сих пор оставались ее любимым видом спорта, что, возможно, объяснялось связанными с отцом воспоминаниями.

Алекса задержалась на работе и вернулась домой после семи часов вечера, готовясь к тому, что ее встретит пустая квартира. Она очень удивилась, увидев хмурую Саванну. Алекса сразу же ощетинилась. Ну ясно, Том опять обманул дочь.

— Что случилось с отцом? — осторожно спросила Алекса, не желая расстраивать дочь еще больше.

— Он запаздывает. Его рейс задержали в Чарлстоне. Он будет здесь только в девять. Он сказал, что мы все равно выедем сегодня. — Саванна вздохнула и улыбнулась матери, которая сильно сомневалась, что он вообще приедет.

Принимаясь готовить ужин, Алекса вдруг осознала, что будет находиться дома, когда он придет. За столом она предупредила Саванну, что останется в своей комнате. Не хотелось нарушать заведенный порядок и видеться с Томом впервые за десять лет. Она не была готова это сделать. И не будет готова в течение последующей сотни лет, что бы ни говорила мать. Пропади все пропадом!

— Ладно тебе, мама, будь великодушной, — сказала Саванна, подумав при этом, что если они увидятся сейчас и все пройдет гладко, то мать, возможно, позволит ему приехать в июне на церемонию, посвященную окончанию школы. Ей не хотелось выглядеть предательницей по отношению к матери после всего, что та для нее делала, но она втайне мечтала, чтобы отец присутствовал. Тем более что он уже обещал приехать, но только при условии, что если разрешит мама, и никак иначе. Он с уважением относился к чувствам бывшей жены и знал их причину. Он поступил с ней как полное ничтожество.

— Я очень великодушна, — язвительно сказала Алекса, загружая посуду в посудомоечную машину. — Но это не означает, что я должна видеться с твоим отцом, — добавила она. — Только не сегодня. И не в ближайшее время. А возможно, даже не в этой жизни.

— Тебе ничего не придется говорить, кроме «привет» и «пока», — сказала Саванна.

Алекса не стала говорить дочери, что с гораздо большим удовольствием послала бы его куда подальше.

— Я так не думаю, миленькая. Я хочу, чтобы ты хорошо провела с ним время. Мы оба тебя любим. Но нам с ним не обязательно оставаться друзьями.

— Понимаю. Но будь хотя бы повежливее. Ты даже по телефону говорить с ним отказываешься. Он уверяет, что с удовольствием поговорил бы, но понимает, почему ты отказываешься.

— Рада, что он это помнит. По крайней мере мы знаем, что память пока его не подводила, — сказала Алекса, выходя из комнаты.

Саванна знала, что отец вернулся к своей первой жене, оставив ее мать, и что там родился еще ребенок, которого

Саванна никогда не видела. Она никогда не встречалась также с женой отца и за десять лет ни разу не виделась со своими единокровными братьями, хотя до сих пор кое-что о них помнила. Она не знала подробностей развода и его причин, а мать отказывалась говорить на эту тему. По мнению Алексы, было бы неправильно объяснять все дочери. Пусть даже Алекса ненавидела Тома, он все-таки был отцом Саванны. Саванна смутно помнила свою бабушку по отцовской линии, которую слегка побаивалась. За все эти годы та даже не вспомнила о своей внучке, даже поздравления с днем рождения ни разу не прислала. Отцовскую и материнскую линии ее семьи разделяла глубокая пропасть. С отцом Саванна могла общаться лишь тогда, когда он появлялся. Том редко звонил ей, а несколько лет назад попросил звонить ему не домой, а только в офис, но Саванна и без того никогда ему не звонила. Она догадалась, что ему приезжать к ней можно, а ей нельзя даже приближаться к его чарлстонской жизни. Это был своего рода молчаливый уговор между ними, условия которого неукоснительно соблюдались, хотя они не были изложены в словесной форме.

В четверть десятого, когда Алекса и Саванна смотрели телевизор, в дверь позвонили. Алекса сразу вскочила и хотела уйти в спальню, напомнив дочери, чтобы та зашла попрощаться перед уходом, но Саванна уже открыла дверь. На пороге стоял Том собственной персоной. Алекса почувствовала себя как олень в свете фар, пока они стояли друг перед другом и молчали. Она не знала, что сказать, он тоже. Он не ожидал увидеть бывшую жену. Прежде такого никогда не бывало. Он выглядел точно так же, как прежде. В джинсах, черной лыжной парке и прочных ботинках для пеших прогулок он был все так же потрясающе красив. Во лосы чуточку длинноваты, все те же синие глаза, седина в светлых волосах не слишком бросалась в глаза. Алекса хорошо помнила и его атлетическое телосложение, и ямочку на подбородке. Казалось, время не властно над Томом Бомоном.

— Привет, Алекса, — тихо сказал он, как будто робея. А ей хотелось убежать из комнаты куда глаза глядят. У него был все такой же глубокий, хрипловатый голос и южная манера говорить с нарочитой медлительностью. Только она больше не была его женой, причем уже много лет.

— Привет, Том, — вежливо, но немного натянуто ответила Алекса. Она все еще оставалась в строгом темно-синем костюме и белоснежной блузке. Туфли она сбросила и была в одних чулках, волосы были стянуты на затылке в тугой пучок. Алекса совсем не походила на ту беззаботную, счастливую женщину, какой была десять лет назад. Теперь это была серьезная, деловая женщина, которая испытывает неловкость в его присутствии. Но Саванна была благодарна матери за то, что она хотя бы разговаривает с отцом. Это уже кое-что. Как хорошо, что его рейс задержался. Зато Алексу это отнюдь не обрадовало. — Что ж, оставлю вас готовиться в дорогу. Если ты не успел поесть, Саванна может тебя накормить.

— Я что-нибудь куплю по дороге, — тихо сказал он. Больше всего в ее внешности Тома поразила печаль в глазах. И виной тому был он. У него комок подступил к горлу, и захотелось расплакаться. Но теперь слишком поздно. — Нам пора ехать, — сказал он Алексе, как будто желая заверить ее, что он постарается не задерживаться на ее территории.

Она кивнула и вышла из комнаты. Войдя в свою спальню, закрыла за собой дверь. Он посмотрел на Саванну и ничего не сказал. Саванна казалась довольной, словно произошло какое-то чудо. Неужели она привыкла видеть этот страдальческий взгляд в глазах матери? Это было бы хуже всего. Алекса выглядела хорошо, но по ее глазам было видно, как дорого обошлось ей предательство Тома.

Несколько минут спустя Саванна была готова. В черных лыжных брючках и белой парке она выглядела великолепно, когда пришла в спальню матери поцеловать ее на прощание. Конечно, Алекса будет скучать, но она завалена работой. Теперь можно работать, не чувствуя себя виноватой перед дочерью за то, что не удается уделить ей время. Алекса знала, как ждала Саванна эту поездку с Томом.

— Я люблю тебя, — сказала Алекса, обнимая дочь. — Желаю хорошо отдохнуть.

— Я тоже люблю тебя, мама. Не слишком перегружай себя работой. — Она на мгновение задержалась на пороге. — Не хочешь выйти и попрощаться? — спросила она, имея в виду отца. Мать покачала головой, не сказав ни слова, и Саванна поспешила добавить: — Как хочешь. Спасибо за то, что проявила великодушие, когда он пришел.

Алекса улыбнулась, и дочь закрыла дверь.

Минуту спустя Алекса услышала, как хлопнула дверь, и легла на кровать. Она не ждала встречи с ним и не ожидала, что будет так потрясена, увидев его. Он ни капельки не изменился — ни на йоту. Словно не было этих десяти лет; Алексе пришлось даже напомнить себе, что больше он ее мужем не является. Похоже, что ее тело и душа все еще цеплялись за воспоминания, которые она всеми силами пыталась уничтожить. Пыталась, но не вышло: она помнила, как сильно любила его тогда и как мучительно все это было. Лежа в постели, Алекса думала о том, что, видимо, есть люди, на которых ты всегда реагируешь одинаково, которые возбуждают в тебе все те же чувства и те же воспоминания. И как бы ты их с тех пор ни возненавидел, как бы все вокруг ни изменилось, в твоей душе всегда найдется крошечный уголок, который помнит, как чудесно было когда-то. Но хуже всего то, что если бы она нынче вечером встретила его впервые, то была бы, как прежде, ослеплена его неотразимой внешностью. Перед ним невозможно устоять. Однако потом

Алекса мало-помалу вспомнила, как ужасно все пошло дальше, как сильно он ее обидел и каким слабаком и презренным мерзавцем оказался. Она пожалела, что увидела его, но потом решила — жалеть не стоит. В конечном счете эта встреча лишь напомнила ей о том, насколько сильно и почему она его ненавидит.

Глава 6

Прошло полнедели, и Алекса порадовалась тому, что Саванна уехала с отцом. Ее жизнь превратилась в сущее безумие. Была найдена еще одна жертва, которую удалось связать с Квентином. На этот раз ею оказалась девятнадцатилетняя девушка. Число известных им жертв достигло шестнадцати, и судебно-медицинские эксперты работали сверхурочно над анализом ДНК. Оперативная группа расширенного состава работала под руководством ФБР, поскольку теперь в это дело было вовлечено несколько штатов. Под началом Джека над этим делом работало не покладая рук не менее десятка следователей. До суда оставалось три месяца.

В четверг Алекса встретилась с Джуди Даннинг, общественным защитником, чтобы обсудить обнаружение новой жертвы. Алексе пришлось сообщить ей об имеющихся уликах, каждая из которых была изобличающей. Алекса пыталась убедить Джуди заставить его признать себя виновным, но Джуди возразила: ей начинает казаться, что его подставили и что сделал это кто-то из тех, с кем он повздорил, находясь в тюрьме, и кто поклялся отомстить ему. Она выразила убеждение, что он этого не делал. Так много жертв, и его ни с того ни с сего стали считать виновным в смерти каждой погибшей девушки в полудюжине штатов. По мнению Джуди, он не захочет признавать себя виновным в убийствах, которых не совершал. Алекса посмотрела на нее как на сумасшедшую. Ей стало ясно, что́ произошло.

Люк Квентин взглянул на нее своим возбуждающе сексуальным взглядом, исполнил свой социопатический танец, и она, сама того не понимая, начала в него влюбляться. Наверное, именно так он соблазнял всех этих девушек, ставших его жертвами: заставлял каждую почувствовать себя совершенно особой, единственной в мире в последние минуты ее жизни. Джуди Даннинг он не собирался убивать, но заставил ее закрыть глаза на правду. Может быть, это ей понадобилось, чтобы защитить Квентина, но Алекса вернулась к себе после этой встречи, покачивая головой.

— Где вы были? — спросил Джек, случайно столкнувшись с ней в коридоре.

— На НЛО, — усмехнувшись, ответила она.

— Вы, случайно, наркотиками не увлекаетесь, советник?

— Я — нет, но общественный защитник, кажется, увлекается. Битых полчаса она пыталась убедить меня в невиновности Люка Квентина. Хуже всего то, что она верит этому. Он ее явно околдовал.

— Хорошо. Она сможет навещать его в тюрьме. Такое, знаете ли, случается. Женщины влюбляются в преступников, какими бы гнусными ни были их преступления, а потом долгие годы посещают их в тюряге. А у нас только что появилась семнадцатая жертва, — сообщил Джек. Число жертв увеличивалось с каждым днем.

— У меня такое ощущение, словно я слежу за выборами президента, — сказала Алекса, когда они остановились возле кофейного автомата. Она уже выпила слишком много кофе. — В скольких штатах обнаружены жертвы?

— В девяти, — помрачнев, сказал он. — Квентин не перестает меня удивлять, думаю, это еще не конец.

— Не переоцениваем ли мы его? — спросила Алекса. Ей не хотелось начать по небрежности вешать на него преступления, которых он не совершал, и провалить все дело. Нельзя забывать о «разумной доле сомнения» и о жюри.

— Мне кажется, что мы его недооцениваем. Пока что все сходится и в каждом случае подтверждается анализом ДНК, — сказал Джек.

Алекса кивнула и вернулась в свой кабинет. В тот вечер она задержалась на работе до девяти часов, и так продолжалось всю неделю. В пятницу она просидела за работой до половины одиннадцатого, просматривая судебно-медицинские отчеты, поступившие из каждого штата. Все было обоснованно. Ничто ее больше не удивляло, если не считать того факта, что Квентин не желал признать себя виновным. Он по-прежнему утверждал, что невиновен, и его адвокат верил ему, что казалось еще более странным. Но больше никто во всем мире ему не поверит, тем более не поверят присяжные заседатели. Алекса надежно подготовила это дело.

В тот вечер она пришла домой совершенно измученная, с трудом волоча тяжелый кейс. Было почти одиннадцать часов. С Саванной она говорила по телефону в шесть. Дочь великолепно отдохнула в Вермонте и завтра возвращается домой.

Алекса просмотрела почту и собиралась оставить ее на столике в прихожей, не читая, но ее внимание привлек знакомый конверт. Она вскрыла его и дрожащей рукой достала листок бумаги. На листке было напечатано следующее:

«Я приду за тобой, и ты будешь моей. Попрощайся со своей мамочкой».

Дрожа всем телом, Алекса снова и снова перечитывала текст. Что ему о них известно? Почему он пишет Саванне? Что это — чья-то дурацкая шутка, или это Люк Квентин на свой лад подвергает их пытке? Узнать это не было никакой возможности. Она позвонила консьержу, но тот сказал, что никто ничего для нее не оставлял. Кто бы это ни был, он проникал в здание и подсовывал письма под дверь. Алексе стало страшно. А вдруг приставленного к дочери Тэда Левицки недостаточно? Что, если маньяку в конце концов удастся сделать задуманное?

Забыв снять пальто, Алекса достала из сумочки сотовый телефон и присела на кушетку. Не хотелось тревожить мать, но та человек здравомыслящий. Прочитав ей текст последнего письма, Алекса спросила совета. Стоит ли паниковать по этому поводу? Сама она была слишком напугана, чтобы рассуждать здраво.

— По-моему, следует отнестись к этому очень серьезно, — сказала мать мрачным тоном. — Если за этим стоит Квентин, то ему нечего терять. И он хочет на тебе отыграться. Не стоит рисковать.

— Но что же делать? — спросила Алекса сквозь слезы. — Отказаться от ведения дела? Саванна должна быть в безопасности, — сказала Алекса. Если работа угрожает ее ребенку, то это уже не работа, а какой-то кошмар.

— Отказываться поздно. Передача дела в другие руки ничего не изменит. Ты уже обрушила на его голову крышу его карточного домика. Если его осудят, то он исчезнет на сотню лет. Он хочет отомстить тебе. Но даже если тот, кто подбрасывает вам эти письма, ничего ей не сделает, а только испугает тебя, ты не можешь рисковать.

— Так что мне делать? — спросила испуганная и растерянная Алекса. На такое она не рассчитывала. Она старалась добиться справедливости для семей всех этих девушек, но, делая это, поставила под угрозу собственную семью.

— Увези ее из Нью-Йорка.

— Ты серьезно? — спросила потрясенная Алекса

— Более чем. И возьми охранника для себя. По крайней мере до окончания суда. Потом все постепенно успокоится. Всегда так бывает, когда суд закончится. Но пока вы обе находитесь в опасности. Сама ты можешь, если хочешь, остаться здесь и продолжить работу над делом, но Саванну удали из города, — сказала мать, голос которой тоже звучал испуганно.

— Но куда?

Кроме друг друга, у них никого не было. И Алекса не имела намерения включать Саванну совсем одну в программу защиты свидетелей, чтобы жить бог знает где с совершенно незнакомыми людьми. К тому же она хотела сама, если можно, присутствовать на судебном процессе, не подвергая Саванну еще большему риску. За себя она не слишком тревожилась. Да никто ей и не угрожал.

— Отправь ее в Чарлстон с Томом, — тихо сказала мать и услышала, как на другом конце провода ее дочь резко втянула в себя воздух.

— Я не могу это сделать, — хрипло произнесла Алекса, смахивая со щек слезы. Дело принимало серьезный оборот. — Луиза ему никогда не позволит, — спокойно сказала Алекса. — И у него не хватит смелости. Он вышвырнул нас из своей жизни десять лет назад. Он не захочет, чтобы она снова там появлялась.

— У тебя нет выбора, — твердо сказала мать. — У него тоже. На кон поставлена жизнь вашей дочери. Возможно, это дурацкая шутка, чтобы помучить тебя. Или чтобы заставить тебя отказаться вести это дело. Но ни ты, ни он не имеете права рисковать. Тебе необходимо увезти ее из Нью-Йорка. Она не сможет жить здесь в таком напряжении. Да и ты сойдешь с ума от тревоги за нее. Лично я хотела бы, чтобы ты отказалась от этого дела, но, откровенно говоря, думаю, отказываться уже поздно.

Она была права. Алекса с ума сойдет от беспокойства, если Саванна останется в городе. Ей вспомнились написанные в письме слова: «Попрощайся со своей мамочкой».

— Она сейчас все еще в Вермонте с Томом?

— Да. Он привезет ее завтра вечером.

— Скажи ему, чтобы не привозил ее, а взял к себе домой. А может быть, у него есть где-нибудь родственники на Юге, у которых она могла бы остановиться. Я знаю только одно: сюда ей не следует возвращаться. По крайней мере до окончания суда, когда, будем надеяться, все постепенно успокоится. Позвони Тому. У тебя нет другого выбора, Алекса.

— Проклятие! — пробормотала Алекса. Меньше всего на свете ей хотелось звонить ему. Не хотелось отсылать Саванну, тем более с ним. Но если мать права и с Саванной что-нибудь случится, она никогда не простит себе этого. — Сейчас слишком поздно ему звонить. К тому же я не хочу разговаривать, когда Саванна сидит рядом с ним.

— В таком случае позвони ему утром, но скажи, чтобы он не привозил ее домой, — сказала мать.

Алекса глубоко вздохнула. Высокую цену приходится платить за то, чтобы упрятать в тюрьму серийного убийцу. Но мать права — нельзя подвергать риску жизнь Саванны. Выбирая свою карьеру, Алекса знала, на что идет, и брала на себя всю ответственность за последствия. Она хотела упрятать в тюрьму Люка Квентина. Но еще больше хотела, чтобы Саванна была в безопасности.

— Я позвоню ему завтра, — печально и покорно согласилась она. Ей будет не хватать дочери, хотя она еще не знала, возьмет ли ее Том. Вполне возможно, что найдет уважительную причину для отказа. Все зависело от того, как на это посмотрит Луиза.

— Вот и хорошо. А сегодня позвони Джеку Джонсу. Попроси поставить копа у твоей квартиры.

— Со мной все в порядке, мама. У меня на дверях есть цепочка, и я никуда не собираюсь выходить, — сказала Алекса. Но, повесив трубку, она все-таки позвонила Джеку и все рассказала. Тот выслушал и согласился с ее матерью.

— Если он причастен к этим письмам, а я начинаю думать, что так оно и есть, то у него сейчас едва ли хватит смелости навредить, да и вряд ли он в состоянии заставить кого-нибудь напасть на Саванну. Этот бывший заключенный и социопат не связан с толпой. Никого другого его дело не касается. Возможно, он находится в контакте с кем-нибудь, кого знает через третье лицо, и таким способом заставляет вас нервничать, но не более того. Посетителей у него не было, но он мог связаться с кем-нибудь на воле. Возможно, он затеял какую-то игру, подсказанную больным воображением. Но впутывать в подобную игру вашу дочь — это уже слишком. Думаю, вам следует отослать ее отсюда, если есть куда, а я назначу для вашей охраны двух копов. Сожалею, Алекса, я понимаю, как вам все это тяжело.

Она кивнула, и по щекам снова покатились слезы. В Саванне заключался весь смысл ее жизни. Оставалось надеяться, что Джек прав и что если за этим стоит Квентин, то он просто пытается запугать ее, но если это не Квентин, то все равно страшно; она не имеет права рисковать. По словам Джека, через полчаса у дверей ее квартиры человек в гражданской одежде заступит на дежурство. В этом он тоже соглашался с ее матерью, хотя Алекса за себя не очень беспокоилась. Чтобы убить обвинителя, требовалась большая сила воли, а это не соответствовало характеру Квентина. Если бы он мог добраться до нее сам, то воздействовал бы на нее через Саванну. В этом Джек тоже, наверное, был прав. Тому, кто подбрасывал эти письма, возможно, недоставало решительности на открытое преступление. Но всякое бывает. Они обе с ума сошли бы от тревоги, думая об этом день и ночь. Саванне будет лучше побыть где-нибудь в другом месте, хотя, насколько знала Алекса, ей это не понравится. Не захочется покидать друзей, мать и школу, тем более в последние несколько месяцев выпускного года. Это было просто несправедливо.

Алекса заснула уже за полночь. Проснулась она отдохнувшая и в семь часов утра позвонила Тому. Как всегда по утрам, он ответил баском и на вопросы, где Саванна, ответил, что она в соседней комнате. Через полчаса они должны были вместе позавтракать, пройтись на лыжах, а после обеда вернуться в город. Он сказал, что привезет ее в семь часов. В Чарлстон он возвращался девятичасовым рейсом.

— Поэтому я и звоню, — сказала Алекса. — Ты не можешь привезти ее домой. — Она рассказала ему о том, что случилось, и он сильно встревожился. Она попыталась успокоить Тома, но ситуация сложилась непростая и ее дальнейшее развитие было трудно предугадать.

— А как же ты, Лекси? С тобой все будет в порядке? — спросил он. Он не называл ее так с тех пор, как она уехала, даже в посланиях по электронной почте.

— Я просто хочу посадить этого сукина сына за решетку. Мой долг перед семьями убитых заключается в том, чтобы посадить его в тюрьму на последующую сотню лет. Но я не должна ради них рисковать своим ребенком.

— Разумеется, нет, — согласился он. — Ты действительно не хочешь отказаться от ведения этого дела?

— Со мной будет все в порядке. Скоро все закончится. Суд назначен на май. До тех пор ей придется побыть с тобой.

Она сказала это безжизненным, несчастным голосом.

— Я понимаю. Если ради ее безопасности потребуется задержаться дольше, то и это пусть тебя не волнует. — Они разговаривали впервые за десять лет, но он проявил бо́льшую человечность, чем ожидала Алекса, и, судя по голосу, тревожился за обеих.

— Ты действительно сможешь это сделать? — спросила она. Ей не хотелось говорить о Луизе, но оба понимали, что она имеет в виду.

— Я все улажу, — заверил Том. — Как мне поступить с Саванной? Ты сама скажешь или лучше мне? Думаю, ей будет легче воспринять это при разговоре с глазу на глаз, чем по телефону. — Алексе не хотелось признавать его правоту. — А потом, я думаю, мы сразу отправимся домой. Я должен был лететь девятичасовым рейсом, но самолет прибывает туда почти в полночь. Лучше уж мы отправимся домой утром и улетим в Чарлстон более ранним рейсом, — сказал Том. Если он появится в час ночи с дочерью, это еще больше осложнит ситуацию с Луизой. Уж лучше прилететь домой пораньше и устроить Саванну. Это был огромный дом, где в свое время они жили с Алексой, а еще раньше с Луизой, когда поженились в первый раз. Там было несколько комнат для гостей, в одной из которых он мог бы поселить Саванну. Алексе стало не по себе, когда она подумала об этом. Она не хотела, чтобы Саванна находилась там, но и в нью-йоркскую квартиру дочери сейчас возвращаться нельзя. Этот вариант самое лучшее из всего, что они могли сделать.

— Как ты думаешь, тебе удастся сделать так, чтобы она ходила в школу? — спросила Алекса.

— Я позабочусь об этом на следующей неделе. Позвоню тебе и сообщу, когда мы прилетим.

— Я встречу вас в аэропорту и привезу ее вещи. Я могу с ней там попрощаться, — сказала Алекса. Прощание будет трудным для обеих, и глаза ее, когда она повесила трубку, наполнились слезами. Это были слезы облегчения, потому что Том был готов помочь им и позаботиться о безопасности дочери, и печали, потому что Саванне придется пройти через эти испытания. Алексе будет ужасно одиноко без дочери.

Саванна позвонила через полчаса. Она тоже плакала.

— Я не могу поехать туда, мама. Не могу. Я хочу закончить школу здесь... И я не хочу оставлять тебя. — Саванна рыдала, и Алекса, слушая ее, совсем затосковала.

— Тебе придется это сделать, миленькая. Не можешь же ты продолжать жить здесь в ожидании новых жутких писем, которые пишет тебе какой-то псих. Я понимаю, это трудно для нас обеих, но по крайней мере ты будешь находиться в безопасности.

— Я не хочу в Чарлстон, — тихо сказала Саванна. Она не хотела обидеть отца, который изо всех сил старался отвлечь ее от грустных мыслей, хотя ситуация для всех сложилась нелегкая.

— Обещаю тебе, что приеду навестить тебя, — сказала Алекса, пытаясь выступать с позиций взрослого человека, однако сама чувствовала себя как испуганный подросток и очень жалела дочь. Саванне было труднее всех, потому что это ее без предупреждения вырвали из привычной жизни и заставили ехать в незнакомое место с отцом, которого она почти не знала.

— Ты не приедешь меня навестить, — навзрыд говорила Саванна. — Ты ненавидишь это место. Ты сама говорила, что никогда больше не вернешься туда.

— Конечно, я приеду, глупенькая, если ты будешь там. Останешься там ненадолго, и тебе, возможно, это даже понравится. Ты сможешь ходить в школу.

— Я не хочу пропускать окончание учебного года в выпускном классе своей школы, — сказала она, но быстро сообразила, что возражать бесполезно. Впервые за десять лет ее родители пришли к единогласному решению: Саванна вернется в Нью-Йорк только после окончания суда, и точка! Саванна продолжала плакать, Алекса пыталась ее успокоить, а потом попросила приехать в аэропорт попрощаться.

— Что нужно упаковать? — спросила Алекса, и Саванна принялась давать указания. Она еще плакала, но не так сильно, как прежде. — Я положу тебе оба своих розовых свитера, — сказала Алекса, улыбаясь сквозь слезы.

— И новые черные туфли на высоком каблуке? — спросила Саванна, почти улыбаясь и понемногу приходя в себя. Они были потрясены. Все происходило слишком быстро.

— Ладно, договорились, — сказала Алекса, давая согласие относительно туфель, лишь бы это помогло. — Можешь и их забирать. Очень уж ты много запрашиваешь.

— Что, если его жена ненавидит меня? Я с ней даже никогда не встречалась. Может, она не захочет, чтобы я жила там, — снова приходя в отчаяние, сказала Саванна.

По мнению Алексы, это было слабо сказано. Луиза — настоящая фурия, и за долгие годы Саванна не раз слышала это от матери.

— Папа все уладит. Ведь ты туда приедешь не навсегда, а всего на три месяца. Я постараюсь приехать к тебе на следующей неделе.

— Уж постарайся, не то я убегу домой.

— И думать об этом не смей! — строго сказала Алекса, уверенная, что Саванна этого не сделает. Она всю свою жизнь была разумным созданием. И сейчас, попав в тяжелую ситуацию, вела себя разумно. — Пожалуй, пойду упаковывать вещи. Увидимся позже, миленькая.

Через десять минут позвонил Том и сказал, он купил билеты на шестичасовой рейс, который прибудет в Чарлстон в половине девятого, так что они выезжают из Вермонта сейчас же. Будут в аэропорту Кеннеди в четыре или пять часов.

— Я приеду к четырем часам с чемоданами. Позвони мне по сотовому, когда приедешь в аэропорт. — Она дала ему номер, которого прежде у него никогда не было. У него был только ее электронный адрес, но теперь приходилось работать вместе. — Я буду на главном терминале.

— Постараюсь добраться туда по возможности скорее, чтобы вы могли хоть немного побыть вместе. Она довольно сильно расстроена.

Судя по голосу Алексы, она была тоже расстроена. Но больше всех расстроилась Луиза, которая пришла в неописуемую ярость, когда он позвонил и сообщил ей новость.

— Ты что, спятил? Ты везешь ее сюда? Ты не можешь этого сделать. Дейзи даже не знает о ее существовании! — возмутилась Луиза.

Дейзи была десятилетней дочерью, которую она зачала, чтобы расторгнуть их брак с Алексой и вернуть Тома. Ее не интересовало, что происходило с их мальчиками, когда он был женат на Алексе. Она бросила Тома и ушла к какому-то нефтяному магнату из Техаса, оставив мальчиков с отцом, но как только ее новый муж умер, прибежала назад. Она воспользовалась ребенком, чтобы заполучить Тома, и он по глупости попался в ловушку.

Все последующие годы Том горько сожалел об этом. Но теперь было слишком поздно что-нибудь предпринимать. Сейчас он мог лишь хоть как-то загладить свою вину перед Алексой, позаботившись о Саванне. Хотя бы это он должен был сделать для их общей дочери.

— Будет лучше, если ты ей это скажешь хотя бы сейчас, — холодно сказал Том в ответ на реплику Луизы о том, что Дейзи не знает о существовании сестры, и о том, что отец уже когда-то был женат. — Мы приедем домой сегодня вечером, и я не намерен заставлять Саванну делать вид, будто она не моя дочь. Она и без того оказалась в сложной ситуации.

— В сложной ситуации? А как насчет меня и Дейзи? Ты об этом подумал? Или ты уже спелся с ее матерью? Значит, в этом все дело?

— Я видел Алексу впервые за десять лет. Жизнь нашей дочери оказалась под угрозой. Как бы ты к этому ни относилась, Луиза, но я везу ее домой.

— Ах ты сукин сын! Я всегда знала, что рано или поздно ты вернешься к Алексе, — заявила Луиза. Она знала, что Том не любит ее. Но это не имело для Луизы значения. Она хотела вернуть старую жизнь и его, если это будет ей удобно. Все должно быть так, как удобно ей.

— Она бы и близко ко мне не подошла, и правильно сделала, — сказал Том. — Я предал ее более десяти лет назад. Единственное, что заставило ее разговаривать со мной сейчас, — это необходимость куда-то отправить Саванну из Нью-Йорка. Кто-то угрожает нашей дочери. Наверное, это связано с делом, которое ведет ее мать. Я обязан привезти Саванну домой. Возможно, ее жизнь находится под угрозой. — Ему хотелось поскорее закончить этот унизительный спор с Луизой. В Луизе не было ни капельки человеческой доброты или сочувствия. Она бы никогда не сделала того, что сделала для ее мальчиков Алекса. Как ни парадоксально, но теперь у Луизы появилась возможность позаботиться о ребенке Алексы. Алекса заботилась о сыновьях Луизы в течение семи лет.

— Ну что ж, не жди, что я стану что-нибудь делать для нее, — в ярости заявила Луиза.

— Я ожидаю, что ты будешь с ней вежлива и постараешься, чтобы ей было здесь по возможности удобно.

— Ее мать приедет навестить ее? — подозрительно спросила Луиза.

— Возможно. Я пока с ней об этом не разговаривал. Я сам узнал об этом всего полчаса назад. Вчера вечером она получила еще одно письмо с угрозами в адрес Саванны.

— Пусть она держится от меня подальше, Том. Я не шучу. И не попадается мне на глаза.

Том презирал все, что касалось Луизы. Жизнь с ней стала наказанием за боль, причиненную Алексе, — долгие, трудные десять лет. Но у него не было ни энергии, ни силы воли, чтобы снова пройти через бракоразводный процесс. Поэтому он смирился, заплатив за это непомерно высокую цену.

Несколько минут спустя Саванна с отцом покинули отель в Вермонте. Бо́льшую часть пути дочь молчала и печально смотрела в окошко. Он пытался рассказать, как ей понравится Чарлстон и как он счастлив, что она будет жить там с ним вместе, но Саванне явно не хотелось разговаривать, и скоро отец оставил ее в покое. А Саванна уже тосковала по Нью-Йорку, своей матери и друзьям.

Алекса весь день укладывала чемоданы. Она упаковала всю самую любимую одежду Саванны, все, что нужно для школы и уик-эндов. Она отдала ей все вещи из своего гардероба, которые Саванне хотелось бы иметь. Уложила ее учебники, любимые диски и двух плюшевых мишек, на которых дочь даже не взглянула, с тех пор как была ребенком, но которые, как подумалось Алексе сейчас, могли бы ее успокоить. Будь это возможным, Алекса и себя упаковала бы в чемодан — уж очень не хотелось отпускать Саванну, но не было другого выхода.

Алекса позвонила матери и рассказала, что произошло, добавив, что Том вел себя, как положено порядочному человеку. Что бы она о нем ни думала, но следовало отдать ему должное.

Торопливо одевшись, она выехала в аэропорт с тремя довольно большими чемоданами и в четыре часа уже была там. Через полчаса позвонил Том, который находился в десяти минутах езды от нее. И как только он подъехал, Саванна выскочила из машины и бросилась в объятия матери. Она рыдала, и почти все отпущенное время пришлось потратить на то, чтобы успокоиться. Алекса нежно гладила ее волосы, которые были так похожи на ее собственные, обнимала ее и обещала скоро приехать в Чарлстон, а там и сама Саванна вернется домой. У Алексы практически не оставалось времени поговорить с Томом. Он с несчастным видом наблюдал за ними, а потом незаметно оставил их вдвоем. Но вот пришло время прощаться. Он купил билет для Саванны, и Алекса настояла на том, чтобы уплатить за перевес багажа, а когда пришло время расставаться, обе расплакались. Алекса не могла проводить их до выхода, поскольку у нее самой не было билета.

— Я люблю тебя, — без конца повторяла она, а Саванна крепко прижалась к ней, как маленький ребенок.

Том наконец, полуобняв дочь, осторожно увел ее от плачущей матери.

— Береги себя, — сказал он Алексе поверх головы Саванны. — А я обещаю беречь ее.

Алекса кивнула и поблагодарила его. Они направились к выходу, и больше она их не видела.

Все еще плача, она взяла такси, чтобы доехать до города, совершенно обессиленная вошла в свою квартиру и позвонила матери.

— Как все прошло? — спросила Мюриэль. Она тревожилась и думала о них весь день.

— Все было ужасно. Но Том вел себя достойно. Я попробую съездить туда на следующей неделе, — печально сказала Алекса.

Она представить себе не могла, как будет жить без Саванны. А осенью Саванна уедет в колледж. Их привычная жизнь должна была скоро кончиться, вернее, только что кончилась.

— Я позвоню ей сегодня вечером, — мрачно сказала Мюриэль. Ей очень не нравилось то, что с ними происходило и как суд коверкал их жизни. — Ты не хочешь прийти ко мне поужинать? — спросила ее мать, но Алекса отказалась. Она еще не пришла в себя после расставания с рыдающей дочерью.

— Нет, мне хочется просто забраться в постель и выплакаться.

— Не нравится мне все это. Может быть, я напрасно посоветовала тебе отправить ее в Чарлстон. Хотя, когда речь идет о безопасности, лучше, пожалуй, перестараться. Приходи поужинать со мной, когда захочешь, — сказала Мюриэль. Она знала, как одиноко будет Алексе без дочери.

— Спасибо, мама, — страдальческим тоном сказала Алекса. Повесив трубку, она сделала так, как сказала, — забралась в постель, натянула на себя одеяло и как следует выплакалась.

Глава 7

До Чарлстона летели чуть более двух часов. Саванна тихонько сидела в своем кресле и плакала, глядя в иллюминатор. Только незадолго до посадки она задремала. Все последние события подточили ее силы. Никто не ожидал, что дело, которое вела в суде Алекса, будет иметь такие последствия. Заметив, что она заснула, Том осторожно укутал ее пледом. Он понимал, что его практически постоянное отсутствие в ее жизни и подлый поступок по отношению к ним, совершенный десять лет назад, необычайно тесно сблизили ее с матерью. Алекса была всем, что имела Саванна, и вот теперь ее швырнули в новый мир — без матери. Еще хуже то, что этот мир был негостеприимен по отношению к ней и ее там рассматривали как угрозу. Том не без оснований беспокоился о том, как поведет себя Луиза. Всем было известно, что от Луизы нечего ждать ни доброты, ни тепла, ни сочувствия, и он понимал, что, привезя с собой Саванну, дал повод для яростной битвы, которая уже началась. В то утро Луиза объявила ему войну, а слов на ветер она не бросала. Зная ее, можно было предполагать, что самое худшее еще впереди.

Они приземлились в Чарлстоне с резким ударом о взлетно-посадочную полосу, что разбудило Саванну, которая удивленно взглянула на отца. Она, видимо, не сразу вспомнила, с кем она и где находится.

— Вот мы и прилетели, малышка. Рад, что ты немного поспала. Сон пошел тебе на пользу, — сказал отец.

Она кивнула, взяла мобильник и прочла послание от матери: «Я люблю тебя. Скоро увидимся». Том вдруг заговорил с более сильным, чем обычно, южным акцентом. Здесь он был у себя дома. А Саванна находилась очень далеко от своего дома и пребывала в смятении.

Следом за отцом она спустилась по трапу с самолета, и они получили багаж — три ее больших чемодана и отцовский маленький чемодан и его лыжи. Лыжи Саванны мать взяла с собой домой. Носильщик вывез на тележке их чемоданы из здания аэровокзала, отец подозвал такси. Она уселась рядом с отцом и, пока они ехали, смотрела в окошко. Она слышала, как отец назвал свой адрес в Маунт-Плезант*, где находился его дом в Чарлстоне.

— Ты хоть немного помнишь Чарлстон? — осторожно спросил отец, и Саванна покачала головой.

Она оставалась все еще в лыжных брючках и теплом свитере, а парку сняла и перекинула через руку. Выглядела настоящей красавицей. Волосы, ниспадая по спине, блестели, словно чистое золото, а глаза были насыщенного василькового цвета. Саванна очень походила на мать, когда он ее встретил, скорее всего Луиза тоже заметит это сходство. Саванна сейчас была всего на четыре года моложе Алексы, когда в нее влюбился Том, Луиза бросила его с сыновьями и ушла к другому мужчине. После семейных невзгод он нашел с Алексой счастье, о котором не осмеливался даже мечтать. А семь лет спустя показал себя полным идиотом, когда вернулась Луиза и сплела свою паутину.

Думая об этом, а он это делал часто, Том понимал, что сполна получил по заслугам. Но, снова увидев Алексу, осознал, что и она все еще расплачивается за его поступок. Он с особой остротой почувствовал свою вину, потому что раньше надеялся, что она к этому времени уже все пережила и обо всем забыла. И вдруг увидел затаенную боль в ее

---

* Фешенебельный поселок в пригороде Чарлстона.

глазах. Том надеялся хоть как-то помочь Алексе, позаботившись об их ребенке и делая для нее все, что может. На сей раз он не позволит Луизе вмешиваться, хотя она много раз делала это раньше, а он шел у нее на поводу. Он сделает все, что в его силах, для Саванны — своего ребенка.

— Пожалуй, я помню школу, — тихо сказала Саванна, — и может быть, дом или сад... И Генри с Трэвисом. — Это были ее единокровные братья. В течение десяти лет она не поддерживала с ними никаких отношений.

Стоял теплый день. В Нью-Йорке так бывает весной, а не зимой, и Саванне стало жарко в толстом свитере. До Чарлстона добрались за пятнадцать минут, и вот открылись шпили церквей, красивые старинные здания, украшенные решетками и балкончиками кованого железа. Архитектура замысловатая, старинная. То тут, то там виднелись очаровательные старые мосты, ведущие к небольшим островкам. Была здесь также живописная гавань со множеством судов, преимущественно парусников. Том показал ей в гавани форт Самтер, где официально началась Гражданская война. Этот великолепный город, благородный, изящный, сам являлся историческим памятником. Прежде чем возненавидеть его, Алекса часто говорила, что это самый захватывающий город на всем Юге, а может быть, даже во всем мире. Здесь росли высокие деревья, с ветвей которых свисал мох и которые оставались зелеными даже в феврале. Когда они подъезжали к Маунт-Плезант, отец сказал ей, что это дубы.

— Завтра я покажу тебе город, — пообещал он и взял ее за руку, а она храбро улыбнулась и кивнула. Все вокруг было непривычное и новое, как будто она оказалась на другой планете.

Чувствовалось, что здесь все другое — другая культура, другой образ жизни, иное уважение к истории, что и создавало ощущение другого мира. Казалось, в этом городе самое главное — история и красота. Она знала, что южане очень гордятся своей историей; когда много лет назад она спросила отца о Гражданской войне, потому что они проходили это в школе, он поправил ее, назвав войну «войной между штатами», и сказал, что ничего «гражданского» в ней не было. Южанин до кончиков ногтей, отец очень гордился этим, так же как своими предками. Он был настоящим южным джентльменом, хотя когда Саванна однажды сказала это матери, та промолчала. Очевидно, он вел себя по отношению к ней не совсем «по-джентльменски», хотя и обладал великолепными манерами. Это не помешало ему поступить с ними так, как он поступил, но находиться в его обществе все равно было очень приятно.

Старый чернокожий водитель такси тоже говорил с сильным южным акцентом, и Саванне это понравилось. Когда она встречала кого-нибудь с Юга, это всегда напоминало ей об отце — выходце из Южной Каролины. Этим она тоже гордилась, хотя по образу жизни, привычкам и культуре принадлежала к типичным жительницам Нью-Йорка, как и ее мать, янки.

Дома, которые показывал ей в городе отец, были построены до Гражданской войны, и на нескольких улицах машина протарахтела по мощенной булыжником мостовой. По словам отца, в городе имелся Французский квартал, который он тоже обещал ей показать. Здесь протекали две реки — Купер и Эшли. На острове Пальм и острове Салливана есть потрясающие пляжи. Когда станет теплее, она сможет туда ходить. Город небольшой, но здесь найдется чем заняться. В кофейнях собираются студенты колледжей; в великолепные магазины можно ходить за покупками. Потом Том спросил, умеет ли она водить машину. Он очень многого не знал о дочери, но теперь был твердо намерен наверстать упущенное. Интересно было бы знать, думал он, не окажется ли это вынужденное бегство из Нью-Йорка благодеянием для них обоих.

Не случись этого, Саванна никогда бы не приехала в Чарлстон, чтобы побыть с отцом. Луиза не допустила бы этого, как не допускала в течение целого десятилетия. Саванну изгнали. Ему стало стыдно, когда он подумал об этом, но он понимал, что стыдиться нужно было гораздо раньше. Ему от этого становилось не по себе, но, видимо, недостаточно, чтобы оказать противодействие и бросить вызов жене.

— У меня есть водительские права, — настороженно сказала Саванна. — Год назад я получила ученическое разрешение, а в день рождения — водительские права, но я ими не пользуюсь. У мамы нет машины. Если мы куда-нибудь уезжаем на уик-энд, она берет машину напрокат. С машиной в городе слишком много хлопот. А машину напрокат можно брать только тогда, когда тебе исполнилось двадцать пять лет, так что у меня мало практики, — виновато закончила она объяснение.

— В Чарлстоне легко ездить на машине, если знаешь, куда ехать. Ты могла бы здесь попрактиковаться. Я тебе одолжу одну из наших машин. У нас есть парочка стареньких, — сказал он и чуть было не добавил: «Для слуг», — но Саванна сама догадалась. С его стороны было очень мило предложить это ей. — Ты могла бы ездить в школу.

Она испуганно умолкла. В школе новые люди, от которых она так сильно отличается. Она снова замолчала.

Проехав но красивому мосту, они оказались в районе Маунт-Плезант, элегантном предместье к востоку от реки Купер, где находился его дом. Там было множество величественных особняков, каждый из которых стоял на нескольких акрах земли, причем границы земельных владений были отмечены вереницей высоких дубов, и такие же дубы обрамляли подъездные аллеи, ведущие к домам. Отец снова напомнил ей, что они находятся всего в десяти минутах от пляжа.

Дома были построены в колониальном стиле, с высокими белыми колоннами, величественными парадными входами, декоративными воротами и длинными подъездными аллеями. Все здесь поражало воображение, но ее это обстоятельство почему-то совсем не удивляло. Саванна смотрела из окошка и не замечала ничего знакомого, пока машина не замедлила ход и не свернула на бесконечную подъездную аллею. У Саванны округлились глаза, и она взглянула на отца.

— Я помню эту подъездную аллею.

Том улыбнулся с довольным видом. На одном из двух кирпичных столбов, стоявших по обе стороны входа, виднелась бронзовая табличка с надписью: «Тысяча дубов». Когда-то, еще до войны, граница земельной собственности была обозначена тысячей дубов. Сам он их не считал, но едва ли теперь их осталось так много. Да и земельная собственность сократилась до десяти акров, но по-прежнему была внушительной и простиралась за домом. Саванна вспомнила теперь, что там находились теннисный корт и бассейн, где она плавала вместе с матерью и братьями. Том соорудил бассейн специально для них. Саванна до сих пор плавала, как рыба. В школе она входила в команду пловцов, а также играла в волейбольной команде.

Подъехав ближе к дому, она смогла разглядеть его получше. Дом был огромный и представлял собой невероятно эффектное зрелище, как в кинофильме. Теперь Саванна вспомнила его, только он оказался значительно больше, чем она ожидала. И окружающий его сад был восхитителен, а станет еще лучше, когда наступит весна. Отец удовлетворенно улыбнулся, заметив восхищение на ее лице. Может быть, ей здесь понравится и это хоть немного компенсирует временную разлуку с матерью. Он очень надеялся на это.

Дом белого цвета с высокими колоннами и внушительной черной дверью с огромным старинным медным молотком посередине был построен в XVIII веке и составлял часть первоначальной плантации, от которой теперь остались помимо него только десять акров земли. В самом дальнем конце территории сохранились лачуги рабов, которые использовались теперь как сараи для хранения всякого садового инвентаря. С трудом верилось, что в этих крошечных комнатушках жило по двенадцать или пятнадцать рабов. Бабушка Саванны любила говорить, что Бомоны были чрезвычайно добры со своими рабами. Том этим не гордился. Саванна когда-то спрашивала его об этом, но он всегда уходил от разговора. Он не считал рабство подходящей темой для обсуждения.

Водитель вытащил из машины чемоданы, и тут как по волшебству появились два афроамериканца, которые тепло приветствовали Тома. Один был студентом колледжа, подрабатывающим здесь в свободное от занятий время, а другой — преисполненным чувства собственного достоинства стариком по имени Джед, который долгие годы служил в семье Тома. Он работал и в то время, когда здесь жила Алекса, и сразу догадался, кем является эта красивая юная блондинка, хотя о ее приезде его не предупредили. Она была как две капли воды похожа на мать, и при виде ее Джед расплылся в улыбке.

— Добрый вечер, мисс Саванна. Очень приятно снова видеть вас, — сказал Джед, как будто ее приезда долго и с нетерпением ждали.

Она его не помнила, но была тронута тем, что он знает ее по имени, и Том с благодарностью взглянул на него. Несколько поколений семьи Джеда работали на Бомонов начиная еще с дней рабства. Даже получив свободу, они остались. Джед сильно привязался к Бомонам и их дому. Он работал у матери Тома, когда родился малыш. Теперь он был за садовника, присматривал за домом, а время от времени исполнял обязанности официанта и водителя; Том относился к Джеду как к отцу.

Том представил его Саванне, чтобы она знала его имя, и представил также Форреста, молодого студента; мужчины потащили в дом ее чемоданы. Пока Том расплачивался с таксистом, Саванна стояла рядом, с нетерпением оглядываясь вокруг. Том приказал отнести ее чемоданы в Голубую гостевую комнату. Это была самая просторная и самая элегантная из четырех гостевых комнат, которые имелись в доме, и ей будет хорошо там, сколько бы ни продлилось ее пребывание. Там найдется место, где можно похихикать с подружками, которые у нее появятся в новой школе.

Саванна вошла в дом следом за Томом. В холле с высоченного потолка свисала гигантская хрустальная люстра, которую первоначальные владельцы привезли из Франции. А такие широкие лестницы, как здесь, Саванна видела только в кино. Теперь она смутно припоминала, как сбегала по ней вместе с матерью, когда они куда-нибудь торопились. Ее комната была тогда расположена рядом с комнатой родителей, а дальше по коридору находилась комната братьев. Саванна смутно помнила хорошенькую розовую комнату, залитую солнечным светом, полную мягких зверушек и других игрушек. Мебель там была обита английским вощеным ситцем в цветочек. Комната резко отличалась от комнаты, обставленной для Саванны матерью в Нью-Йорке, — простой, современной и окрашенной в белый цвет. Со времени их возвращения в Нью-Йорк в комнате ничего не изменилось. В какой-то степени этот стиль отражал тогдашнюю опустошенность матери. Ее жизнь представляла собой чистую страницу, и, по мнению Саванны, их квартира так и осталась чистой страницей. Мать Саванны была теплым человеком, но их дом теплым не был. А в «Тысяче дубов» чувствовались традиции, было множество эффектных старинных вещей, переходящих в семье по наследству, и во всем ощущалось великолепие. Алексе здесь жилось хорошо, и в течение семи лет это оставалось ее домом. Саванне здесь тоже было хорошо.

Отец провел ее в гостиную, выдержанную в таком же напыщенном стиле и тоже полную старинных вещей. Здесь висела еще одна великолепная люстра, а мебель была обтянута изящной парчой. На стенах висели семейные портреты, везде стояли статуи и вазы с цветами. В комнате приятно пахло, и, как заметила Саванна, абажуры и шторы здесь были отделаны шелковой бахромой и кистями.

Это напомнило ей Францию. Все содержалось в безупречном порядке, но вокруг ни души. Не видно ни Луизы, ни их с Томом дочери. В доме стояла гробовая тишина.

Они прошли через огромную столовую, где на каждой стене висел портрет одного из генералов Конфедерации — их предков. Том проводил Саванну на кухню — просторную, светлую, очень современную — и сказал, что она может поесть там, когда захочет. Еду готовили кухарка и две ее помощницы, но их тоже не было видно. Дом словно вымер.

Оставив Саванну в ее комнате, Том отправился в спальню, расположенную в конце коридора, и обнаружил там Луизу, которая растянулась под балдахином громадной супружеской кровати с мокрой салфеткой на голове и с закрытыми глазами. Она слышала, как он вошел, но ничего не сказала.

— Мы приехали, — просто сказал он с порога.

Время от времени он спал в своем кабинете, когда жена «плохо чувствовала себя», а это означало, что они не разговаривают друг с другом. Ее мигренями и нежеланием отца беспокоить мать объясняли Дейзи тот факт, что они не спят вместе. Они пытались скрыть от нее, что их брак весьма неустойчив. Она была еще слишком мала, чтобы понять это, по крайней мере так они думали.

— Луиза, — произнес он чуть громче, не получив ответа.

Он знал, что она не спит. Она лежала, стиснув зубы, полностью одетая. Розовый костюм от Шанель с розовой блузкой украшало множество рюшечек, а черные с розовым туфельки, также от Шанель, валялись сброшенные второпях возле кровати. Скорее всего Луиза нырнула в постель, схватив мокрую салфетку, когда услышала их шаги по коридору. Она не имела ни малейшего желания приветствовать Саванну. Нечего ей здесь делать, никто ей не рад.

— У меня мигрень, — заявила она с таким же сильным южным акцентом, как и у него. Его семья жила в Чарлстоне уже несколько сотен лет, а ее предки изначально прибыли в Новый Орлеан и перебрались в Чарлстон только перед Гражданской войной. Их биографии, корни и традиции были прочно связаны с Югом. Никому из них и в голову не пришло бы жить не здесь, а где-нибудь в другом месте. Семилетнее пребывание в Далласе, когда Луиза бросила Тома, было для нее мучительным. Она считала техасцев людьми нецивилизованными и вульгарными, но зато в большинстве своем они были людьми богатыми, по крайней мере те, с кем она встречалась, будучи замужем за одним из них. Но как она любила говорить, хотя у них были деньги, они и понятия не имели о том, что такое хорошие манеры. Луиза страдала снобизмом и считала эталоном все южное, а у техасцев и деньги были «новые» и не было ни многовековой истории, ни чувства собственного достоинства в отличие от жителей Чарлстона.

— Ты должна выйти и поздороваться с Саванной, — твердо сказал Том, не проявляя ни малейшего сочувствия к ее головной боли, которой он ни капельки не поверил. — Она в Голубой комнате.

— Немедленно выставь ее оттуда, — сказала Луиза. — Эта комната предназначена для важных людей, которые приезжают к нам, а не для ребенка. Помести ее в одну из комнат наверху. Пусть живет там. — Она говорила все это с закрытыми глазами, причем двигались только ее губы. Речь шла о комнате служанки на чердаке, и Том, возмущенный сказанным, тем не менее не удивился. Утром Луиза по телефону объявила войну ему и Саванне.

— Она будет жить в Голубой комнате, — решительно сказал он. — Где Дейзи?

— Спит.

Он взглянул на часы: было половина десятого.

— В такое время? Что ты с ней сделала? Напоила снотворным? Она не ложится спать раньше десяти часов.

— Она устала, — заявила Луиза, наконец открыв глаза, но не делая попытки встать.

— Что ты ей сказала? — допытывался он. Том понимал, что это только начало. Ему ли не знать, на что способна Луиза! Порой она вела себя отвратительно. Тому стало жаль Саванну. Он привык к вендеттам и злобным выходкам жены, а Саванна была к этому непривычна и представить не могла, на что способна мачеха. Но он привез Саванну сюда, чтобы уберечь от опасностей, которые подстерегали ее в Нью-Йорке, и хотел, чтобы она находилась здесь. Он сделает все, чтобы защитить дочь, хотя от Луизы можно ждать чего угодно.

— Ты о чем?

— Ты знаешь, о чем я спрашиваю. Что ты сказала Дейзи о Саванне? — сказал он, пристально глядя на жену.

Она была белокурой, как Саванна и Алекса, но в отличие от них красила волосы. Как и в шестнадцать лет, Луиза носила длинные волосы и трижды в неделю бывала у парикмахера, который поддерживал их в порядке, не жалея лака для волос. Всегда безупречно ухоженная, она в одежде предпочитала вычурный стиль, на его взгляд, злоупотребляла косметикой и носила слишком много ювелирных украшений, часть которых перешла к ней по наследству от матери, а остальное было куплено Томом или ее последним мужем.

— Я лишь сказала ей, что в юности ты совершил опрометчивый поступок и в результате появилась Саванна, но мы молчали об этом. — Том пришел в ужас, потому что если она так объяснила все Дейзи, то получалось, будто Саванна его незаконнорожденная дочь.

— Ты говорила, что я был женат на ее матери?

— Я сказала, что предпочла бы не разговаривать об этом и что Саванна приехала сюда ненадолго, потому что ее мать попала в беду.

— Побойся Бога, Луиза, из твоих слов следует, что ее мать посадили в тюрьму. — Он был возмущен, но не удивлен.

— Дейзи слишком мала, чтобы знать об уголовных преступниках, угрожающих жизни Саванны. Это могло бы ее травмировать, — сказала Луиза. Ложь матери травмирует Дейзи ничуть не меньше, но трудно остановить Луизу, которая привыкла из каждой истории извлекать пользу для себя. В Луизе сосредоточилось все самое плохое, что говорили о женщинах-южанках. Их считали лицемерными и лживыми, но прикрывающими эти качества притворной ласковостью и обаянием. Конечно, на Юге было немало людей искренних и честных, но Луиза к их числу не относилась и всегда имела какой-то скрытый мотив, плела какую-то интригу и что-то затевала. Сейчас в ее планы входило по возможности испортить жизнь Саванне, так же как и Тому.

— Ты должна пойти и поздороваться с Саванной, — повторил он с непривычной твердостью.

Луизе это совсем не понравилось. Она села в постели, спустила ноги на пол и, прищурившись, взглянула на него.

— Я не хочу, чтобы она находилась здесь.

— Это понятно. Но она уже здесь, причем по очень важным причинам. От тебя лишь требуется быть вежливой.

— Когда я увижу ее, буду вести себя вежливо. На большее можешь не рассчитывать, — заявила она.

Том кивнул и вышел из комнаты. Итак, сегодня вечером Луиза не намерена встречаться с Саванной. Он повернулся и пошел. Хотел по дороге заглянуть к Дейзи, но направился прямо к Саванне.

— Луиза плохо чувствует себя, она в постели, — сообщил он, и Саванна, сообразив, в чем дело, не сказала ни слова. Она даже испытала облегчение. — Хочешь чего-нибудь поесть?

— Нет, все в порядке, папа. Спасибо, я не голодна. Собираюсь распаковать чемоданы, — сказала Саванна.

Он кивнул и отправился в свой кабинет, чтобы посмотреть почту. Его так возмутили слова Луизы, что он решил не заходить к Дейзи. Настроение было безнадежно испорчено. Не имея ни малейшего желания провести ночь в ссорах с женой, он решил спать в кабинете. Для выяснения отношений будет время завтра и в течение трех месяцев, вплоть до окончания суда.

Саванна, оставшись одна, уселась в большое удобное кресло и окинула взглядом комнату, задрапированную светло-голубым шелком и атласом. Тяжелые шторы были подхвачены шнуром с голубыми кистями. Тут имелись прекрасный старинный туалетный столик с зеркалом и уютный уголок с книжным шкафом и двумя небольшими кушетками. Комната была мягко освещена и элегантно обставлена. Саванна не привыкла к такой вычурной обстановке. Кроме того, здесь стояла большая кровать под тяжелым шелковым балдахином. Комната, несомненно, поражала великолепием, хотя Саванна и не чувствовала здесь себя как дома. Она знала, что ее отец — человек состоятельный, но не ожидала, что его окружает такое великолепие, и все еще чувствовала себя обескураженной. Здесь не походишь в джинсах и босиком или в старенькой, застиранной фланелевой рубашке. В этом доме ты должна ходить нарядно одетая, сидеть с прямой спиной на парчовых стульях, никогда не расслабляться и не распускать волосы. Едва ли здесь можно жить и чувствовать себя как дома. Еще труднее представить себе живущего здесь ребенка, и пока что ни один ребенок ей на глаза не показывался. Ее десятилетняя сводная сестра, как и ее мать, не появилась, когда они приехали; в доме стояла гробовая тишина. Взглянув на чемоданы, Саванна решила приняться за распаковку вещей, однако вместо этого взяла мобильник и позвонила матери. Сейчас, так же как и в Нью-Йорке, было десять часов. Она знала, что мать еще не ложилась, и очень удивилась, поняв, что она спит. Алекса, проплакав в течение нескольких часов, забылась глубоким сном, но Саванне об этом не сказала.

— Как ты там, миленькая?

Саванна вздохнула:

— Здесь как-то странно. Дом великолепный, и папа очень обо мне заботится. Меня поместили в шикарной гостевой комнате в голубых тонах, — сказала Саванна. Алекса хорошо знала эту Голубую комнату с того времени, когда жила там. Она останавливалась там, когда приезжала в гости еще до замужества. А теперь там будет жить Саванна. Алекса без труда представила себе ее в этой комнате. — Она похожа на музей, — продолжала Саванна, не добавив, что она здесь совсем чужая, хотя, будучи ребенком, жила в этом доме.

— У этого дома богатая история. Твой отец очень им гордится. А твоя бабушка живет неподалеку в еще большем доме. По крайней мере жила раньше. Собираясь жениться, дедушка купил старую плантацию.

Саванна была не в состоянии воспринять все это сразу. Она скучала по своей матери, своей знакомой комнате и своей жизни в Нью-Йорке. А элегантность и история Юга ее нисколько не трогали.

— Мне так тебя не хватает, мама, — печально сказала Саванна, едва сдерживая слезы. — Очень.

Алекса тоже крепилась изо всех сил.

— И мне тебя не хватает, миленькая. Ты там пробудешь недолго, поверь. А я приеду, как только смогу.

Алекса не горела желанием ехать туда, но съездила бы даже в ад, чтобы увидеть дочь. Для Алексы Чарлстон был настоящим адом.

— Как Луиза? — спросила Алекса и затаила дыхание. Та была способна на любую гадость, и Алекса боялась за дочь.

— Я ее не видела. Папа сказал, что у нее болит голова и она легла в постель. — Алекса промолчала. — И Дейзи я не видела, — продолжала Саванна. — Она тоже легла спать. Судя по всему, здесь рано ложатся спать. — «Не то, что в Нью-Йорке, который не спит всю ночь», — хотелось добавить ей. — Папа сказал, что позволит мне водить машину.

— Будь осторожна, — предупредила ее Алекса. — У тебя пока мало опыта. — Но Чарлстон — город небольшой, и дорожное движение там более-менее спокойное. Со стороны Тома очень мило дать ей машину. Благодаря этому она почувствует себя свободнее, особенно когда начнутся занятия в школе. — Не могу дождаться, когда увижусь с тобой.

— Я тоже. Ну, я, пожалуй, буду распаковывать вещи. Папа обещал мне завтра показать город.

— Там совсем другой мир. Вот увидишь. Конфедерация все еще живет и здравствует. Для них «война между штатами» так и не закончилась. Они по-прежнему ненавидят нас и цепляются за каждый пустяковый эпизод своей истории. Они не доверяют никому, кроме южан. Но там есть также множество чудесных вещей, и Чарлстон — красивейший город. Я любила его и осталась бы там навсегда, если бы... ладно, остальное ты знаешь. Думаю, тебе он тоже понравится. В нем есть все — красота, история, великолепная архитектура, чудесные пляжи, прекрасный климат, доброжелательные люди. В этом ему не откажешь, — сказала Алекса. Ей было легко говорить о городе, который она когда-то любила.

— Мне просто хочется быть дома, с тобой, — грустно сказала Саванна, которую не интересовали красоты и история Чарлстона и даже школа. Она хотела окончить вместе со своими старыми друзьями среднюю школу в Нью-Йорке, а теперь не могла этого сделать из-за дурацких писем, написанных каким-то кретином. Какая несправедливость! — Мне пора приниматься за распаковку чемоданов. Ты положила мою музыку?

— А как же! — сказала Алекса, довольная тем, что подумала об этом.

В комнате не было видно никаких признаков стереоустановки, но мать упаковала также ее плейеры. Она могла слушать музыку и никого не беспокоить, что было особенно приятно.

После разговора Саванна, расстегнув молнии на чемоданах, принялась развешивать одежду. Там было все — вся ее любимая одежда и кое-какие вещи матери. Глаза ее наполнились слезами, когда она увидела два розовых свитера, совершенно новые любимые черные туфли мамы на высоком каблуке, а также леопардовый свитер, который она не просила, но который ей нравился, тоже абсолютно новый. Саванна увидела двух плюшевых мишек, которых она с улыбкой посадила на кровать, обрадовавшись им впервые за много лет. Они были словно старые друзья, пока единственные ее друзья здесь. Положив на туалетный столик стопку CD, она хотела было вернуться к чемоданам, но почувствовала чей-то взгляд. Она вздрогнула от неожиданности, увидев маленькую девочку в ночной сорочке с бантиками и мишками, которая во все глаза смотрела на нее, стоя возле кровати. У нее были длинные белокурые волосы и огромные зеленые глаза.

— Привет, — сказала она с серьезным выражением лица. Белокурая малышка с огромными зелеными глазами походила на маленькую куклу. — Я знаю, кто ты.

— Привет, — тихо ответила Саванна, опасаясь, что девочка убежит. — Мы с тобой сестры, — добавила она, и это прозвучало очень странно.

— А я про тебя ничего не знала. Только сегодня мама сказала мне. Оказывается, что мой папа когда-то давно был женат на твоей маме, но, кажется, всего несколько месяцев, когда ты родилась.

— Вернее будет сказать, семь лет, — заявила Саванна, защищая свою биографию и чувствуя себя не семнадцатилетней, а десятилетней.

— Мама часто говорит неправду, — сказала Дейзи. Со стороны десятилетней девочки было довольно бестактно говорить подобные вещи о своей матери, но она не лгала. — И о тебе она мне не рассказывала. Она только сказала, что папе неловко было говорить мне об этом и поэтому умолчал. А теперь ты приехала сюда, потому что твоя мама не в ладах с законом. — Девочка явно повторяла слова Луизы, и Саванна громко рассмеялась. Малышка говорила возмутительные вещи, но это давало возможность понять, что за человек Луиза. — Она сидит в тюрьме?

— Нет, — со смехом сказала Саванна; подойдя к кровати, она уселась на краешек и похлопала рукой рядом с собой, приглашая Дейзи сесть. — Моя мама прокурор и пытается посадить в тюрьму одного очень плохого человека.

— Прокурор — это плохое слово? — встревожилась Дейзи и снова рассмешила Саванну. Она не удивилась бы, узнав, что Луиза и это сказала о ее маме.

— Нет, оно означает «юрист». Она является помощником окружного прокурора. Она сажает уголовных преступников в тюрьму. Она будет выступать обвинителем в суде и посадит в тюрьму одного очень плохого человека, который совершил много ужасных преступлений. — Разумеется, Саванна не стала пугать Дейзи, рассказывая, что преступник убил семнадцать женщин, а возможно, и еще больше. — Один из его дружков писал мне жуткие письма, поэтому моя мама решила отослать меня из Нью-Йорка до окончания суда, чтобы он их больше не писал. Вот поэтому я здесь.

— А он знает, что ты здесь? — встревожилась Дейзи, и Саванна покачала головой:

— Не знает и не узнает. Наш папа привез меня сюда, чтобы никто не знал, где я нахожусь.

— А твоя мама знает, что ты здесь? — поинтересовалась Дейзи, которая буквально впитывала все, что говорила Саванна. Малышка ей верила. Она была достаточно умна и не верила своей матери, как это ни печально. Мать и раньше оговаривала людей, которых не любила, или для того чтобы показать, какая она хорошая. Она, например, уволила няню, которую, по ее мнению, Дейзи слишком любила и к которой сильно привязалась. Поэтому она сказала дочери, что нянюшка сбежала и что ей на Дейзи наплевать. Но кухарка рассказала малышке всю правду. Больше о няне Дейзи никогда ничего не слышала.

— Моя мама и наш папа договорились, что я приеду сюда.

— Похоже, моя мама не слишком обрадовалась, — предупредила Дейзи.

Саванна понимающе кивнула:

— Пожалуй, ты права.

— Я слышала, как она орала на папу. Она часто так делает. Они ругаются между собой, — заявила она, как будто говорила о какой-то спортивной игре вроде гольфа. За первые пять минут знакомства она сделала новой сестре краткий обзор сложившейся ситуации. Но Саванну ничто из сказанного не удивило. Она довольно хорошо знала, чего можно ожидать. Пока все шло именно так, как она предполагала. Луиза даже не пожелала с ней поздороваться. — Она может быть очень злой, когда взбесится, так что будь осторожна. Мне нравятся твои мишки, — сказала Дейзи, повернувшись, чтобы взглянуть на них. — У меня тоже есть один. Я с ним сплю, — добавила она, застенчиво улыбнувшись Саванне.

— Хочешь послушать мою музыку, пока я распаковываю чемоданы? — предложила Саванна, и Дейзи засияла в радостной улыбке.

Саванна надела на нее айпод, включила звук, и Дейзи принялась тихонько подпевать. Она не хотела, чтобы мать застала ее в комнате Саванны. Девочке здесь нравилось, и Саванна ей понравилась. Она все еще слушала музыку, когда Саванна закончила раскладывать вещи. Места в шкафах оказалось гораздо больше, чем требовалось. Здесь имелись огромная гардеробная и специальный стеллаж для обуви.

Дейзи, сидя на кровати, сняла наушники:

— Мне понравилась твоя музыка. Классная, — сказала она с таким же мягким южным акцентом, как у отца; слушать ее было очень приятно. Шел уже двенадцатый час. — Тебе нравится, что твоя мама юрист? Моя ничего не делает. Она только играет в бридж, бывает на ленчах да часто ходит по магазинам.

— Я тоже люблю ходить по магазинам, — призналась Саванна. — И моя мама тоже, но она много работает. Работа у нее интересная, кроме тех случаев, когда происходит что-нибудь глупое вроде этих писем, которые ко мне приходили. Раньше такого никогда не случалось. Моя бабушка тоже юрист, — добавила она. — Но теперь она судья.

— А я думала, что судьями бывают только мужчины, — озадаченно заметила Дейзи.

— Нет. Женщины тоже бывают судьями. Бабушка председательствует в суде по семейным делам. Там занимаются разводами, опекунством и всякими вопросами, касающимися детей.

— Она, наверное, умная, — благоговейно сказала Дейзи.

— Умная и добрая. Я ее очень люблю.

— А моя бабушка — генеральный председатель Союза дочерей Конфедерации. — Такую фразу было нелегко произнести десятилетней девочке, но она сказала все без запинки, не сознавая, что ее бабушка является также и бабушкой Саванны. — А еще у меня есть два брата — Генри и Трэвис.

Услышав это, Саванна рассмеялась:

— У меня тоже.

— Надо же, — удивилась Дейзи.

— У нас те же самые братья, потому что у нас один папа, — объяснила Саванна.

— Вот здорово! — радостно воскликнула Дейзи. — Мне всегда хотелось иметь сестру.

— Мне тоже.

— Ты знала обо мне? — спросила Дейзи, откидываясь на подушки и глядя на Саванну.

— Да, — осторожно сказала Саванна. — Мама давно рассказала мне об этом. — Потом ей вдруг в голову пришла одна идея. — Хочешь сегодня спать здесь, со мной? — На огромной кровати было достаточно места для десятерых таких, как они, и Саванна подумала, что это могло бы еще сильнее укрепить связь, которая начала устанавливаться между ними.

Подумав, Дейзи кивнула.

— Может, сходишь за своим мишкой? — спросила Саванна, поскольку Дейзи сказала, что спит с ним.

— Лучше не ходить. Мама услышит и не разрешит мне сюда вернуться, — сказала Дейзи. Умненькая девочка была права. — Я могу поспать с твоими.

Саванна отогнула для нее краешек одеяла, и Дейзи с улыбкой скользнула между простынями. Саванна надела в ванной ночную сорочку и вернулась через несколько минут, а Дейзи ее ждала. Выключив свет, Саванна тоже легла в постель.

— Тебе здесь страшно? — шепотом спросила Дейзи несколько минут спустя. Они обе лежали в темноте и смотрели на голубой полог.

Вопрос заставил Саванну подумать о своей маме, о том, как ее не хватает и как странно находиться здесь.

— Немного, — тоже шепотом ответила она. — Поэтому я и попросила тебя поспать сегодня со мной.

В ответ Дейзи сунула маленькую ручку в ее руку и крепко сжала.

— С тобой все будет в порядке, — заверила она. — Папа не позволит, чтобы с тобой что-нибудь случилось, и плохой человек больше не будет писать тебе, а потом твоя мама посадит его в тюрьму. И теперь друг у друга есть мы, — добавила она с наивной уверенностью ребенка.

Услышав ее слова и почувствовав маленькую ручку в своей руке, Саванна чуть снова не заплакала.

— Спасибо, — тихо сказала она и, наклонившись, поцеловала Дейзи в щечку, нежную, как у младенца.

Дейзи улыбнулась и, не отпуская руку Саванны, закрыла глаза. Так они и заснули, лежа рядом.

Уже после полуночи отец осторожно постучал в дверь. Не получив ответа, он приоткрыл дверь и заглянул внутрь. Увидев, что Саванна в постели, он в темноте вошел на цыпочках в комнату и тут заметил две фигурки, лежащие бок о бок в лунном свете. Его дочери крепко спали, держась за руки. Он стоял, глядя на них с нежной улыбкой, и слезы катились по его щекам. Потом так же тихо вышел из комнаты и притворил за собой дверь.

Глава 8

Утром Саванна проснулась в комнате, залитой солнечным светом. Она очень удивилась, что проспала как убитая до десяти часов и не слышала, как утром крадучись ушла Дейзи, не оставив после себя никаких следов пребывания. Она ушла на рассвете, чтобы мать не устроила страшный скандал.

Саванна приняла душ, причесалась, почистила зубы, оделась и отправилась на кухню, где за кухонным столом сидели две женщины. Обе улыбнулись, когда она вошла.

— Доброе утро, — осторожно поздоровалась Саванна, подумав, что, возможно, одна из них и есть ее мачеха.

— Мы ждали, когда вы проснетесь. Не хотелось будить вас, — сказала старшая. — Мистер Бомон вернется за вами в одиннадцать часов. У него неотложные дела в офисе. Миссис Бомон у парикмахера, а потом у нее ленч в городе. — Это означало, что отец приедет через полчаса, чтобы, как и обещал, показать ей город. Женщин звали Таллула и Джейн. Таллула была женой Джеда. Джейн, которая была из Мемфиса, тоже говорила с сильным акцентом, но совсем другим. Саванна не переставала удивляться их говору.

Ее спросили, что она желает на завтрак. Саванна ответила, что ей достаточно хлопьев, но что она обслужит себя сама. Несмотря на возражения, ей подали завтрак на фарфоровой тарелочке в цветочек, подстелив изящно вышитую салфетку. Здесь не было ничего простого, обычного и практичного, как дома. И она не могла этого понять.

Саванна с мамой жили комфортно, но их уровень жизни даже отдаленно не напоминал здешний. Саванна только теперь поняла, какое потрясение испытала, должно быть, мать, изгнанная из этого мира роскоши. Наверное, она чувствовала себя как Золушка после бала, когда карета превратилась в тыкву, белые кони — в мышей, а очаровательный принц в данном случае — в крысу. Саванне стало жаль ее.

Она заканчивала завтракать, когда вернулся отец. Он пришел на кухню — красивый, как всегда, в твидовом пиджаке безупречного покроя и серых брюках.

— Привет, Саванна. Как спала?

— Как младенец.

— Готова к большому путешествию?

Она кивнула и, поблагодарив двух женщин в белой униформе и накрахмаленных кружевных передниках, последовала за отцом в холл. Саванна поднялась к себе, чтобы захватить жакет и сумку, поскольку было прохладно, хотя и не холодно, и с океана дул бриз, как это часто бывает в Чарлстоне. Пять минут спустя они сидели в отцовском «ягуаре», направляясь в центр города.

Первым делом он повез ее в форт Самтер, откуда был сделан первый выстрел в бойне между штатами. Саванна с большим интересом слушала этот урок местной истории, хотя и заметила чисто южное предвзятое отношение к описанию событий. Главную роль, как всегда, играла Конфедерация, но не Север, существования которого здесь словно не замечали, а если замечали, то исключительно в качестве презренного врага, который оставался таковым даже теперь.

Дальше отец повез ее во Французский квартал, потом они пообедали в уютном старинном ресторанчике с садиком за домом. Еда здесь в соответствии с местными вкусами изобиловала ароматными приправами — крабовый суп, креветки с рисом и массой пряностей. Все было очень вкусно, и отец с дочерью разговаривали и смеялись за обедом, а потом он прокатил ее в экипаже по улицам, мощенным булыжником, где показал еще кое-какие памятные места, а также несколько популярных кофеен, где собирается молодежь.

Потом они проехали мимо магазинов, и отец сказал, что Саванна может сама заглянуть в них позднее. Затем, миновав великолепные пляжи острова Салливана, отправились домой.

Они вместе провели чудесный день. И отец сообщил, что завтра у нее начинаются занятия в школе. Он все устроил. Саванна, конечно, будет учиться в выпускном классе и так же присутствовать на церемонии окончания школы, но официальный аттестат ей пришлют из школы в Нью-Йорке. Том получил по факсу соответствующие документы, и в Чарлстоне все были поражены высокими оценками его дочери. В первый день занятий он собирался лично отвезти ее в школу и забрать после уроков, но предупредил, что в дальнейшем она будет ездить сама. Они вместе тщательно подготовили машину. Саванна была тронута тем, что он ничего не забыл и обо всем позаботился.

Улыбаясь и непринужденно болтая, они вошли в дом и лицом к лицу столкнулись с Луизой, которая тоже только что возвратилась после ленча. Встречи Саванны с мачехой, которой все опасались, было теперь не миновать.

— Привет, — робко сказала Саванна. Она заговорила первая, потому что Луиза в темно-синем костюме с атласными лацканами и сапфировыми серьгами в ушах сердито смотрела на нее, не говоря ни слова. Прическа мачехи походила на шлем — волосок к волоску, маникюр был идеален, а глаза, словно кинжалы, пронзали взглядом Саванну.

— Это Саванна, — тихо сказал Том, чтобы положить начало знакомству, как будто Луиза этого не знала. — А это Луиза, твоя мачеха. — Он обратился к Саванне и сразу же понял, что совершил ошибку. Его жена злобно взглянула на него, не замечая Саванну.

— Я ей не мачеха, — в ярости сказала Луиза. — Она может быть твоей дочерью, но ко мне ни малейшего отношения не имеет. И не забывай, кто твоя настоящая дочь в этом доме.

— Они обе мои дочери, — решительно заявил Том.

Саванне захотелось провалиться сквозь землю. Все это было отнюдь не забавно. Дейзи оказалась права. Луиза и не пыталась скрыть своего гнева. Судя по всему, ей даже хотелось, чтобы Саванна поняла, что она здесь лишняя.

— Очень жаль, что ты так считаешь, — сказала Луиза, проходя мимо них на кухню, чтобы распорядиться насчет ужина.

Интересно, подумала Саванна, посадят ли ее за общий стол. Если да, то это ей совсем не улыбалось.

Том виновато взглянул на дочь и пожал плечами.

— Она успокоится. Ей трудно привыкнуть, — пробормотал он, не в силах объяснить омерзительное поведение жены и испытывая мучительную неловкость.

Саванна попыталась успокоить его, но тут вниз по лестнице сбежала Дейзи и обвила ручонками талию Саванны. Она все еще обнимала ее, когда в холл вернулась Луиза. При виде этой картины ее чуть не хватил удар.

— Вы что, лишились рассудка?! — вне себя воскликнула она. — Эта девушка нам чужая. Отец привез ее в гости. Она не является членом нашей семьи по крайней мере. Прошу не забывать, кем здесь являюсь я. И учти, Дейзи, какие бы ошибки твой отец ни совершал в прошлом, меня это не касается, впрочем, так же как и тебя, — сказала она, глядя в лицо Дейзи, которая перестала обнимать сестру, боясь разозлить мать еще сильнее. — Нам придется пережить это, но нет никакой необходимости вести себя так, словно нашлась давно потерявшаяся родственница. Это наш дом, а не ее. И она мне не родня, как и тебе. — Луиза бросила злобный взгляд на мужа и, не замечая Саванну, быстро взбежала вверх по лестнице. Они услышали, как громко хлопнула дверь ее комнаты, Том боялся поднять глаза на старшую дочь, потрясенную этой сценой. Луиза налетела на них, словно торнадо, оставляющий после себя разрушения.

— Папа, может, мне лучше уехать? — шепнула Саванна отцу, едва сдерживая слезы. — Со мной ничего не случится в Нью-Йорке. Мама просто все сильно преувеличивает. Я не хочу быть причиной таких проблем здесь. — И уж конечно, ей не хотелось, чтобы ее оскорбляла эта женщина, которую переполняла ненависть.

— Ты никуда не уедешь, — решительно заявил отец, обнимая ее. — Извини, у Луизы отвратительный характер. Она успокоится. — Потом он взглянул на Дейзи, которая, судя по всему, совсем пала духом.

— Ты уедешь? — спросила она Саванну.

— Пока не знаю, — честно призналась та. — Вероятно, мне следует уехать. Я не хочу расстраивать твою маму.

— С ней такое случается, — сердито сказала Дейзи. — Хорошо, что ты здесь. Я хочу сестру. Не уезжай! — взмолилась девочка и снова обвила руками талию Саванны.

Перед ней было трудно устоять.

Том, обняв дочерей, повел их вверх по лестнице. Ему тоже нравилось, что Саванна находится здесь. Ему всегда хотелось, чтобы она приезжала в гости, но этого не позволяла Луиза. Теперь сама судьба все решила, и он радовался этому. Как и Дейзи, он не хотел, чтобы Саванна уезжала.

Отправив младшую дочь делать уроки, он оставил Саванну в ее комнате, посоветовав отдохнуть. Она снова поблагодарила его за приятный день, но не могла скрыть тревоги. Как только Том вышел из комнаты, она позвонила матери и рассказала, что произошло.

— Ну что за злобная ведьма! — возмутилась Алекса.

— Мама, я не знаю, что делать. Наверное, придется уехать. Она страшнее того типа, который пишет мне письма. По-моему, она готова убить меня.

— Возможно, она и хотела бы убить тебя, но не сделает этого. А тот тип, который пишет тебе письма, может тебя убить. Ты не должна сюда возвращаться. Мне очень жаль, но тебе придется попытаться пережить это. Постарайся по возможности держаться подальше от нее. Отец попробовал заставить ее заткнуться?

— Пытался. Она и слушать его не стала и сказала, чтобы он убирался.

— Она всегда так делала, как и его матушка. Вдвоем они составляют силу, с которой приходится считаться, а он не способен справиться ни с одной из них. Я не хочу быть неблагодарной за то, что он делает для тебя сейчас, но он превратился в ничтожество. Луиза сделала его таким десять лет назад. — Саванне не понравились слова матери. Алекса сразу же пожалела о сказанном. Она не преувеличивала, но Том был отцом Саванны, а сама она — живым доказательством этого. — Извини, я не должна была говорить этого, — быстро сказала Алекса. — Просто оставайся в своей комнате, уходи гулять или надевай наушники. Я не хочу, чтобы ты приезжала в Нью-Йорк до окончания суда.

Саванну будто приговорили к каторге или тюремному заключению, пусть даже тюрьмой станет этот огромный роскошный дом с очень красивой мебелью. Луиза ненавидела Саванну, а ей предстояло провести здесь три ужасных месяца. Мама права: отцу не под силу справиться с этой фурией. Саванна только что удостоверилась в этом.

— Постараюсь, — только и сказала она, пообещав себе как-нибудь продержаться до приезда матери. Если ситуация не изменится к лучшему, она вернется с ней в Нью-Йорк или убежит. Никто не заставит ее жить в такой обстановке целых три месяца.

— Извини, малышка. Я не смогу приехать к тебе в этот уик-энд, но в следующий приеду обязательно, обещаю. Просто не замечай ее присутствия.

— Ладно, — сказала Саванна и повесила трубку.

Теперь она рассердилась и на мать за то, что та отправила ее сюда жить с этой ведьмой. Та давала фору любой злющей мачехе из старой сказки или плохого фильма. Жизнь Золушки не шла ни в какое сравнение с жизнью Саванны здесь. Эти печальные размышления прервала Дейзи, проскользнувшая в комнату.

— С тобой все в порядке? — озабоченно спросила девочка.

— Наверное, да, — сказала Саванна и улыбнулась ей. — Я не привыкла к такому. И мне хочется домой, — честно призналась она.

Дейзи кивнула:

— Понимаю. Она может быть ужасно злой. Она часто бывает такой по отношению к папе.

— Тебе, наверное, это тяжело переносить, — с сочувствием сказала Саванна, а Дейзи пожала плечами:

— Папа всегда хорошо относится ко мне и к моим братьям. — Она улыбнулась Саванне и обняла ее. — Я надеюсь, что ты останешься.

— Посмотрим, — уклончиво ответила Саванна, с трудом представляя, как можно продержаться в такой обстановке в течение трех или даже четырех месяцев до окончания суда, если судебное разбирательство затянется. А это было вполне возможно, потому что судебный процесс обещал быть очень сложным.

Пока девочки разговаривали в комнате Саванны, у Тома и Луизы развернулось генеральное сражение.

— О чем, черт возьми, ты думаешь, говоря такие вещи в присутствии Дейзи и Саванны? — возмущенно спросил он. — Как ты можешь видеть какую-то угрозу в семнадцатилетней девочке?

— Я не хочу, чтобы она находилась здесь! — повысила голос Луиза. — Она результат твоей ошибки, и я не допущу, чтобы она в моем доме мелькала у меня перед глазами. — Она демонстрировала праведное негодование, чем повергла мужа в изумление.

— Ты спятила? Я не позволю тебе переписать историю, Луиза. Я ее живой свидетель. Ты ушла от нас, ты бросила меня, развелась, бросила мальчиков и вышла замуж за того, у которого было больше денег, чем у меня. Я женился на Алексе, когда ты уже состояла во втором браке и радостно тратила деньги нового мужа в Далласе. Тогда ты ни на миг не вспомнила ни обо мне, ни о наших мальчиках. Тебе было наплевать на меня, пока твой муж не умер и тебе вдруг не захотелось вернуться к прежней жизни. Вероятно, всему виной одиночество, потому что в деньгах ты явно не нуждалась. И тогда ты заманила меня в свои сети, а я попался как последний дурак. Ты же предусмотрительно забеременела и принялась убеждать мою мать, что все должно быть по закону. Из жалости к тебе я оставил любимую женщину. Саванна — плод счастливого союза с потрясающей женщиной, которая великолепно относилась к твоим мальчикам и которую я по глупости променял на тебя, чтобы «поступить благородно». Какая же мерзость вышла из этого брака! Я сдался и целых десять лет не приглашал сюда Саванну, лишь бы не сердить тебя! Оттолкнуть от себя собственную дочь! Удивительно, что она еще разговаривает со мной. А теперь, когда ее жизнь под угрозой и я привожу ее сюда, ты делаешь вид, будто она является «ошибкой», которую я совершил с какой-то шлюхой, изменив тебе. Это ты бросила нас, Луиза. На сей раз я не намерен бросать свою дочь, лишь бы ты была довольна. Достаточно того, что я причинил боль ее матери.

— Если ты так сожалеешь об этом, то возвращайся к ней, — равнодушно сказала Луиза.

— Не о том речь идет. По отношению к тебе я совершил благородный поступок, но где мое благородство по отношению к ней? Держи себя в руках и относись вежливо к Саванне, иначе у тебя будут серьезные неприятности. — Не дожидаясь ответа, Том вышел из комнаты, хлопнув дверью. Обе девочки слышали это из комнаты Саванны, но не сказали ни слова. Они без труда догадались, что происходит. Сегодня Том впервые за долгое время, а может быть, вообще в первый раз дал отпор Луизе, и она пришла в ярость, но тем не менее не побежала за ним, чтобы за ней осталось последнее слово.

Он вернулся в кабинет, позвонил старшему сыну и пригласил его вместе с невестой вечером на ужин. Утром в банке он сказал Трэвису, что привез Саванну. Трэвис удивился, когда отец объяснил ему ситуацию. Он мог без труда догадаться, как чувствует себя в связи с этим его мать. В течение десяти лет ему не позволяли упоминать об Алексе или Саванне, и он чувствовал себя виноватым из-за того, что не поддерживал с ними связь. Некоторое время он пытался поддерживать отношения, но потом перестал. Так же получилось и у его брата. Когда уехала Алекса, Трэвису было пятнадцать. Она хорошо к нему относилась, отчего он еще сильнее чувствовал себя виноватым. Луиза безапелляционно заявила, что любой контакт с Алексой будет считать предательством по отношению к «настоящей» матери, и сын, будучи еще совсем мальчишкой, подчинился этому запрету. Теперь ему было двадцать пять лет, он работал в отцовском банке и в июне собирался жениться на девушке из старинной чарлстонской семьи, предки которой были еще крепче связаны с Конфедерацией, чем в его семье. Там было больше генералов, чем дубов на их земле. Он по уши влюбился в Скарлетт. Она работала медицинской сестрой, несмотря на то что происходила из очень известной и богатой семьи. Скромная и добрая, она хотела продолжать работать, пока не появятся дети, хотя его мать считала это смехотворным. Жене Бомона не подобает быть медицинской сестрой. Но Трэвису это нравилось, и он поддерживал решение Скарлетт.

Когда позвонил отец, Трэвис по голосу понял, что тот расстроен.

— Ситуация в доме не из легких, — честно признался Том. — Твоя мать расстроилась из-за Саванны. Очень расстроилась. Ты ведь знаешь, какая она. — Трэвис отлично знал приступы материнской ярости. Они могли начаться по любому поводу, но на сей раз повод превосходил все ожидания. Не хватало только, чтобы Том вместо дочери привез сюда Алексу. Но для Луизы и присутствия Саванны было достаточно. Трэвис хорошо представлял, как накалилась атмосфера в доме, и ему стало жаль отца. — Я подумал, что если вы со Скарлетт придете к ужину, это несколько отвлечет внимание Луизы и разрядит обстановку.

— Конечно, папа. Я узнаю у Скарлетт. Она всего час назад вернулась с работы. Жди моего звонка, — сказал Трэвис. Вскоре он перезвонил и сказал, что они придут в половине восьмого. Том, поблагодарив сына, предупредил по телефону кухарку. Некоторое время спустя, проходя мимо комнаты Саванны, он объявил об этом Саванне и Дейзи. Девочки сидели и разговаривали. Дейзи обрадовалась, что придет Трэвис и ее будущая невестка.

— Она тебе понравится, — заверила Саванну девочка. — Она хорошая. И Трэвис хороший. — Саванна едва помнила его после почти одиннадцати лет разлуки. Последний раз она видела его, когда ей было шесть лет.

Девочки спустились к ужину ровно в половине восьмого, как раз когда вошли Трэвис и Скарлетт. Она оказалась красивой девушкой с точеными чертами лица и длинными прямыми черными волосами, а он был копией своего отца, только моложе и красивее. Молодые люди были в джинсах и красивых свитерках, что, очевидно, здесь допускалось. Саванна надела юбку и свитер, на ногах — туфли на высоком каблуке. Она выглядела вполне подобающим случаю образом. Ее длинные белокурые волосы блестели после того, как она поработала над ними щеткой. А Дейзи осталась в школьной форме и сабо. Том снял пиджак и закатал рукава сорочки. Ужин у Бомонов обещал быть не таким формальным, как опасалась Саванна.

Том представил Саванне Трэвиса, и они робко улыбнулись друг другу. Трэвис сказал, что она была совсем малышкой, когда они виделись в последний раз, но умолчал о том, что она как две капли воды похожа на мать. Это заметили и все остальные присутствующие. Она была копией Алексы. Они со Скарлетт непринужденно поболтали, пока их не позвали к столу. По словам Скарлетт, ее мать с головой погрузилась в хлопоты, связанные со свадьбой, на которую приглашено восемьсот человек, можно сказать, почти весь Чарлстон.

Пока они разговаривали, по лестнице спустилась Луиза, которая, с удивлением увидев старшего сына и его невесту, прошла в гостиную.

— Это что такое? — холодно спросила она, испугавшись, что Том пригласил гостей на ужин, чтобы отпраздновать прибытие Саванны, и не сказал ей об этом.

— Позвонил Трэвис и сказал, что хочет прийти на ужин, — быстро объяснил Том, но Луиза, кажется, не поверила. — Я не думал, что ты станешь возражать. Это было полчаса назад, когда ты отдыхала. — Они оба знали, что она не отдыхала, но они друг с другом не разговаривали, потому что все еще злились друг на друга. Однако на публике общались.

— Разумеется, я счастлива видеть Трэвиса и Скарлетт, — заявила Луиза, спеша подойти к ним. Ее глаза все еще метали молнии, но она обворожительно улыбалась, обнимая молодых людей и старательно игнорируя Саванну, к большому для нее облегчению. Она не имела желания разговаривать с Луизой.

В столовой Луиза уселась между мужем и сыном. Она посадила Скарлетт рядом с Трэвисом, а Дейзи рядом с отцом, чтобы напомнить ему еще раз, кто здесь его «настоящая» дочь; Саванне она указала место между Скарлетт и Дейзи, просто ткнув пальцем и не сказав ни слова. Саванна отлично понимала, что Луиза, будь ее воля, посадила бы ее в гараже или вообще в чужом доме. Но Саванна хорошо провела время за ужином, болтая с Дейзи и Скарлетт. Как и предсказывала Дейзи, ей очень понравилась Скарлетт, теплый, добрый, хорошо воспитанный и скромный человек. Она работала медицинской сестрой в отделении онкологии и ухаживала за людьми, больными раком. Она говорила, что очень любит свою работу. Трэвис очень гордился ею и, судя по всему, был счастлив. За ужином много говорили о предстоящей свадьбе. Явно возбужденная предстоящим событием, Луиза принимала участие в разговоре. В порядке репетиции устраивали ужин на три сотни гостей в их клубе. Скарлетт уже заказала свадебное платье от Бэдгли и Мэншн, а платья для подружек невесты шила Вера Вон. Мать Скарлетт собиралась надеть элегантный коричневый атласный туалет от Оскара де ла Ренты. Луиза пока никому не говорила, что собирается надеть, но Дейзи это знала, потому что видела платье в шкафу и подслушала разговор. Ее мать собиралась надеть красное.

Казалось, во время ужина все расслабились: похоже, пришедшая Тому в голову мысль пригласить Трэвиса оказалась удачной. К концу ужина смягчилась даже Луиза, которая выглядела не такой злой и агрессивной. После ухода Трэвиса и Скарлетт она ничего не сказала Тому и по крайней мере не сделала никаких злобных замечаний. Она вернулась к себе в комнату, но на этот раз закрыла дверь, не хлопая ею. Пожелав девочкам спокойной ночи, Том отправился в кабинет, куда перенес свои вещи. Дейзи отправилась к себе заканчивать уроки, но пообещала шепотом, что снова придет спать в комнату Саванны, чтобы ей не было страшно. А Саванна пошла к себе и со стоном бросилась на кровать. Находиться здесь было само по себе тяжелой работой. А завтра еще начинаются занятия в школе.

Она позвонила матери и сказала, что встретилась с Трэвисом и Скарлетт и что они оба оказались приветливыми и дружелюбными. Мать и дочь поболтали еще немного. В десять часов, как и обещала, пришла Дейзи и сразу же забралась в постель Саванны. Мать уже заходила, чтобы сказать ей спокойной ночи, так что путь был свободен.

Поболтав несколько минут, девочки взялись за руки и заснули еще скорее, чем в предыдущую ночь. Так закончился для Саванны этот адски трудный первый день.

Глава 9

На следующий день отец отвез ее в самую престижную школу. Саванна нервничала. Когда они уезжали, Дейзи уже отбыла на своем школьном автобусе, а Луиза, как обычно, еще не выходила из комнаты. Саванна, быстро управившись с тарелкой хлопьев, ровно в восемь часов была готова, чтобы ехать с отцом в школу.

Пока они ехали к северу по скоростной автостраде Марка Кларка, она почти не говорила, заметно приуныв, и отец пытался ее успокоить. Как только они добрались до острова Дэниел и расположенного на пятидесяти акрах земли кампуса на Севен-Фармс-драйв, он поставил свой «ягуар» на свободном месте на парковке и повел ее в кабинет директора, где ее похвалили за высокие оценки, о которых сообщили из Нью-Йорка, и поздравили с поступлением в школу. Секретарь директора дала ей расписание занятий, которое, на взгляд Саванны, было составлено весьма разумно, и предложила проводить ее в класс на первый урок. Саванна попрощалась с отцом, чмокнув его в щеку.

Здешняя школа была гораздо больше по сравнению с нью-йоркской и походила на школы, которые Саванна видела в кино, с целыми милями шкафчиков вдоль каждого коридора. В коридор группами входили веселые ученики с книгами в руках и торопливо расходились по своим классам. Некоторые мальчики заглядывались на стройную фигурку и длинные белокурые волосы Саванны, она была в джинсах, узнав, что это разрешено, в теннисных туфлях, клетчатой рубашке поверх джинсов и толстовке с эмблемой своей нью-йоркской волейбольной команды. Входить в состав здешней команды слишком поздно, но, может быть, представится возможность участвовать хотя бы в играх внутри школы.

По расписанию первым уроком был французский язык.

В Нью-Йорке Саванна занималась французским по усложненной программе и получала высокие оценки. Когда она проскользнула на свое место, учительница зачитывала какой-то отрывок из учебника. Недовольная тем, что ее отвлекают, она взглянула на Саванну и продолжила чтение. В классе было тридцать человек, большинство из которых, судя по виду, скучали. Урок продолжался пятьдесят две минуты, и когда прозвенел звонок и учительница продиктовала задание на дом, все бросились вон из класса. Уходя, учительница улыбнулась ей, и Саванна побрела по коридору. Ей дали карту, но все было так запутано, что она не понимала, где находится. Держа в руках учебники, она вертела карту и так и сяк, когда к ней с улыбкой подошла веснушчатая девочка с ярко-рыжими волосами, собранными в конский хвост.

— Похоже, ты потерялась. Могу ли я помочь? — Как и все прочие, она говорила с сильным южным акцентом.

— Кажется, у меня следующий урок — история. Спасибо, — сказала Саванна, протягивая хорошенькой рыжеволосой девочке карту.

— Ты не на том этаже, — объяснила девочка. — Твой класс находится как раз над нашими головами, а мистер Армстронг очень противный. Он слишком задает много, и у него плохо пахнет изо рта. Ты откуда? — спросила она, все еще улыбаясь. Саванна была благодарна ей за помощь. Больше никто помощи ей не предложил, хотя несколько мальчиков поглядывали на нее от своих шкафчиков по другую сторону коридора, и Саванне показались вполне симпатичными. У нее не было бойфренда со времен окончания начальной школы. Зато была целая компания друзей, с которыми она проводила время. А если бы пришлось оставить в Нью-Йорке бойфренда и приехать сюда, было бы еще тяжелее.

— Я здесь родилась. Но вот уже десять лет живу в Нью-Йорке.

— С возвращением, — широко улыбнулась девочка. — Мне все равно надо наверх, я тебя провожу. У меня урок химии. Я плохо учусь. Вот дождусь, когда закончатся занятия в школе, и возьму отпуск на год. — Саванна кивнула, и они побежали вверх по лестнице. На девочке были толстовка и джинсы, как и на большинстве мальчиков. Так же было и в Нью-Йорке, хотя Саванна чувствовала, что чем-то выделяется среди остальных, как будто у нее на лбу написано: «Я новенькая». — Почему ты вернулась?

— Я приехала к отцу. А живу со своей мамой в Нью-Йорке. — Ей не хотелось говорить о причинах своего приезда.

— Уж я-то знаю, каково это — повиноваться своей маме, — усмехнувшись, сказала девочка. — Мы с мамой воюем, как кошка с собакой, но я ее все равно очень люблю, храни ее Господь. Папу я могу обвести вокруг пальца, но мама у меня настоящая ведьма, — сказала девочка, и Саванна, не сдержавшись, рассмеялась. — Твоя тоже?

— Нет, моя мама хорошая. Очень хорошая. Просто мы решили, что будет неплохо, если я поживу у папы. — Объяснение даже самой Саванне показалось подозрительным, но лучшего она не придумала.

— Кстати, как тебя зовут? — спросила рыжеволосая девочка, продолжал проявлять любопытство к новенькой из Нью-Йорка. Несмотря на толстовку и джинсы, у нее был стиль и блеск в глазах.

— Саванна Бомон. А тебя?

— Джулиана Петтигру. Мой прадедушка был генералом или кем-то вроде того. По-моему, все это довольно скучно. Надоел весь этот вздор. Моя бабушка состоит в Союзе дочерей Конфедерации и все время ходит на какие-то чаепития, — сказала Джулиана. Хоть все это ей и надоело, она тем не менее об этом упомянула. Это заставило Саванну вспомнить о своей бабушке по отцу.

К этому времени Джулиана проводила Саванну в ее класс и пообещала встретиться с ней позднее. Они условились в половине первого встретиться в кафетерии. Взглянув на расписание, Саванна увидела, что тоже свободна в это время, и сказала, что постарается отыскать кафетерий.

— Спасибо за помощь. Увидимся, — сказала Саванна и вошла в классную комнату. На уроке истории было вдвое больше учащихся, чем на французском, и она уселась в заднем ряду позади мальчишек, которые передавали друг другу записки и совсем не обращали внимания на учителя. Он оказался именно таким, как говорила Джулиана, и задал слишком большое задание на дом.

После этого у Саванны было еще два урока — компьютерный класс и социальные исследования, а затем обеденный перерыв. Она нашла кафетерий, но не увидела своей новой приятельницы. Два мальчика пригласили ее сесть с ними, но она отказалась. Она взяла себе йогурт, фруктовый салат и бутылочку апельсинового сока, и тут ее нашла Джулиана.

— Ты была права, — сказала Саванна, обрадовавшись, что видит ее. Отыскать кого-нибудь в кафетерии было так же невозможно, как найти потерявшийся носок в аэропорту. Тут толпилось несколько сотен ребят, которые ходили или сидели за большими и маленькими столами, причем шум стоял невероятный. — Армстронг слишком много задает на дом.

— Я же говорила. А у меня снова «неуд» по химии. Мама убьет. Она помешана на хороших отметках, хотя сама никогда не училась в колледже. Она только ходит на ленчи и играет в бридж со своими приятельницами. Для этого не нужно учиться, — сказала Джулиана. Саванна кивнула. Она не стала говорить, что ее мама юрист, сочтя это нескромным. — А мой папа доктор. Педиатр, — добавила Джулиана, и Саванна снова кивнула.

Они нашли столик, уселись, и к ним сразу же слетелась стайка девчонок и мальчишек. Очевидно, Джулиана пользовалась в школе популярностью и знала всех. К середине ленча она призналась Саванне, что у нее есть бойфренд. Он был капитаном футбольной команды, то есть фигурой весьма известной.

За столом все говорили о своих планах на уик-энд, о баскетбольном матче, который состоится в пятницу вечером, расспрашивали о друзьях, обменивались номерами телефонов и сплетничали. В этой оживленной группе Саванна чувствовала себя не совсем своей, поэтому больше слушала.

В Нью-Йорке она чувствовала себя полностью уверенной в себе, а здесь была ошеломлена размерами школы и обилием новых имен и лиц.

Отец приехал за ней в три часа. Джулиана и еще две девочки дали ей номера своих телефонов, что было неплохим началом, но ей было как-то неловко звонить им.

— Как прошел день? — спросил отец, когда она уселась в машину. Ему показалось, что она выглядит усталой и какой-то смущенной.

— Я немного ошеломлена, но все в порядке. Познакомилась с хорошими людьми. Только их слишком много и пока трудно привыкнуть к новым предметам и новым учителям. Многое здесь почти не отличается от того, что я учила в Нью-Йорке, кроме урока по основам гражданственности, на котором только и говорят об истории Севера и Юга. Конфедерация здесь, в Чарлстоне, жива и процветает. По-моему, для первого дня все прошло неплохо, — сказала она.

Том кивнул, и они отправились домой.

— Много задали? — с интересом спросил отец. Он был очень внимателен по отношению к ней, гораздо внимательнее, чем ожидала Саванна, и это ее тронуло.

— Примерно столько же, сколько дома. Все мы как будто вышли на финишную прямую и ждем ответов из колледжей. Надо держаться изо всех сил, чтобы не испортить все на последнем этапе.

Он усмехнулся, слушая ее.

— Уверен, что в нью-йоркской школе были бы рады слышать это.

— Они это знают. Дома после окончания старшего класса у нас даже нет выпускных экзаменов. Достаточно иметь проходные баллы в каждом классе, — сказала она. О том, приняли или не приняли ее, она услышит только в конце марта или даже в начале апреля, так что пока это ее не тревожило.

Через пять минут они подъехали к дому, и отец, высадив ее, вернулся в банк. Он сказал, что увидится с ней позднее. Саванна отправилась на кухню, чтобы перекусить, но там не было ни души. Две женщины, которые обычно сидели на кухне, оставили записку о том, что ушли закупать продукты. Дейзи и Луизы тоже не было видно. Взяв яблоко и банку кока-колы, Саванна направилась к себе наверх. В этот момент из своей комнаты выскочила, улыбаясь во весь рот, Дейзи. Она знала, что матери нет дома, так что можно было, не опасаясь скандала, обнять Саванну.

— Как в школе? — спросила она, последовав за Саванной в ее комнату, где та, положив учебники, надкусила яблоко.

— Жутковато, — призналась Саванна. Ей было проще сказать это Дейзи, чем отцу. — Все вокруг незнакомые.

— Учителя злые? — с сочувствием спросила Дейзи, которая бросилась на кровать Саванны.

— Нет, просто они другие. — И тут Саванна вспомнила, что давно хотела кое о чем спросить у Дейзи, которая теперь стала ее официальным консультантом по местным обычаям. — Скажи, что означают слова «храни ее Господь», которые все здесь повторяют? — Саванне они показались несколько загадочными, но Дейзи рассмеялась.

— Так говорят, когда человек кого-то ненавидит. Скажешь, например, что-нибудь злобное о ком-нибудь, а потом сразу же добавляешь: «Храни ее Господь». Моя мама всегда так делает. И бабушка тоже. Мы здесь называем это «вежливые гадости», — сказала Дейзи. Саванна тоже рассмеялась. Джулиана сказала так о своей матери. — Если говорят «Храни ее Господь» кому-нибудь в лицо, это означает, что они очень, очень ненавидят этого человека. Моя мама так тоже делает, — добавила Дейзи. Саванна могла без труда представить себе это.

Вскоре они услышали, как хлопнула входная дверь, и Дейзи на всякий случай сбежала в свою комнату. Девочки не хотели, чтобы их застали вместе. Вскоре Саванна услышала, как закрылась дверь спальни Луизы, и обрадовалась, что Дейзи ушла. Луиза устроила бы грандиозный скандал, узнав, что они подружились и спят по ночам в комнате Саванны.

Вскоре после этого позвонила Алекса, чтобы узнать о первом школьном дне дочери, и Саванна подробно рассказала ей обо всем. Она сказала, что даже подружилась с одной девочкой. Алекса по привычке спросила, как ее фамилия, и, узнав, замолчала.

— Удивительно, — сказала наконец она, сидя за своим письменным столом в Нью-Йорке с удивленным лицом. Саванна чувствовала это по ее голосу.

— Что удивительно?

— В этой школе, должно быть, тысяча учеников, а ты нашла среди них дочь женщины, которая была моей лучшей подругой в Чарлстоне. Она сделала то же самое, когда мы встретились: помогла мне во всем, показала все входы и выходы. Она была мне как сестра. — Алекса замолчала, но Саванна не сомневалась, что у этой истории есть продолжение. Она хорошо знала свою мать.

— Ну и?..

— Когда твой отец заявил, что разводится со мной, она поклялась мне в вечной преданности и в том, что мы останемся подругами навсегда. Когда я уехала, она перестала писать мне. Когда я звонила, она мне не перезванивала. Наконец я услышала, что она и Луиза стали лучшими подругами. Это весьма типично для южан. Берегись, твое сердце тоже могут разбить. Все они такие фальшивые.

— Полно тебе, мама, — упрекнула ее Саванна. — Такие люди есть и в Нью-Йорке. А на Юге люди дружелюбны, по крайней мере некоторые из них, — сказала она и тут же вспомнила о Луизе, которая отнюдь не была дружелюбной и, уж конечно, никакого южного радушия по отношению к Саванне не проявляла. — Везде есть настоящие люди и люди фальшивые, как среди южан, так и среди северян. — Она была права, но Алекса и слышать об этом не хотела.

— Никто из этих людей не поддержал меня, когда я вернулась в Нью-Йорк. И я, считавшая их в течение семи лет своими лучшими друзьями, никогда о них больше не слышала. От тех лет у меня, кроме тебя, ничего не осталось, — сказала Алекса, печально улыбнувшись. — И я, черт возьми, по тебе безумно скучаю. Тебя нет всего два дня, а я уже места себе не нахожу.

— Знаю. И я тоже. Кажется, что уже прошла целая вечность. Когда ты приедешь?

— Не в ближайший уик-энд. Смогу лишь в следующий. Это дело отнимает у меня все силы. — Она была измучена, и Саванна чувствовала это по голосу. — Интересно было на уроках?

— Скучно. Но я справлюсь. — Саванна пыталась подбодрить мать. Она знала, что мать боится приезжать в Чарлстон, но готова побывать даже в аду, чтобы встретиться с дочерью. Саванна с нетерпением ждала ее приезда.

Перед ужином ей позвонила по сотовому телефону Джулиана, которая, как и Саванна, узнала, что их матери в свое время были лучшими подругами.

— Моя мама просила передать твоей маме, что любит ее, храни ее Господь, — сказала Джулиана, и Саванна едва не рассмеялась. Ей хотелось сказать, что она теперь знает: это означает, что мать Джулианы ненавидит ее мать. Если бы Алекса привыкла употреблять подобные идиомы, она сказала бы то же самое. Но, будучи уроженкой Нью-Йорка, она отличалась прямолинейностью, а поэтому просто назвала мать Джулианы предательницей.

Девочки поболтали и условились встретиться завтра в школе. Саванна села за уроки и едва успела выучить историю, как настало время ужина.

Без Трэвиса и Скарлетт беседа за столом в тот вечер не клеилась. Луиза разговаривала только со своей дочерью, игнорируя Саванну и мужа. Том разговаривал со всеми, Дейзи — только с родителями, а Саванна вообще старалась не говорить, решив, что так безопаснее.

После ужина отец зашел в комнату дочери. У нее кругом были разложены книги, а сама она сидела за компьютером и рассылала по электронной почте послания своим нью-йоркским друзьям, рассказывая о Чарлстоне. Она никому не стала объяснять, почему уехала. Так посоветовала Алекса. Саванна просто говорила, что скоро вернется и что скучает. Она была довольна хотя бы тем, что вернется к своим к церемонии окончания школы. По крайней мере тогда она сможет попрощаться с ними, прежде чем все разъедутся по колледжам. Для нее нью-йоркские школьные дни уже закончились, но никто из друзей не знал этого.

— Как твои уроки? — поинтересовался Том.

— Почти закончила, — ответила Саванна. Ей пришла в голову одна мысль, и она хотела посоветоваться с отцом, но только не за ужином. Она не хотела ничего говорить в присутствии Луизы, храни ее Господь. — Наверное, мне следует навестить свою бабушку.

— Ты этого хочешь? — удивился Том.

— Возможно, это было бы хорошо, — сказала Саванна. Он кивнул. Дочь приехала в Чарлстон так неожиданно, что ему пока это не приходило в голову, но вспомнить о бабушке было очень любезно с ее стороны. Саванна была хорошей девочкой, и это тронуло его.

— Я поговорю с ней. — Мать и Луиза были людьми чрезвычайно трудными, и он боялся, что визит Саванны к бабушке может вызвать еще один взрыв негодования, скорее всего еще сильнее, чем первый. — Она довольно хрупкое создание.

— Бабушка больна? — с сочувствием спросила Саванна.

— Нет-нет, просто старенькая. Ей уже восемьдесят девять лет. — Когда он родился, ей было сорок пять, и его появление было большим сюрпризом в семье. Родители, прожив двадцать два года в браке, детей не имели, и тут появился он. Мать до сих пор говорила об этом как о чуде. В детстве она так и называла его своим маленьким чудом. Он этого терпеть не мог. Но она до сих пор иногда его так называла.

— Если она не возражает, я с удовольствием навестила бы ее, — сказала Саванна. Она почти не помнила бабушку, хотя и дружила со своей нью-йоркской бабушкой, однако чарлстонская бабушка полностью отказалась от участия в жизни Саванны из чувства лояльности по отношению к Луизе. А поскольку неюжанка Алекса оказалась аутсайдером, бабушка закрыла за ними дверь, когда они уехали, и никогда больше не открывала ее. Саванна понимала, что мать до сих пор испытывала чувство горечи, и не знала, как она посмотрит на ее визит к бабушке Бомон. Но надо это сделать, пока Саванна находится здесь. Это ведь не только семья отца, но и ее семья тоже, ее половинка, хотя сказать такое матери она не могла — это было бы похоже на предательство.

На следующий день Том заехал к матери. Юджиния де Борегар Бомон жила в десяти минутах езды от его дома на тридцати акрах несколько запущенной земли в усадьбе колониального стиля, окруженной дубовыми деревьями, в самом дальнем конце которой все еще сохранились лачуги рабов. Правда, давно опустевшие. Две престарелые служанки проживали в доме, а слуга приходил во второй половине дня для выполнения всякой тяжелой работы. Все они были почти ее ровесниками, и ни у кого из них уже не осталось сил поддерживать чистоту в огромном доме. Здесь вырос Том, а до него — его отец.

Том несколько раз пытался уговорить мать продать дом, но она не пожелала. Дом был ее гордостью и радостью в течение почти семидесяти лет.

Когда он вошел, она сидела на задней веранде и читала, закутавшись в толстую шерстяную шаль. Рядом стояла чашка мятного чаю, в подагрических пальцах она держала книгу. Она стала совсем хрупкой и ходила, опираясь на трость, но на здоровье до сих пор не жаловалась. Ее седые волосы были, как всегда, стянуты на затылке в тугой пучок. Она являлась генеральным президентом Союза дочерей Конфедерации. Титул «генеральный» получила благодаря тому, что ее дед был генералом, причем очень знаменитым. Как и другие ее предки.

Юджиния любила говорить, что ее семья — гордость Юга. Она пришла в ужас, когда Том женился на янки. Северянка Алекса была чрезвычайно добра к свекрови, но оставалась в ее глазах человеком второго сорта, если не хуже. Свекровь с радостью встретила возвращение Луизы и как могла старалась убедить сына снова жениться. Все окончательно решила весьма удачная беременность Луизы, причем, как теперь знал Том, отнюдь не случайная. План, тщательно разработанный по предложению его матери, сработал.

— Мама? — осторожно окликнул Том, входя на заднюю веранду. Слух у Юджинии был отличный, зрение тоже весьма хорошее. Ее временами беспокоили только колени, но она была проницательна, как всегда, и остра на язык. Он боялся испугать ее, но она подняла на него глаза, улыбнулась и отложила книжку.

— Силы небесные, какой приятный сюрприз! Что ты здесь делаешь в разгар дня? Почему не работаешь?

— У меня появилось немного свободного времени, и я решил навестить тебя. Я не был у тебя с прошлой недели. — Он старался навещать ее два или три раза в неделю, и по крайней мере один раз приезжала Луиза. Она строго соблюдала заведенный порядок, за что Том был ей благодарен. Раз в несколько недель Луиза привозила с собой Дейзи, но девочка там всегда скучала. — Ну, чем ты занималась? Кто приезжал? — спросил сын, усаживаясь. Служанка предложила чаю, но он отказался.

— Вчера ходила к парикмахеру, — сказала Юджиния, покачиваясь в кресле. — И преподобный Форбуш заходил навестить меня в воскресенье. Я пропустила службу, и он встревожился. У меня разболелось колено, и я осталась дома.

— Колено еще болит? — спросил Том с озабоченным видом. Он всегда боялся, что она упадет и может сломать бедро, что в ее возрасте было бы настоящей бедой. Она не очень уверенно поднималась по лестнице, но не желала принимать чью-то помощь.

— Сейчас получше. Во всем погода виновата. В воскресенье перед дождем была повышенная влажность. — Она улыбнулась единственному сыну.

Он был хорошим мальчиком, и она им гордилась. Гордился им и отец, который умер три года назад в возрасте девяноста четырех лет. С тех пор мать осталась одна. Алекса была добра и к его отцу. Этот энергичный человек обладал острым чувством юмора. Луизу он никогда не любил, но в отличие от своей супруги никогда не вмешивался в дела сына. У матери Тома всегда имелся миллион мнений о том, что он делает, и она оказывала на него мощное влияние. Он обожал ее даже больше, чем отца. Отец был более отстраненным человеком.

— Луиза говорила, что ты ездил на Север.

— Верно, — подтвердил он. — Я ездил в Вермонт кататься на лыжах.

— Она этого не сказала. Я подумала, что ты ездил в Нью-Йорк по делам.

— В этот раз нет.

Том решил набраться храбрости, а там будь что будет. Мать знала, что он несколько раз в год встречается с Саванной. Она никогда не расспрашивала о ней, а сын помалкивал. Для Юджинии эта глава семейной истории была закрыта, хотя и не так крепко, как она думала.

— Я брал Саванну кататься на лыжах, — сказал Том.

Юджиния промолчала.

— Как там Дейзи? — наконец спросила она, давая понять, что не желает затрагивать ту тему.

— С ней все в порядке. Учится. — Тут он собрался с силами и не стал ходить вокруг да около: — Мама, Саванна здесь.

Мать некоторое время молчала, потом взглянула ему прямо в глаза, но он не отвел взгляд.

— Что ты имеешь в виду? Здесь — в Чарлстоне? — Он кивнул, и она неодобрительно взглянула на него. — Как ты мог поступить так с Луизой?

— У меня не было выбора. Мать Саванны в Нью-Йорке выступает обвинителем на судебном процессе над убийцей, и преступник угрожает Саванне. Алекса, опасаясь, что жизнь Саванны под угрозой, хотела увезти ее куда-нибудь из Нью-Йорка. Другого выхода мы не нашли, и пришлось привезти ее сюда.

Юджиния молча обдумывала сказанное.

— Почему она берется за такие дела? Это работа не для женщины. — Она знала, что мать Алексы тоже юрист, но та занималась делами о разводах, а потом стала судьей. Она не обвиняла убийц и не ставила под угрозу семью.

— После развода Алекса окончила юридическую школу и работает в канцелярии окружного прокурора. Это очень престижная работа.

— Не для женщины, — язвительно заметила мать и поджала губы, сразу став похожей на Щелкунчика.

В молодости она славилась своей красотой, но все осталось в прошлом. Теперь она была слишком худой и стала похожа на ястреба с набрякшими веками и крючковатым носом. Губы Юджинии вытянулись в ниточку — так она выражала недовольство. Она долго молчала, а Том ждал, не зная, остаться ему или уйти. Если Юджиния не захочет видеть Саванну, он не будет настаивать. Мать всегда поступала так, как хотела.

— Сколько она здесь пробудет? — спросила Юджиния, прищурившись.

— До мая или до июня, когда закончится суд.

— Луиза, должно быть, очень расстроилась, — заметила мать. Та ни слова не говорила об этом, но они уже сколько дней не разговаривали друг о друге.

— Не то слово. Она готова убить меня. Но Саванна очень милая девочка, — сказал Том. Мать промолчала. — Она моя дочь, — добавил он. — Я не могу относиться к ней так, как будто ничего ей не должен. Это было бы неправильно. Мне не следовало поддаваться на уговоры Луизы держать Саванну подальше от Чарлстона и встречаться с ней только в Нью-Йорке. Она тоже часть моей жизни, по крайней мере должна ею быть, но этого не было целых десять лет.

— Луизе слишком тяжело видеть ее здесь, — сказала Юджиния, которая, как и Луиза, не хотела, чтобы у него сохранялись какие-либо связи с Алексой. Она знала, как сильно любил ее Том, и опасалась, что он вернется к ней. Луиза — его жена. И после своей «маленькой ошибки», как называла это мать, Луиза вернулась в семью. Мать хотела, чтобы все так и оставалось. Луиза была хорошей южной девушкой из Чарлстона. Алекса чужая, пришлая из совершенно иного мира. Они с дочерью обе здесь чужие. Но Саванна была также и дочерью Тома. И его матери очень не хотелось признавать этот факт.

— Луизе придется смириться и потерпеть, пока не закончится суд, — заявил Том. — Она обязана сделать это для Алексы. Алекса в течение семи лет заботилась о мальчиках, пока Луиза находилась в Техасе. Три месяца не убьют ее. — «Но Луиза может убить меня». Вот вполне вероятный вариант развития событий.

— Какая она? — спросила мать. — Сколько ей сейчас лет? — Казалось, что с тех пор, как они уехали, прошло не менее сотни лет.

— Ей семнадцать лет, она красивая, милая, вежливая, добрая, нежная, умная. Очень похожа на мать. — Юджиния снова поджала губы, и он решил уступить: — Тебе не обязательно встречаться с ней, мама. Я не собирался просить об этом. Я знаю, как ты относишься ко всей этой истории. Но вчера вечером Саванна сама предложила, и вот я здесь. А ей я просто скажу, что ты больше никого не принимаешь.

Мать ничего не сказала; он поднялся, чтобы уйти, и нежно погладил ее по голове. Любящий сын, преданный и почтительный, он всегда повиновался ей. Он наклонился, чтобы поцеловать ее, и она пристально взглянула на него.

— Привези ее в воскресенье на чай, — только и сказала Юджиния и, взяв книжку, продолжила чтение. Не сказав больше ни слова, сын тихо вышел с веранды и уехал. Саванна добилась своего. У Луизы будет очередной приступ ярости. Он привык к этому. Она больше не запугает его. Приезд Саванны вернул Тому давно утраченное мужество.

Глава 10

Когда на следующее утро Алекса пришла в свой кабинет, ее ожидало послание от Джо Маккарти, окружного прокурора, в котором предписывалось немедленно явиться к нему. По всей видимости, произошло что-то важное. Алекса сразу же отправилась в его кабинет, где секретарша жестом пригласила ее пройти. Джо сидел за своим столом. С ним был Джек. Судя по их встревоженному виду, что-то стряслось. Это не сулило ничего хорошего.

— Что случилось? — спросила она, усаживаясь на стул.

— ФБР хочет взять наше дело, — недовольным тоном сказал Джо.

— Какое дело? Люка Квентина? — Алекса широко раскрыла глаза, но не очень удивилась. С тех пор как жертвы стали обнаруживаться в других штатах, все шло к тому, ФБР всегда вмешивалось, когда пересекались границы штатов. Это все знали.

— Хотят приписать себе славу расследования и обвинения, — повторил Джо только что сказанное Джеку.

— Но они не сделают этого, то есть, конечно, помогут нам в расследовании и уже помогают. Но ведь участвуют и другие местные органы правопорядка. И оперативная группа. Однако мы обнаружили четыре первых тела в Нью-Йорке, и мы задержали его здесь. Дело принадлежит нам, — сказала Алекса. Ей были не нужны ни слава, ни внимание прессы, но все они столько сил потратили на это дело, особенно Джек, да и она тоже, что передавать его кому-то на данном этапе ей совсем не хотелось. К тому же она твердо намеревалась посадить Квентина за решетку. — Если они заберут у нас дело, то все превратится в хаос, штаты будут действовать кто во что горазд и таскать обвиняемого к себе на следственные эксперименты. Это мы должны присовокупить их материалы к нашим, что мы и делаем. Мы предъявили ему

141

обвинения по каждому случаю здесь. И я не понимаю, почему ФБР не хочет оставить это дело у нас. Мы от них ничего не скрываем, и нам нелишне получить любую помощь в расследовании, но если мы будем возить его по восьми штатам, это дорого обойдется налогоплательщикам, что вряд ли обрадует ФБР. Так что он наш. — Она сказала это без малейших колебаний, и Джо улыбнулся ей.

— Люблю, когда женщина знает, чего хочет, — сказал он, явно приободрившись. — Вы не боитесь заниматься этим делом, Алекса? У входа в вашу квартиру уже дежурит коп, и дочь свою, как я слышал, вам пришлось увезти из Нью-Йорка. Может быть, лучше отказаться от него?

— Ну уж нет, — спокойно сказала Алекса. — Я хочу довести начатое до конца. Люк Квентин — социопат и хладнокровный убийца, и я буду судить его. Я его не боюсь. И моей дочери хорошо там, где она находится. Я по ней скучаю, но так загружена работой, что все равно не смогла бы проводить с ней много времени. Лучше подумаем, что нам делать. Нельзя позволять ФБР грабить нас. Им нужна слава. А мы ее не ищем. Мы работаем не покладая рук. Пусть они помогут нам с расследованием. А мы проведем судебный процесс. Мы имеем на это законное право, поскольку обнаружили первые четыре тела.

Формально Алекса была права, но многие лица в ФБР имели большое влияние, и дело могло принять самый неожиданный оборот.

— Посмотрим, что можно сделать. Как продвигается следствие? — Он уже несколько дней не задавал этот вопрос, потому что уламывал директора ФБР оставить дело за ними.

— Почти по каждой жертве мы имеем совпадения данных анализа ДНК. У нас не хватает еще двух, и мы все еще не получили результаты из Иллинойса, — сообщил Джек.

— Но он по-прежнему не признает себя виновным? — удивился Джо.

— Не признает, — ответила Алекса.

— А что говорит общественный защитник?

— Говорит, что Квентин невиновен и что кто-то его подставил. — Алекса презрительно усмехнулась.

— Несмотря на ДНК и семнадцать жертв? Что это с ней?

— Он весьма сексапилен и, похоже, околдовал ее. Она молодая, а он знает, как это сделать. Хрестоматийный пример социопата.

— У нас уже есть заключение психиатра относительно Квентина?

— Даже два. Социопат по всем показателям.

— Она знает это?

— Мы ничего не скрываем. Она имеет доступ ко всей имеющейся информации. Так что это для нее не сюрприз.

— Нелегко ей придется. Жюри присяжных потребует для него смертной казни через повешение, а судья приговорит примерно к тысяче лет тюремного заключения.

— Я с этим согласна, — вздохнув, сказала Алекса.

Она устала, но отлично делала свою работу, и мужчины это знали. Она всегда хорошо работала. Она делала все очень тщательно, и окружному прокурору это нравилось. Он был готов положить все силы на то, чтобы это дело у нее не отбирали. Алекса как нельзя лучше подходила для него. Ни один федеральный обвинитель не смог бы справиться с ним лучше.

— Квентин хочет покрасоваться в суде. Думаю, что ему нравится внимание прессы, — заметила она.

— Зато мне это не нравится, — сердито сказал окружной прокурор. Но остановить это они уже не могли. Люк Квентин становился национальной сенсацией. Как и Алекса. Она вела себя чрезвычайно осмотрительно, не желая, чтобы из-за какого-нибудь неосторожного слова вся работа пошла насмарку. Окружной прокурор ценил в ней это качество.

Он заверил обоих, что будет бороться и нажмет на все рычаги, имеющиеся в его распоряжении. Покидая кабинет, Джек и Алекса все еще беспокоились.

— Черт возьми, я очень надеюсь, что у нас не отберут это дело, — сказала Алекса, когда они остановились у кофе-машины, чтобы взять две чашки черного кофе. Алекса жила на черном кофе и леденцах, засиживаясь ежедневно за письменным столом до полуночи.

— Будем надеяться, что он использует все свое влияние и дело оставят за нами, — сказал Джек, следуя за ней в кабинет.

Они почти не виделись последнее время, потому что он тоже был очень занят. Накануне Джек вернулся из Питсбурга, куда ездил, чтобы помочь с расследованием и обменяться информацией.

— Должен признаться, что этот сукин сын заставляет нас побегать.

— Это наша работа, — сказала Алекса и, улыбнувшись ему, уселась за свой письменный стол. У нее было ощущение, что она здесь живет.

— Вам когда-нибудь надоедает работа? — спросил Джек, прихлебывая кофе.

— Бывает. Но только не это дело. Мне надоедает заниматься магазинными кражами и прочими пустяками. А здесь я по крайней мере чувствую себя полезной. Я защищаю общество и молодых женщин. А магазинных воров я наказываю за кражу колготок в цокольном этаже универмага «Мэйси». Кому это нужно? — Были, конечно, у нее дела и покрупнее, но по большей части всякая мелочь.

— Кстати, как там Саванна? — спросил он.

Алекса вздохнула:

— С ней все в порядке. Она сейчас у отца в Чарлстоне. Не слишком-то она довольна, но относится к этому с пони-

манием. Я по ней скучаю, — сказала Алекса. Ей было одиноко без дочери, и Джек знал это.

— Если ФБР отберет у нас дело, вы сможете привезти ее
назад, — предположил он, но Алекса покачала головой:

— Я не хочу, чтобы она возвращалась домой, пока не
закончится это дело, в чьих бы руках оно ни оказалось. Этот
тип — маньяк. Он может продолжить мучить ее за то, что я
уже сделала. Я даже уверена в этом. Думаю, он отвяжется
тогда, когда получит обвинительный приговор и его посадят
в тюрьму. Вот тогда все будет кончено, и он это знает. А
сейчас чувствует себя всемогущим.

Джек не стал спорить. Квентин упивался всеобщим вниманием. Джек за последнее время видел его несколько раз
и заметил, что он с каждым разом становился все наглее. А
наивность и слепое восхищение общественного защитника
только усугубляли дело. Квентину казалось, что он одурачил
весь мир, но так лишь казалось. Он буквально одержим
манией величия и считает себя неуязвимым. Пока не получит
приговор.

— Думаю, вы поступаете умно, оставляя ее там, — честно
признался Джек.

— Надеюсь. — Алекса снова вздохнула. — Откровенно
говоря, я побаиваюсь, как бы она не влюбилась в Юг. Юг
соблазнителен, особенно такой красивый город, как Чарлстон. Люди там дружелюбны и обаятельны. Все вокруг очень
красиво. Это другой мир, другая жизнь. Правду говорят,
что Юг очень привлекателен. И я его любила, когда жила
там. А потом он повернулся ко мне другой стороной, и все
его тепло и доброта оказались фальшивыми. Южане держатся таких же южан. Для них плохой конфедерат всегда
будет лучше хорошего янки. Со мной обошлись плохо все,
кого я там знала. — Эта горечь, возможно, останется у нее
навсегда.

— Не может быть, чтобы все были такими, — сказал Джек.

— Может быть, и нет. Но со мной это было именно так. Саванна сейчас переживает медовый месяц в отношениях с Югом. Она открывает для себя всю его красоту. Плохое обнаружится позднее.

— Прямо как в браке, — фыркнул Джек, взглянув на нее. — Думаю, все происходит точно так же.

— Юг — место особое. Оно из другого века. Мне там было очень приятно жить. Я не хочу, чтобы Саванна поддалась его магии и захотела остаться там. Надеюсь привезти ее назад, прежде чем она попадется на крючок, а об этом вместо меня позаботится ее злая мачеха. Отец Саванны женат на настоящей мегере.

— Вероятно, он это заслужил, — сказал Джек, и Алекса кивнула.

Она собрала толстые папки с документами по делу Квентина, и они вернулись к работе. В три часа перекусили бутербродами за письменным столом Алексы, и Джек отправился в свой кабинет. Алекса снова проработала до полуночи.

Саванна не говорила матери, что собирается в этот уик-энд навестить свою бабушку по отцовской линии. Она не хотела ее расстраивать: Алексе хватало забот с ее делом. А Том ничего не сказал Луизе. Это ее не касалось.

В воскресенье во второй половине дня Том отвез туда Саванну. Как ни странно, мать сидела в гостиной, а не на веранде. На столе стоял поднос с чаем. Саванна вошла следом. Она не ожидала увидеть такую комнату. Она ее смутно помнила. Но теперь комната сильно обветшала. Как и бабушка, она постарела и поблекла.

Мать Тома сидела в большом кресле и ждала их. Ее волосы были тщательно собраны на затылке в неизменный пучок, глаза пристально разглядывали обоих. К своему неудовольствию, она сразу же заметила заботливую привязанность сына к Саванне. Пока Саванна этого не заслужила. Юджиния пыталась стереть память о Саванне и Алексе, как будто их никогда не было в жизни ее сына. Она расценивала его чувства к Саванне как предательство по отношению к Луизе. Но Юджиния тоже не сказала Луизе об их встрече. Так что все они находились в тайном сговоре и испытывали неловкость. Это тоже не нравилось его матери.

— Добрый день, бабушка, — вежливо сказала Саванна, протягивая ей руку, которую старая дама не приняла.

— У меня артрит. — Это было правдой, но лишь до некоторой степени. Юджиния всегда обменивалась рукопожатиями со своим священником, который приходил навестить ее. К тому же она предпочитала, чтобы Саванна называла ее теперь миссис Бомон, а не бабушкой, но умолчала об этом. — Насколько я понимаю, ты пробудешь здесь до июня, — сказала она Саванне, когда вошла старая служанка, чтобы разлить чай.

— Возможно, — сказала Саванна спокойно, осторожно усаживаясь на узкий стул рядом с бабушкой. В комнате все казалось хрупким и пыльным. Саванна надеялась удержаться от чиханья. — А может быть, до мая, если суд по делу, которое ведет моя мама, закончится скорее. Но это очень важное дело, и судебный процесс может затянуться.

— Твоя мать не была юристом, когда я ее знала, — сказала бабушка с некоторым неодобрением, и Саванна кивнула. Трудно было не струсить под взглядом этой старой дамы с резкими чертами лица. Несмотря на преклонный возраст, забывчивостью она не страдала.

— Она училась в юридической школе после... — Саванна хотела сказать «развода», но интуиция подсказала не делать этого, — после возвращения в Нью-Йорк. Другая моя бабушка тоже юрист.

— Знаю, — кивнула Юджиния Бомон. — Я с ней знакома. Очень хорошая женщина. — Она была готова признать это, но не хотела вспоминать ничего хорошего об Алексе из лояльности к Луизе.

— Спасибо, — поблагодарила Саванна, все еще держа в руке чашку чаю. В серой юбке и белом свитере она выглядела аккуратной, чистенькой и скромной. Том гордился тем, что дочь захотела прийти сюда и набралась храбрости сделать это. С Юджинией было непросто общаться.

— Ты тоже хочешь стать юристом? — сердито взглянув на нее, спросила бабушка. Том видел, что она ищет в девочке какой-нибудь изъян, но пока безуспешно. Саванне, как типично северной девочке, не хватало южной мягкости, но она была вежливой и хорошо воспитанной, и Юджиния не могла не оценить этого.

— Нет. Мне хотелось бы стать журналистом, но я еще не решила окончательно. Я просто подала заявление в колледж, но имею право в течение двух лет не сообщать о том, в какой области хочу специализироваться.

Бабушка спросила, в какие колледжи она подала заявления, и на нее произвел хорошее впечатление их перечень. Все это были первоклассные учебные заведения, включая Университет Дюка.

— Ты, должно быть, хорошо учишься, если подала заявления в такие учебные заведения, — сказала Юджиния. — В мое время молодые женщины не учились в колледжах. Они выходили замуж и рожали детей. Теперь все по-другому. Один из моих внуков учился в Виргинском университете, как и его отец. Другой учился в Дюке. — Она сказала это так, как будто Саванна их не знала.

— Виргинский университет — очень хорошее учебное заведение, — сказала Саванна, хотя сама заявления туда не подавала. Мать отсоветовала ей, сказав, что она там, не будучи южанкой, почувствует себя изгоем. Саванна понимала, что во всем виновато предвзятое отношение матери к Югу, тем не менее подавать туда заявление не стала. Она улыбнулась бабушке, взяла из ее рук пустую чашку, поставила на стол и предложила ей блюдо с пирожными. Служанка ушла на кухню. Юджиния взяла пирожное и надкусила, глядя на внучку.

— Ты очень похожа на свою мать. — Было трудно определить, комплимент это или оскорбление. Возможно, все-таки комплимент. Юджинии не хотелось, чтобы ей напоминали об Алексе и о том, как она поначалу нравилась ей. Но лишь до тех пор, пока не вернулась домой Луиза и ее лояльность не переместилась снова к первой невестке. Саванна благоразумно промолчала. — Знаешь ли ты, что такое Союз дочерей Конфедерации? — спросила бабушка, и Саванна кивнула. Она слышала об этом. Это показалось ей немного наивным, но этого она не сказала. — Я там генеральный президент. Мне дали этот титул, потому что мой дедушка был генералом в армии Конфедерации. — Она сказала это с такой гордостью, что Саванна улыбнулась. Каким бы крутым нравом ни отличалась бабушка, были в ней почти детские хрупкость и уязвимость, которые тронули Саванну. Она была просто очень старой женщиной, жизнь которой близилась к концу. Она сидела одна в пыльном старом доме и гордилась армией, которая проиграла войну почти полтораста лет назад, словно те японские солдаты, которые скрывались в пещерах и не знали, что война давно окончена.

Юджиния взглянула на сына и кивнула. Она устала, им пора уходить. Том поднялся и сказал Саванне, что им пора идти.

— Спасибо, что позволили навестить вас, бабушка, — вежливо сказала Саванна, поднимаясь.

— Ты ходишь здесь в школу? — спросила Юджиния. Внучка была умненькая девочка и при ближайшем рассмотрении оказалась очень похожей не только на Алексу, но также и на своего отца. Были в ней все-таки южные гены.

— Да. Я начала учиться на этой неделе.

— Тебе там нравится?

— Пока нравится. Все очень дружелюбны. И Чарлстон очень красив. В понедельник, накануне моих первых занятий в школе, папа показал мне город.

— Надеюсь, пребывание здесь покажется тебе приятным, — с чопорной вежливостью проговорила Юджиния, давая понять, что больше они не встретятся. Эта встреча была «здравствуй и прощай» в одной упаковке.

— Спасибо, — с теплой улыбкой сказала ей Саванна, и они с отцом ушли.

По дороге домой Саванна молчала, думая о бабушке. Маленькая, совсем старенькая, она нисколько не походила на какого-то дракона, как ожидалось. С ней не было трудно, с ней было легко.

Дома их ждала Луиза. Как обычно, она не замечала Саванну и взглянула прямо на мужа.

— Как я понимаю, ты брал ее с собой к своей матери. — Она всегда говорила о Саванне «ее» и «она» и никогда не называла ее по имени.

— Совершенно верно, так и есть. Я подумал, что Саванне следует увидеться с ней — все-таки бабушка. Она тебе звонила? — Его это удивило, но матери, возможно, хотелось во всем признаться Луизе.

— Видели, как ты сворачивал на ее подъездную аллею, — сказала Луиза. У нее были повсюду шпионы, и она знала обо всем, что он делал. — Почему ты не сказал мне?

— Не хотел расстраивать, — честно признался Том, а Саванна незаметно удалилась к себе в комнату.

— Взяв ее туда, ты дал мне пощечину, и тебе это известно.

— Саванна имеет право увидеться с бабушкой.

— Нет здесь у нее никаких прав, — напомнила ему Луиза. — Это мой дом, и здесь живут мои дети. Она к их числу не относится и никогда не будет относиться. Достаточно того, что ты привез ее сюда. Не нужно унижать меня еще больше, хвастаясь ею перед всеми, а ты еще повез ее на чай к своей матери.

— Жаль, что тебя это так раздражает. Она ведь не враг, Луиза. Она ребенок. Мой ребенок. Ее пребывание здесь ничем не повредит тебе и не ослабит твоих позиций, — сказал Том.

Не сказав ни слова в ответ, Луиза злобно сверкнула глазами и вышла из комнаты.

Больше речь об этом не заходила, пока Том два дня спустя не навестил мать. Он решил больше не упоминать о Саванне, если мать не заговорит о ней сама, и в конце беседы она это сделала. Она удивила его, сказав, что звонила Луиза, очень расстроенная визитом Саванны.

— Она не хочет, чтобы я с ней встречалась, — спокойно сказала его мать. — Я подумала и решила, что все равно хочу с ней встретиться. Мне она показалась очень хорошей юной леди. И с ее стороны очень мило, что она пришла навестить меня. — Том поразился решению матери и ее мнению о Саванне. Внучка ей явно понравилась. — Я сказала Луизе, чтобы не совала нос в мои дела. — Впервые за многие годы она отказалась поддерживать Луизу. — Ничто не помешает мне увидеться с ней снова, если я пожелаю. Никто не может указывать мне, что я должна, а чего не должна делать, — заявила она.

Том улыбнулся:

— Никто никогда не делает этого, мама. Я абсолютно уверен, что ты сумеешь поставить на место любого, кто лишь попытается. И я очень рад, что тебе понравилась Саванна.

— Она умная, вежливая и очень похожа на тебя, — сказала мать.

Он не стал возражать, хотя оба они знали, что она гораздо больше похожа на свою мать. Алекса оказалась более мужественной, чем он. Многие годы назад он продал свою душу дьяволу, позволил матери и Луизе заставить его предать любимую женщину и даже бросить собственного ребенка. Ему нечем было гордиться, он и не гордился.

— Ты был вынужден это сделать, и поступил правильно, — сказала мать, словно читая его мысли, что с успехом делала довольно часто. Ей это удавалось лучше, чем кому-либо другому, и порой она использовала свое умение против сына. Но только не в этот раз.

— Нет, я поступил неправильно, — тихо сказал он.

— В то время это казалось правильным. — Ему показалось, что она тоже сожалеет об этом, но он не стал спрашивать.

— Они обе пострадали от моей глупости и слабохарактерности, — честно признался он. — Ничего правильного в этом не было, — добавил он.

Луиза оказалась победительницей, хотя и не заслуживала этого. А все остальные проиграли, включая его. И он позволил этому случиться.

— Может быть, ее пребывание здесь пойдет тебе на пользу, — сказала мать и с усмешкой добавила: — Если, конечно, Луиза не превратит твою жизнь в сущий ад. Кажется, ее отнюдь не радует пребывание здесь Саванны.

Том, услышав сказанное, лишь рассмеялся:

— Ты права, это ее не радует, но она старается испортить жизнь и Саванне.

— Мне показалось, что девочка с этим справится. А как она относится к Дейзи? — с любопытством спросила мать. Встреча с Саванной словно возбудила ее аппетит к дальнейшей информации.

— Очень ласково. Дейзи полюбила ее, — сказал он.

Мать кивнула.

— Привези ее ко мне еще разок. Она должна узнать побольше о своей собственной истории. Ее родня не ограничивается этими двумя женщинами-юристами из Нью-Йорка. Она должна знать также и о нашей семье, — сказала она.

То, что она хотела рассказать об этом Саванне, явно говорило о признании внучки членом семьи. Том немало удивился и в тот же вечер сообщил Саванне, что бабушка хочет снова увидеться с ней. Саванна, судя по всему, была довольна.

— Мне она тоже понравилась. Может быть, в следующий раз она расскажет мне все о Союзе дочерей Конфедерации и о генералах из ее семьи.

— Именно это она и хочет сделать, — сказал он и, обняв Саванну, вышел из комнаты.

В ту ночь он снова перебрался в спальню к Луизе. Она все еще злилась на него, но это была также его спальня и его дом. Он не собирался вечно спать в кабинете на кушетке из-за того, что в гости приехала его дочь. Вечером он сводил Дейзи и Саванну в кино и пригласил Луизу. Она не захотела идти, но он все-таки предложил ей. Он прекрасно провел время со своими дочерьми.

Когда они вернулись и он пришел в постель, Луиза повернулась к нему спиной, но по крайней мере не перешла в одну из гостевых комнат, как он того ожидал. Она не разговаривала с ним, но он восстановил право на свою территорию и свою жизнь. Впервые за десять лет он снова чувствовал себя человеком. Луиза больше не управляла его жизнью, и он не был ее собственностью. Ему хотелось издать победоносный клич, но вместо этого он просто повернулся на другой бок и уснул.

Глава 11

Неделя после посещения Саванной своей бабушки стала еще одной сумасшедшей неделей для Алексы. ФБР в результате упорного давления со стороны Джо Маккарти перестало настаивать на передаче дела, но не упустило бы случая отобрать его при малейшем промахе. Но пока все шло так, как надо. Однако Алекса чувствовала, что надо постоянно быть настороже. Только что пришли данные о связи Квентина с еще одним убийством, на сей раз в штате, о котором они даже не подозревали. Как оказалось, Квентин там действительно не был и судебно-медицинский анализ не подтвердил соответствия улик. Алекса относилась к работе с особой тщательностью, чтобы не навешивать на него все, что попадет под руку, и не ждать, когда что-нибудь прилипнет. Она хотела быть абсолютно уверенной в том, что преступления, в которых обвиняют Квентина, были действительно делом его рук и что все улики совпадают, не вызывая ни малейшего сомнения. Она не хотела проиграть это дело или попытаться обвинить его в преступлениях, которых он не совершал. Она тщательно проверяла каждую мелочь, и до сих пор ей это удавалось. При отсутствии убедительных доказательств от правоохранительных органов в других штатах она не присовокупляла их случаи к своему делу. Благодаря тщательности ее работы и удалось убедить директора ФБР оставить за ней ведение этого дела. Тот считал, что никто не смог бы выполнить эту работу лучше, чем Алекса, а Джо укрепил его в своей правоте. Все это заставляло Алексу еще внимательнее следить, чтобы не было допущено ни малейшего промаха или ошибки. Она была совершенно измотана и осунулась. До суда оставалось десять недель, а Квентин продолжал добиваться популярности у падкой на сенсации прессы.

Алекса отказалась давать дальнейшие комментарии, что тоже понравилось ФБР; при каждом удобном случае она благодарила их за помощь, отдавала им должное там, где это было уместно, и выражала особую благодарность их мощному следовательскому механизму, который помог ей увязать воедино все дело.

В Пенсильвании была обнаружена еще одна жертва. Тело эксгумировали, хотя семья противилась эксгумации и ее пришлось уговаривать. Джек вылетел на встречу с ними. Он уговаривал их помочь следствию, и они наконец согласились, хотя и со слезами на глазах. Данные анализа показали соответствие данным Квентина. Теперь число его жертв достигло восемнадцати, и Алекса нутром чуяла, что теперь наконец найдены все жертвы. Она не могла объяснить, откуда у нее эта уверенность, но они прочесали каждый штат, в котором он побывал с тех пор, как вышел из тюрьмы, и проверили его возможную причастность к каждому случаю убийства, изнасилования или пропажи людей. Больше не осталось никаких неточностей. Двадцатидвухлетняя студентка медицинского колледжа в Пенсильвании оказалась последней. Восемнадцать красивых молодых женщин погибли из-за него — это немыслимое горе, особенно для родителей девушек, но такое происходит каждый день. Алекса не переставала благодарить судьбу за то, что отослала Саванну. С тех пор как дочь уехала, письма не приходили. Алекса решила летом взять Саванну в Европу на недолгие каникулы, поскольку потом девочка уедет в колледж и ее будет еще труднее отыскать. Квентин украл у Алексы последние месяцы пребывания с дочерью, но та была по крайней мере в целости и сохранности, тогда как другие расстались с жизнью. Разговор с родителями жертв стоил Алексе неимоверных усилий и страданий.

И все это время общественный защитник Квентина настаивала на том, что они ошибаются, несмотря на все улики, жертвы, соответствия ДНК и три заключения психиатров, утверждающих, что он социопат. Алекса даже жалела эту женщину, потому что он ее совершенно околдовал и она вполне могла бы стать одной из его жертв, если бы они встретились, когда он находился на свободе. Он являл собой хрестоматийный пример социопата и всякий раз, глядя на

Алексу, раздевал ее глазами: пусть знает, что при других условиях он мог бы это сделать и что у нее нет никакой власти над ним. Скользкий как уж, он приводил ее в ужас. Алекса хотела выиграть это дело во что бы то ни стало.

Во второй половине дня предстоял еще один допрос в связи с последней жертвой, обнаруженной в Пенсильвании, и Квентин, как всегда, вошел в комнату с напыщенным видом. Поскольку было нечем больше заняться, он работал на воздухе, и его тренированные мускулы играли под тюремным комбинезоном. Он окинул всех присутствующих в комнате уже знакомым ледяным взглядом. На этот раз Алекса решила не прятаться за двусторонним зеркалом в комнатке для наблюдения. Отделенная от него лишь столом, она сидела среда копов в душной маленькой комнате, где стоял тяжелый запах мужского пота. Это было неприятно, но Алекса не обращала на это внимания. Джуди Даннинг тоже была здесь и сочувственно улыбнулась Квентину. Криво усмехнувшись, Люк взглянул на остальных, как будто хотел показать им, на что он способен. Джуди находилась целиком в его власти. В комнате присутствовали также два специальных агента ФБР — Сэм Лоренс и новенький, которого она раньше не встречала, а также первоначальная следовательская бригада Джека в составе Чарли Макэвоя и Билла Нили. В комнате было тесно. Начался допрос.

Квентину задавали вопросы о жертве, по его словам, он ничего о ней не знал; ему показали фотографии. На девушку напали неподалеку от дома, когда она поздним вечером возвращалась из библиотеки медицинского колледжа. Как и другие жертвы, она была изнасилована и задушена во время полового акта. Ее тело было обнаружено в неглубокой могиле, выкопанной в парке. Ее нашли только через четыре месяца после убийства, и тело за это время успело сильно разложиться. В то время как это произошло, Люк находился в этом городе. Взглянув на фото девушки, когда она была жива, он равнодушно пожал плечами и бросил его на стол. Вдруг Квентин отыскал глазами Алексу и какое-то время смотрел на нее в упор. Она, конечно, могла ошибаться, но у нее создалось впечатление, будто он говорит: «Это могла быть ты или твоя дочь». Она не отвела взгляда, он тоже. Теперь между ними возникло что-то вроде личной вендетты. Она не собиралась ему уступить или дозволить одурачить себя.

— Где вы только отыскиваете всех этих женщин? У меня член отвалился бы, если бы я всех их перетрахал.

Старший следователь, ведущий допрос, ничего не сказал, но Алекса заметила, как Чарли Макэвой заерзал на своем стуле. Он по-прежнему участвовал в работе по этому делу и работал хорошо. Занимался случаем своей сестры и несколькими другими и не гнушался сверхурочной работы. Выглядел Чарли таким же усталым, как и все остальные. Лишь обвиняемый выглядел отдохнувшим и пребывал в отличной форме и хорошем настроении. Он находился в центре внимания и чувствовал себя звездой. Несколько раз взглянул на своего адвоката, которая улыбнулась ему ободряюще: допрос подходил к концу.

Алекса недавно запросила медицинское обследование обвиняемого на предмет выброса его телом спермы, которая, возможно, остается внутри, что случается иногда у мужчин с серьезными заболеваниями почек, которые долгое время лечились сильнодействующими препаратами. Никаких признаков болезни у него не было, а от обследования он отказался, на что имел право, и предложил, если им угодно, излить сперму прямо у них на глазах.

Все они устали от его выходок. Он не испытывал ни малейшего раскаяния и утверждал, что не имеет никакого отношения ни к одной из жертв, что не насиловал и не убивал их. Мало того, ему, судя по всему, все это наскучило. Кстати, он заявил, как бы между прочим, что в Айове все женщины суки, дряни и дешевые проститутки. Алекса заметила, как напрягся, услышав эти слова, Чарли, и опасалась его реакции. По какой-то причине, а возможно, зная, что одной из жертв была сестра Чарли, и желая его разозлить, он сказал, что не стал бы пачкать свой член ни об одну из девок в Айове или в большинстве других штатов, где побывал.

Чарли устал, потому что не спал всю ночь после встречи с родителями нескольких жертв, пытаясь получить от них еще какую-то информацию. На этой неделе исполнился год со дня смерти его сестры, и родители, как и он сам, все еще не могли оправиться от горя. А Квентин все не унимался. Он продолжал обзывать свои жертвы суками и дешевыми проститутками и рассказывать, что бы он сделал или не сделал с ними, если бы у него был такой шанс. Чарли молнией метнулся через стол и, схватив Квентина за горло, стал душить; тот в долгу не остался. Все копы и Алекса бросились разнимать их.

Кто-то включил сигнал тревоги. Люди орали, растаскивая дерущихся, но оттащить Чарли от Квентина долго не удавалось, пока это не сделали наконец двое копов. Джек, который тоже пытался их разнять, стоял, обливаясь потом, в разорванной сорочке. Он ни слова не сказал Люку, на которого снова надели наручники и поволокли из комнаты, отплевывающегося и брызгающего слюной. Он набросился на своего детектива, который тяжело дышал:

— О чем ты, черт побери, думал? Крыша поехала? Я отстраняю тебя от дела! Все!

— Я привлеку вас всех к ответственности! — орал Люк, когда за ним закрывалась дверь и он уже не мог взглянуть на своего защитника, Алексу или на кого-либо другого.

Чарли сделал большую глупость, устроив такое. Вероятно, это будет стоить ему отстранения от работы на год за нападение на подследственного, но парню явно изменили силы. Джек злился на себя за то, что не отстранил его от этого дела раньше. Он спокойно разговаривал с Сэмом Лоренсом и другим специальным агентом ФБР, которые, собственно говоря, и оттащили Чарли от Люка. Джек еще раз рассказал им о сестре Чарли, и они оба кивнули.

Наконец один из них сказал:

— Послушай, успокойся. Я бы с удовольствием сам сделал это. Просто мне не хватило мужества. У меня у самого три сестры. А этот тип — настоящее дерьмо. — Однако они были обязаны защищать его, а не убивать своими руками.

— Я не стану сообщать об этом, — сказал Сэм. — А вы, парни, поступайте как знаете. — Джек понимал, что Сэму все равно придется сообщить об этом случае.

Полчаса спустя, вызвав Чарли к себе в кабинет, он сказал, что отстраняет его от работы на год и отсылает домой. До сих пор тот отлично выполнял свою работу, но не выдержал напряжения: Квентин убил его сестру-близнеца. Чарли долго извинялся перед Джеком и обещал вечерним рейсом улететь в Айову, но вся его семья собиралась присутствовать на суде.

После ухода Чарли Джек, вконец измученный, отправился в кабинет Алексы.

— Пропади все пропадом. Только этого нам не хватало. Слава Богу, что парни из ФБР отнеслись к этому с пониманием. Маккарти убьет меня, когда услышит об этом. Мне следовало отстранить Чарли, как только мы узнали, что одной из жертв была его сестра. Не знаю, о чем я только думал. Должно быть, с головой не все в порядке.

— Ты всего лишь человек, как и всякий другой, — успокаивала Алекса. Но обстановка накалялась, и Чарли действительно совершил очень глупую ошибку. Он совершенно потерял самообладание. — Это дело давит на психику каждого из нас, — сказала она.

Дело отражалось на жизни каждого, в том числе и на ее собственной.

Они перекусили энергетическими батончиками, и Джек, чтобы отвлечь Алексу, спросил о Саванне. Она призналась, что беспокоится, и поделилась с ним своими заботами:

— Она там навестила свою бабушку. Саванна понемногу привыкает, и это меня тревожит. Не хочу, чтобы она полюбила Чарлстон и решила там остаться. — Ее это очень тревожило, но привезти дочь назад в Нью-Йорк было бы еще хуже. Об этом не могло быть и речи до окончания суда.

— У меня нет своих детей, но мне кажется, что они часто делают что хотят и обычно поступают вопреки воле родителей. Вряд ли вы сможете контролировать ее решения. К тому же хоть Чарлстон и красив, это не Нью-Йорк. Она привыкла к более просторному миру и уезжает в колледж, — сказал Джек. Он был прав и несколько успокоил ее. В ближайший уик-энд Алекса собиралась съездить в Чарлстон сама. Ей не терпелось увидеть Саванну, но она боялась воспоминаний, которые могут нахлынуть, особенно горьковато-сладких воспоминаний.

В конечном счете выходка Чарли в комнате для допросов больших неприятностей не причинила. И окружной прокурор, и ФБР удовлетворились отстранением Чарли от работы на год и тем, что он уехал в тот же день. Поступок Чарли в какой-то степени оправдывал тот факт, что одной из жертв была его сестра-близнец. Поскольку он отстранен от дела, этого больше не случится, но ситуация складывалась опасная. Мало ли что могло случиться, если бы мужчинам не удалось остановить Чарли. Это, конечно, решило бы одну проблему, но создало бы гораздо более сложные проблемы для Чарли. Никто бы не пожалел, если бы Люк Квентин умер, кроме Джуди Даннинг, которую Алекса теперь называла не иначе как дурочкой.

В пятницу к пяти часам вечера, когда пришло время отправляться в аэропорт, Алекса металась по своему кабинету, собирая папки и засовывая их в кейс. Она хотела почитать кое-какие документы во время перелетов туда и обратно. Все остальное время будет посвящено Саванне и тому, что она запланировала. Она едва успела в аэропорт и поговорила с матерью из машины. Алекса выглядела далеко не лучшим образом и чувствовала себя в полном беспорядке и была абсолютно не готова встретиться со своим прежним миром. Она уже рассказала матери о случае с Чарли Макэвоем, и Мюриэль заметила, что Алексе будет полезно ненадолго уехать. Алекса сильно в этом сомневалась, если не считать встречи с Саванной. Все остальное приводило ее в ужас.

— Чего ты боишься? — спросила Мюриэль из своего кабинета.

У нее только что закончился рабочий день. Это был обычный, нормальный рабочий день. В нем не было драматических моментов, как у ее дочери. Мюриэль не смогла бы существовать в таком напряжении и так много работать, хотя в молодости тоже вела такую жизнь. Но все это было раньше. Сейчас, при всей занятости, ее дни не летели с головокружительной скоростью. А вот у Алексы все складывалось по-другому. Мюриэль терпеть не могла дело, которое вела дочь, потому что оно стоило Алексе неимоверного напряжения.

— Сама не знаю, мама, — честно призналась Алекса. — Наверное, я боюсь, что она там останется, что Том будет таким хорошим, а Чарлстон покажется таким соблазнительным с его красотой и южным шармом. Я сама когда-то попалась на этот крючок. Вдруг и она тоже? Что, если она больше не захочет возвращаться в Нью-Йорк?

— Возможно, она полюбит город и захочет снова побывать там, но я была бы очень удивлена, если бы она захотела жить так далеко от тебя, по крайней мере сейчас. И ее мысли нацелены на колледж, а не на переезд на Юг или поиски своих корней. Но ей полезно знать об этом. Однако все, что ее сейчас занимает, — это колледж. Ты же тогда не училась в колледже и была влюблена в мужчину старше тебя. Такой жизни Саванна представить себе не может и не захочет еще очень долгое время. Если ее спросить, то, мне кажется, она скажет то же самое. Ей все это любопытно, но не более того. Вот пробудет она там три месяца, и все эти вопросы отпадут сами собой.

— Мне бы твою уверенность, — сказала Алекса. Хотя в словах матери и заключался здравый смысл, они успокоили ее лишь отчасти.

— Ты уверена, что беспокоишься за Саванну, а не за себя? — спросила вдруг мать.

Алекса смутилась. Мать попала в самую точку. Она, как всегда, точно отыскала эпицентр боли.

— Может, ты и права, — честно призналась Алекса, пытаясь сообразить, чего она боялась больше. Трудно сказать. — Я была там счастлива, я любила Тома и его мальчиков. Полностью доверяла ему и думала, что мы вместе навсегда. А теперь ничего не осталось. Замужем за ним совсем другая женщина, которая живет в том же самом доме. С этим не так легко смириться. — Он украл все ее мечты, и с тех пор она уже никому не могла верить, а его возненавидела. Он сжег ее дотла. — Я не хотела бы туда ездить. Никогда.

— Порой приходится смотреть невзгодам в лицо. Может быть, ты не излечишься, пока не сделаешь этого. Ты ведь еще не излечилась? — Они обе знали, что это правда. — Нельзя продвигаться вперед, пока не похоронишь прошлое и пока в тебе сохраняется боль и обида. Может быть, это пойдет тебе на пользу.

Такси остановилось перед зданием терминала, и Алекса сказала матери, что должна идти. Но она знала, что мать права. Обида в ней была еще жива. Ни разочарование, ни ощущение предательства не померкли за последние десять лет. Более того, эти чувства стали острее. В ее жизни не было мужчины, и она не хотела этого, потому что не могла забыть и простить человека, который обидел ее сильнее всех. Она не простила также мать Тома и его жену, которые всеми силами толкали его на предательство. Они устроили против нее заговор, потому что она не была одной из них. Это казалось безумием, но было правдой. Луиза победила благодаря своему южному происхождению и традициям, а Том подобно Эшли из «Унесенных ветром» оказался слабохарактерным. Даже теперь Алекса не могла простить ему этого. И десять лет ненависти отравили ее, как радиоактивная субстанция, которая попала в ее организм много лет назад и продолжает течь по кровеносным сосудам. Она не хотела бы, чтобы Саванна приближалась к этим людям, но у нее не было выбора.

Алекса бегом промчалась сквозь охрану и едва успела на самолет. Она не хотела пропустить рейс и разочаровать Саванну. Не прошло и двух часов, как самолет приземлился. У Алексы замерло сердце, когда она увидела аэропорт. Она обещала Саванне позвонить по прибытии, и они собирались встретиться в гостинице. Не стоит Саванне одной здесь ждать. Получив багаж, Алекса взяла такси и назвала гостиницу.

Дорога в город была знакомой и короткой. У нее екнуло сердце, когда она увидела мосты и шпили церквей, которые так нравились ей когда-то. В одной из этих церквей крестили Саванну. Город был полон воспоминаний, словно перезревшая слива, готовая лопнуть. Пришлось усилием воли отогнать их. Еще не добравшись до гостиницы, она позвонила Саванне, которая ждала ее звонка в своей комнате. К тому времени было уже почти девять часов. Саванна намеревалась поехать в гостиницу одна, но отец обещал подвезти ее, потому что маме, наверное, не захочется, чтобы она одна ехала в центр города. Саванна сообщила ему о звонке матери и сбежала вниз по лестнице с небольшим чемоданчиком в руке. Она поцеловала на прощание Дейзи, которая уходила в гости к подруге; Луиза в тот вечер играла в бридж. Том решил остаться дома. У него с Луизой по-прежнему не ладились отношения, но спали они в одной комнате. Они едва общались, но все-таки общались.

— Ты, должно быть, ждешь не дождешься встречи с мамой? — спросил Том по дороге в отель «Уэнтуорт-Мэншн». Алекса помнила, что это лучший отель в городе, который первоначально был построен как большой усадебный дом. Он до сих пор оставался одним из самых красивых зданий в викторианском стиле и отличался всеми мыслимыми современными удобствами, отличным обслуживанием и роскошными интерьерами, а также первоклассным салоном красоты, от которого Саванна наверняка будет в восторге и где обе они смогут отдохнуть. Отель располагался в самом центре города, вокруг было множество магазинов и ресторанов. Из окон отеля открывался живописный вид на историческую часть Чарлстона. Алекса надеялась, что пребывание там доставит удовольствие обеим, хотя Саванна была готова остановиться хоть в мотеле, лишь бы увидеться с мамой. Ей не терпелось поскорее ее увидеть.

— Да, я жду встречи с ней, — ответила Саванна, широко улыбаясь. — Она мой лучший друг. Я по ней сильно скучаю.

— Знаю.

Тому хотелось бы как-то скрасить одиночество Саванны, но, увы, было слишком поздно. Они просто знакомые, но не такие друзья, как Саванна с Алексой. И в этом его вина.

Он надеялся наверстать упущенное, пока дочь находится здесь, но, несмотря на опасения матери, три месяца — очень недолгий срок. И уж конечно, недостаточно долгий, для того чтобы восполнить десятилетнюю пустоту.

С чемоданчиком в руке Том вошел следом за Саванной в «Уэнтуорт-Мэншн». Она взяла с собой минимум вещей, сказав, что в крайнем случае может надеть одежду матери. Саванна влетела в вестибюль, сразу же увидела мать, стоявшую у стойки администратора, и буквально прыгнула в ее объятия. Они крепко обнялись и так прижались друг к другу, что выглядели как некое двуглавое существо, а Том тихо стоял рядом; и ни та ни другая его не замечали. Алекса провела руками по волосам Саванны, по ее лицу, словно изголодалась по ней. Том видел, что Саванна прильнула к матери, как маленький ребенок. Лишь через пять минут они вспомнили о его присутствии. Том втайне загрустил, увидев, как они близки, и понимая, что сам способствовал этой тесной связи, бросив обеих. Он чувствовал себя ненужным, но понимал, что не имеет права рассчитывать на большее. Когда-то он имел все, но предал их, а теперь жил на пепелище. Алекса и Саванна подобно солнечным лучам проникли в темноту его жизни сквозь тюремную решетку. Эту тюрьму он построил сам из-за своей слабохарактерности и страха.

— Ну, я вижу, вы очень счастливы видеть друг друга, — сказал он, улыбаясь обеим. Его печаль была незаметна для постороннего глаза.

Казалось, Том радовался за них, но, по правде говоря, он завидовал их близости. Все, что касалось их, было чистым золотом. При виде его Алекса сразу же напряглась. Она забыла о том, что он находится здесь, как и Саванна, но теперь старалась быть вежливой. Она была благодарна за то, что он дает их дочери пристанище, но он оставался человеком, которого она ненавидела и который обидел ее так, как никто и никогда. Вот он обнял и поцеловал Саванну и пожелал обеим хорошего уик-энда. Все это выглядело искренним, но разве можно было с ним быть в чем-нибудь уверенным? Алекса, как всегда, обвиняла Юг, где, по ее мнению, каждый южанин — лицемер и лжец, который только и ждет, как бы предать любимого человека или друга. Ей они казались особой национальностью, которая вызывала отвращение.

— Саванна действительно очень ждала этой встречи, — тихо произнес Том, не зная, что еще сказать. Алекса была как будто крепко закрыта для окружающего мира и открывалась, только когда смотрела на Саванну. Тогда душа ее смягчалась.

— Я тоже, — сказала Алекса. — Спасибо, что держишь ее здесь у себя. Это, должно быть, тебе нелегко. — Она знала от Саванны о его ссорах с Луизой, но не сказала об этом.

— Она наша дочь, — просто сказал Том, — и я счастлив хоть немного помочь тебе чем могу. Как продвигается твое дело?

Она не хотела говорить с ним на эту тему, но при его отличных манерах и южном обаянии было трудно не ответить. Он оставался все еще красивым, привлекательным мужчиной.

— Много работы, — вежливо сказала Алекса. — Но мы его приперли к стенке. Я была бы удивлена, если бы его не признали виновным.

— Уверен, ты выиграешь дело, — сказал Том, передавая чемоданчик Саванны лифтеру. — Желаю хорошо провести уик-энд, — сказал он Саванне. — Заеду за тобой в воскресенье. Позвони, когда будешь готова или если тебе что-нибудь потребуется.

Он улыбнулся обеим и вышел из вестибюля, легко ступая на длинных стройных ногах. Нельзя было отрицать, да Алекса и не пыталась, что его гены вреда Саванне не причинили.

Алекса зарезервировала самые лучшие апартаменты в отеле, и Саванна, издавая восторженные возгласы, оглядывалась вокруг и переходила из гостиной в спальню и обратно. Там стояла большая кровать под балдахином, как в «Тысяче дубов», а комната декорирована в глубоких желтых тонах и обставлена мебелью темного дерева. Это был классический образец усадебного дома времен перед Гражданской войной. Саванне не терпелось поскорее увидеть салон красоты. Они были записаны на массаж, маникюр и педикюр на завтрашний день перед ужином. Алекса хотела устроить обеим роскошный уик-энд по полной программе.

Они заказали еду в номер, потому что Саванна уже ужинала, а Алексе хотелось съесть что-нибудь легкое. Потом она распаковала несколько вещей, которые забыла положить в чемоданы в Нью-Йорке, а также пару новеньких блузок и свитерок, которые купила Саванне. Они ей понравились, и она заявила, что будет носить их в школу. Поговорили о школе, о новых знакомых и о встрече с южной бабушкой. Затем поговорили о матери Алексы. В разговоре не забыли ни одной мелочи и все время обнимали и целовали друг друга, подшучивали друг над другом, и Саванна рассказала о привычке южан добавлять «храни ее Господь!» до или после особенно злобного замечания, и Алекса, громко расхохотавшись, сказала, что знает эту привычку. Они наслаждались присутствием друг друга и только в два часа пополуночи улеглись в огромную кровать под балдахином, где и заснули, обнявшись, счастливые впервые за несколько недель.

Едва проснувшись утром, они начали говорить о том, что хотели бы сделать. Алекса хотела побывать с дочерью в прелестных лавочках, которые помнила, если они еще существуют, а потом пообедать в своем любимом ресторане. У Саванны тоже имелся целый список мест, которые хотелось посетить. Дел хватило бы на целую неделю, и в половине одиннадцатого прекрасного солнечного утра они уже шли, направляясь к центру Чарлстона. У Алексы сжималось сердце, когда она видела знакомые места, но она не позволяла себе расстраиваться. Этот уик-энд был полностью посвящен Саванне, а не собственным разочарованиям Алексы.

Они зашли в магазинчик, где продавались исключительно кашемировые свитеры преимущественно пастельных тонов. Алекса купила себе розовый, и они смеялись, выходя из магазина. Саванна вдруг вытаращила глаза, увидев свою приятельницу из школы. Джулиана была со своей матерью, лицо которой озарилось радостью при виде Алексы, как будто она тоже встретила свою лучшую подругу. Когда-то она и была ее подругой, но предала ее, как и Том. За десять лет Алекса не слышала ни слова ни от нее, ни о ней.

— Боже мой, да ведь это Алекса! Ну как ты поживаешь, дорогая моя? Ты и представить себе не можешь, как часто я вспоминала о тебе... Я так по тебе скучала. А какая прелестная у тебя Саванна! Она как две капли воды похожа на тебя, храни ее Господь! — Саванна и Алекса при этих словах переглянулись и едва сдержали смех. Но Алексу раздражало лицемерие бывшей подруги и то, что она делала вид, будто их все еще связывают узы дружбы, которую сама же и предала много лет назад. — Ты надолго сюда приехала?

— Пробуду здесь до завтра. Я приехала на уик-энд.

— Боже милосердный, мы должны обязательно встретиться в следующий раз, когда ты сюда приедешь. Позвони мне перед приездом. Мы могли бы пообедать вместе с нашими девочками.

«Ну уж этого не дождешься», — подумала Алекса, однако улыбнулась.

— Мы были так рады, что Саванна приехала навестить своего папочку. И девочки наши так подружились.

Алекса кивнула, но ничего не сказала, продолжая улыбаться. Саванна знала этот взгляд матери, который она резервировала для людей ею нелюбимых и презираемых. Она знала также, что мать Джулианы принадлежит к числу таких людей. Ее звали Мишель, но окружающие называли ее Шелли.

— Чем ты теперь занимаешься в Нью-Йорке? Вышла второй раз замуж?

Алексе очень хотелось закатить ей пощечину в ответ на это. Но как бы Шелли ни притворялась, они больше не были друзьями и никогда уже ими не будут.

— Я являюсь прокурором в канцелярии окружного прокурора, — спокойно сказала Алекса. На вопрос о замужестве она не ответила. Скорее всего Шелли все об этом знает от девочек. Она всегда была любопытной, обожала сплетни и добывала их всеми способами.

— Какая важная работа, особенно для женщины, храни ее Господь. Ты здесь настоящая знаменитость.

Алекса поблагодарила и сказала, что им пора идти. Девочки пообещали друг другу созвониться на следующий вечер, и Алекса с Саванной поспешили в следующий магазин по списку. Алекса, искоса взглянув на дочь, сказала:

— Я насчитала два «храни ее Господь!» для тебя и четыре для меня. Будь осторожна, они нас ненавидят! — предупредила она, и обе рассмеялись.

— Я заметила, но потеряла счет после первых двух раз. Джулиана со своей матерью не ладит. Говорит, это настоящая ведьма.

— Да уж. Она, пожалуй, права. С ней было так же приятно пообщаться, как отведать отравленного мороженого с привкусом магнолии!

— Ладно тебе, мама, перестань плохо думать обо всем, что связано с Югом. Тебе здесь просто не повезло. — Саванна не раз говорила ей об этом, и Алекса понимала, что она в чем-то права. Но она слишком не любила Юг, чтобы прислушаться к словам дочери.

Они зашли в один магазинчик, чтобы купить лосьоны и косметику. Уик-энд получался абсолютно девичий, именно такой, какие они устраивали в Нью-Йорке, когда у обеих находилось свободное время, что бывало не часто. У Саванны всегда было более активное общение, и мать не сомневалась, что вскоре точно так же будет обстоять дело в Чарлстоне.

Массаж в салоне красоты отеля был божественно приятен. Потом они сделали маникюр и педикюр и вернулись к себе в номер в резиновых шлепанцах с силиконовыми прокладками между пальцами ног. Алекса заказала столик в «Сирка 1886». Ресторан находился в бывшем каретном сарае отеля, и Алекса там никогда не бывала. Но большую часть дня они останавливались в ее старых любимых местах. Как она и предполагала, это вызывало сладковато-горькое чувство. Она жила там, когда была молодой женой и юной мамой, а с тех пор ее жизнь изменилась коренным образом. Кроме Джулианы и Шелли, Алекса не встретила никого из знакомых и была удивлена и тронута, когда ей позвонил Трэвис.

Он извинился за то, что так долго не объявлялся, и сказал, что хотел бы встретиться с ней в следующий раз, так как в этот уик-энд участвует в теннисном турнире в своем клубе. Трэвис не забыл похвалить Саванну и сказал, что будет счастлив поговорить с Алексой. Он был так же вежлив, как и его отец, и Алекса лишь надеялась, что ему свойственна бóльшая искренность. Он упомянул, что в июне намерен жениться, и хочет, чтобы Саванна присутствовала на церемонии.

Саванна говорила, что ей очень понравилась Скарлетт и что Трэвис очень дружелюбен. С Генри она пока не встречалась, но он в ближайшее время собирался приехать на уик-энд домой. Он жил в Новом Орлеане и работал у какого-то искусствоведа, больше она ничего о нем не знала.

Ужин в тот вечер был даже лучше, чем им обещали; обе обновили платья, купленные в этот день. В свой сьют они вернулись счастливые и усталые. Настроение омрачала лишь мысль о том, что Алекса на следующий день уезжает. Пока обеим не хотелось об этом думать.

На следующее утро, прежде чем идти на поздний завтрак в кафе «Бейкер», они решили сходить в церковь.

Они отправились в епископальную церковь Святого Стефана, где, как сказала Алекса, крестили Саванну, и проскользнули на скамью. Шла традиционная служба под великолепную органную музыку, и, выходя из церкви, Алекса и Саванна держались за руки с чувством благодатного очищения. Едва успели они обменяться рукопожатиями со священником у выхода из церкви, как вдруг кто-то вихрем налетел на Саванну, обвив ее руками за талию и чуть не сбив о ног. Она с трудом удержала равновесие и, повернувшись, увидела приподнятую мордашку Дейзи, которая, кажется, была весьма довольна собой.

— Что ты здесь делаешь? — спросила Саванна, все еще не оправившаяся от испуга, и представила Дейзи матери, которая тоже удивилась и ласково улыбнулась Дейзи. Малышка была очаровательной и, судя по всему, обожала Саванну. У Алексы не было времени размышлять, какую роль этот ребенок сыграл в ее собственной жизни и как им воспользовались. Это была всего-навсего маленькая девочка с косичками и улыбкой во весь рот.

— Мы с мамой приходим сюда каждое воскресенье... почти, — объяснила Дейзи. Потом с интересом обернулась к ее матери: — Саванна говорит, что вы собираетесь посадить в тюрьму одного очень-очень плохого человека.

— Пытаюсь, — с улыбкой сказала Алекса и добавила: — И Саванна находится здесь, чтобы он не смог причинить ей вреда.

— Я знаю, — сказала Дейзи с важным видом. — Она мне все рассказала — и об этом, и о вас. — Она снова одарила Алексу улыбкой,

— Мне она тоже рассказала о тебе, — сказала Алекса, совершенно забыв о том, кто такая эта девочка и чья она

171

дочь. Дейзи была настолько прелестна, что это затмевало все остальное. Перед ней было невозможно устоять.

— Рассказывала? — радостно переспросила малышка. — Я очень-очень ее люблю, — заявила она и снова обвила рукой талию сестры, но голос за их спинами врезался между ними, словно копье.

— Дейзи! Немедленно убери руки от Саванны! — Саванна, не оборачиваясь, узнала, кому принадлежит голос. Догадалась и Алекса. — Так нельзя вести себя в церкви! — Луиза сверлила всех злобным взглядом, а этого тоже не следовало допускать в церкви, как показалось Алексе.

— Служба закончилась, мама. И теперь все должны быть приветливыми, — настаивала Дейзи. И была права. Очевидно, Луиза пришла в церковь не для того, чтобы стать добрее, тем более по отношению к этим двум женщинам. Не удостаивая их вниманием, она сердито смотрела на дочь.

Саванна решила попытаться вывести Дейзи из-под удара.

— Луиза, я хотела бы познакомить вас со своей матерью, Алексой Хэмилтон, — вежливо сказала она, чуть ли не начав по-южному растягивать слова.

Луиза в бешенстве взглянула на нее, как будто Саванна сняла с себя платье перед входом в церковь или вцепилась мачехе в вычурно уложенные волосы.

— Много лет назад мы были знакомы, — процедила она сквозь зубы, а собственная дочь смотрела на нее с возмущением, удивляясь, почему ее мать всегда такая злая. Она была вечно чем-то недовольна и большую часть времени пребывала в гневе. С этими словами, она мрачно взглянула на Алексу.

— Рада снова видеть тебя, Луиза, — сказала она явно неискренне. Ей очень хотелось добавить «храни ее Господь!», но она не осмелилась. Тогда девочки не смогли бы удержаться от смеха. — Спасибо, что позволила Саванне приехать к вам. Я очень ценю это и знаю, что она тоже ценит.

— Не стоит благодарности, — сказала Луиза и, решительно схватив Дейзи за шиворот, повела ее к своей машине.

Дейзи оглянулась со страдальческой улыбкой, помахала рукой, и им стало жаль малышку. Она во многом оказалась в этой ситуации жертвой, как и Саванна много лет назад, хотя ни та ни другая этого не заслуживали.

— Ну что за ведьма, — пробормотала Алекса, наблюдая, как та, грубо цыкнув на Дейзи, захлопнула дверцу машины и увезла ее. — Храни ее Господь! — добавила она, и Саванна громко рассмеялась.

— Да уж, она такая, — согласилась Саванна. — Но я рада, что ты познакомилась с Дейзи. Она милый ребенок.

— Женившись на этой женщине, твой отец наверняка получил по заслугам, — продолжала Алекса, когда они двинулись дальше.

— Он все время кажется несчастным, — сказала Саванна, — но Луиза, возможно, просто злится на него из-за того, что я здесь. С тех пор как я приехала сюда, они и пары слов друг другу не сказали, не считая того, что орут друг на друга, когда ссорятся.

— Веселенькая жизнь, — сказала Алекса. Не ожидавшая этой встречи, она едва не лишилась дара речи, заметив ненависть в глазах Луизы. Очевидно, Луиза была еще хуже, чем Алекса себе представляла. Значительно хуже.

Мать и дочь отлично пообедали в кафе «Бейкер», которое было когда-то одним из любимых мест Алексы. Она сказала, что они часто бывали там, когда она ждала ребенка — Саванну. Это был один из старых традиционных ресторанов Чарлстона с прелестным садиком на заднем дворе, где было особенно приятно находиться в такой солнечный день. Потом, проехав по нескольким живописным мостам, они побывали на пляже и лишь к вечеру вернулись в отель. О том, что их чудесный уик-энд подходит к концу, думать не хотелось.

— Когда ты сможешь приехать снова, мама? — спросила Саванна.

— Не знаю, может быть, через неделю. Или через две. Но я отлично провела с тобой время, миленькая. Когда ты здесь, я могла бы даже снова полюбить Чарлстон. Только ты не вздумай полюбить его, — предупредила она. — Я хочу, чтобы ты поскорее вернулась домой!

— Не беспокойся, мама, я здесь не останусь. Сюда приятно приехать на какое-то время, но я вернусь в Нью-Йорк, как только смогу. Если бы ты позволила, то я бы хоть сейчас поехала домой, — сказала Саванна. Но они обе знали, что об этом даже думать не следует.

— Не позволяй этой злючке портить тебе настроение, — сказала Алекса. — Храни ее Господь, конечно.

Алекса упаковала чемодан за вычетом предметов, купленных для Саванны или тех вещичек, которые приглянулись дочери. Ей предстояло выехать в аэропорт в половине седьмого, чтобы успеть на восьмичасовой рейс. Саванна хотела проводить мать, но та отказалась. Им лучше попрощаться в отеле, а Саванне отправиться домой с отцом, чем одиноко стоять в аэропорту, когда мать улетит.

Саванна позвонила отцу перед тем, как они вышли из номера и спустились вниз оплатить счет. Она почувствовала облегчение, узнав, что мать скоро снова приедет, понимая, что как только в мае начнется суд, это будет невозможно, но по крайней мере в марте и апреле Алекса намеревалась приезжать раз в две недели или даже чаще, если, конечно, получится. Она ей это обещала, а Алекса всегда держала слово.

К тому времени как Алекса расплатилась по счету, в вестибюль вошел Том. Он только что вернулся из клуба и явился в теннисных шортах. Алекса отвела взгляд. Она не хотела видеть, как он хорош собой и как красивы его ноги. Это больше ее не касалось, но она уже поняла, что что-то в нем будет всегда будоражить ее чувства. Но не более того.

— Держу пари, вы обе великолепно провели уик-энд. — Он улыбнулся обеим. Потом его улыбка исчезла. — Я слышал, вы случайно встретили в церкви Луизу с Дейзи. — Жена чуть не снесла ему из-за этого голову, как будто он специально подстроил встречу. По словам Луизы, ему следовало предупредить Саванну, чтобы она и близко не подходила к их церкви. Он язвительно напомнил ей о присущей христианам доброте к ближнему, представив себе, какой неприятной, должно быть, была эта встреча для Алексы. Луизе, как видно, было мало содеянного, ей хотелось стереть ее в порошок. Он взглянул на Алексу, словно извиняясь за жену.

— Все в порядке, — сказала Алекса и повернулась к Саванне, чтобы попрощаться. Когда Алекса садилась в такси, чтобы ехать в аэропорт, они обе с трудом сдерживали слезы. Саванна стояла на тротуаре и махала рукой, пока мать не скрылась из виду, потом уселась в отцовскую машину, и они поехали в Маунт-Плезант. Иногда ей казалось странным, что у нее есть отец, к которому она никак не может привыкнуть. Она рассказала ему об уик-энде и обо всем, чем они занимались.

Вернувшись домой, Саванна распаковала свой чемоданчик, полюбовавшись новыми вещами, которые купила ей мать. В комнату примчалась Дейзи, чтобы поболтать. Позвонили Джулиана и еще две девочки, к ужину пришли Трэвис и Скарлетт. Скарлетт принесла Саванне несколько журналов, а Трэвис — смешную старую фотографию, на которой ей три года. К тому времени как самолет Алексы приземлился в Нью-Йорке, Саванна уже вошла в свой новый режим и, как ни странно, почувствовала себя почти как дома.

Дейзи сказала ей, что ее мама действительно очень красивая и, как видно, добрая, и извинилась за то, что ее собственная мать такая злючка.

— Мне кажется, что моя мама завидует твоей маме, — заявила Дейзи с мудростью, присущей маленьким детям.

— Может быть, — согласилась Саванна, и обе они расхохотались, потому что одновременно произнесли: «Храни ее Господь!»

Глава 12

В первый же день после уик-энда в Чарлстоне Алекса с головой погрузилась в работу с копами и следователями. Чтобы составить полную картину, нельзя было упустить ни одной мелочи, а для этого требовалось просмотреть множество отчетов и заключений судебно-медицинской экспертизы, которые совершенно ошеломили Джуди Даннинг, общественного защитника. В полдень Алекса сделала перерыв, что в последнее время случалось все реже, и отправилась в суд по семейным делам к своей матери, чтобы пообедать у нее в кабинете. Алекса, судя по всему, была в хорошем настроении.

— Ну как там было? — спросила ее мать, когда обе они принялись за салат, принесенный из кафе через дорогу.

— Как ни странно, лучше, чем я ожидала, — сказала ей Алекса. — Саванна в отличной форме. Мы случайно столкнулись с Луизой, когда выходили из церкви, и она вела себя как настоящая ведьма. Но если не считать этого, там было хорошо. Чарлстон красив, как всегда, и мы с Саванной отлично провели время вместе. Я случайно встретилась там со своей старой подругой, которая отвернулась от меня, как только Том развелся со мной, и это было весьма противно. Но в целом все прошло довольно хорошо.

— Я уже говорила тебе, Саванне все это интересно. Ей полезно познакомиться со своей родней по мужской линии. Она девочка сообразительная. Сама поймет, что к чему. Никто не собирается обманывать ее. Похоже, Том купил билет в один конец и направляется в ад вместе с Луизой. Почему он остается с ней?

— Наверное, по той же причине, по которой вернулся к ней, — грубовато ответила Алекса. — Кишка тонка. Когда он бросил меня, он сделал то, что велели ему мать и Луиза, а теперь она держит его за горло. Или еще того хуже.

— Как он выглядит? — поинтересовалась Мюриэль, и ее дочь рассмеялась. Она была в хорошем настроении. Встреча с Саванной явно пошла ей на пользу.

— Все такой же красивый и такой же слабохарактерный. Как раньше я этого не замечала? Он по-прежнему самый великолепный мужчина на планете, но я теперь знаю ему цену. Я всегда считала его великолепным, но, слава Богу, больше в него не влюблена. А это уже кое-что.

Алекса стала свободнее и не была такой сердитой. Мюриэль давно уже ее такой не видела. Она была менее зажатой, несмотря на всю тяжесть последнего дела. Алекса работала в тесном взаимодействии с ФБР и теперь, когда ей уже не угрожали каждые пять минут отобрать это дело, получала удовольствие от работы с ними. Агенты ФБР женского пола в работе над этим делом не участвовали, и Алекса не возражала быть единственной женщиной в мире мужчин. Ей это нравилось. К тому же с агентами ФБР было интересно работать.

Алекса вернулась к своей работе, а Саванна — к учебе в чарлстонской школе. К факультативу по французскому языку она добавила китайский и получала удовольствие, пытаясь овладеть этим языком. Сдавать по нему зачет не требовалось, и никто не заставлял ее изучать язык. Постепенно Саванна обзаводилась в школе друзьями. С Джулианой она почти ежедневно встречалась в обеденный перерыв.

Саванна ходила на все волейбольные и футбольные игры и болела за команды своей школы. Ей позволили войти в состав команды пловцов, потому что кто-то выбыл из-за серьезной проблемы с ушами.

А в уик-энд после посещения матери капитан футбольной команды пригласил Саванну на свидание. Джулиана чуть в обморок не упала, когда услышала об этом. По слухам, он только что порвал с самой хорошенькой девушкой в школе.

— Ты собираешься встречаться с ним? — затаив дыхание спросила Джулиана, когда Саванна поделилась с ней этой новостью.

— Возможно. Я не занята, — довольно равнодушно сказала она.

Вечером в пятницу они сходили в кино, а потом зашли в кофейню. Его звали Тернер Эшби, и он был потомком генерала, которого звали точно так же. Он сообщил это за гамбургерами и молочными коктейлями.

— Кажется, в этом городе каждый приходится родственником какому-нибудь генералу, — заметила Саванна.

На ней были джинсы, розовый материнский свитер и туфли на высоком каблуке. Принарядившись, она выглядела не так, как девочки из Чарлстона. Была в ней этакая утонченность, присущая жительницам Нью-Йорка. И косметикой она хоть и пользовалась, но не злоупотребляла. Тернер, похоже, по уши влюбился.

— Здесь этому придают большое значение, — объяснил он.

— Знаю. Моя бабушка является генеральным президентом Союза дочерей Конфедерации. А «генеральный» президент она потому, что тоже является родственницей какого-то генерала, — усмехнулась Саванна. Она не издевалась над ними, а просто думала, что это забавно. Тернер, красивый мальчик с темными волосами и зелеными глазами, был в семье старшим из четырех братьев. — В каком колледже ты собираешься учиться? — спросила она с искренним интересом. Она заметила, что большинство людей, с которыми она об этом говорила, подали заявления в южные учебные заведения.

— В Техническом университете Джорджии или, возможно, в Техасе. Я подал заявления в Дюк и Виргинский университет, но думаю, что меня туда не примут из-за недостаточно высоких оценок. А ты?

— Откровенно говоря, мне хотелось бы поступить в Принстон. Это близко к дому, что меня устраивает, и дисциплины, которые там преподают, мне нравятся. Браун тоже нравится. Вот Гарвард, наверное, слишком серьезен, и туда я, пожалуй, тоже не попаду. Мне нравится Стэнфорд, но мама не хочет, чтобы я уезжала так далеко.

— Ничего себе перечень! Ты подала заявления в самые элитные учебные заведения, — уважительно сказал он. Она была умненькая, но не заносчивая, к тому же самая красивая девушка из всех, кого он видел.

Он проводил ее домой в половине одиннадцатого. Саванна с удовольствием провела время в его компании, и фильм, который они посмотрели, ей тоже понравился. Она пообещала увидеться с ним завтра в школе.

Джулиана позвонила ей утром ни свет ни заря, чтобы узнать, как все прошло.

— Было неплохо, — сказала Саванна и захихикала, словно ровесница Дейзи.

— И все? Ты отправляешься на свидание с самым привлекательным мальчиком в школе и говоришь «было неплохо»? Он тебя поцеловал? — Джулиане требовались все подробности. Она научилась этому у матери. Сплетни были их хлебом насущным.

— Разумеется, нет. Мы даже не знаем друг друга. К тому же глупо сейчас начинать с кем-нибудь встречаться. Все мы разъезжаемся по колледжам, а я здесь вообще всего на несколько месяцев, — сказала Саванна, которая подошла к этому вопросу практически. Она хотела не романтических отношений, а дружбы, что делало ее гораздо более привлекательной, чем девочки, искавшие не друзей, а бойфрендов.

— Нет ничего глупого в том, чтобы встречаться с Тернером Эшби. Ты хоть знаешь, что у его отца нефтяные вышки по всему Билокси*? Моя мама говорит, что он один из самых богатых людей в штате. К тому же, — сказала она, сделав на этом особый упор, — он такой красивый. И капитан футбольной команды. Что еще тебе нужно? — Саванна прекрасно знала, что умение играть в футбол едва ли поможет ему многого добиться в жизни. Для этого нужно гораздо больше. А до нефтяных скважин его отца ей вообще нет никакого дела. — Он пригласил тебя на следующее свидание?

— Нет. Не будь дурочкой. Я просто встретилась с ним вчера вечером. — Она говорила об этом совершенно равнодушным тоном.

— Еще пригласит. Мальчишкам всегда нравятся девчонки вроде тебя, которые их в грош не ставят.

— Я этого не говорила. Он мне нравится. Просто я не собираюсь из-за этого голову терять вроде тебя, — поддразнила ее Саванна.

— Держу пари, что он пригласит тебя на свидание в следующий уик-энд, — мечтательно проговорила Джулиана.

— Надеюсь, что он этого не сделает. Я думаю, что приедет моя мама. Она сказала, что постарается, но, может быть, это получится только в следующий уик-энд.

Джулиана застонала.

— С кем же ты предпочтешь провести время? С Тернером Эшби или со своей мамой?

— С мамой, — без малейшего колебания ответила Саванна.

— Ты больная! — возмутилась Джулиана, пообещав позвонить позднее и узнать, звонил ли ей Тернер.

Следующей ее подвергла допросу Дейзи.

---

* На берегу Мексиканского залива.

— Что это за мальчик заезжал за тобой вчера вечером? — напрямик спросила она, когда они ели на кухне блинчики.

— Просто мальчик из школы.

— И все? — удивилась явно разочарованная Дейзи. — Он в тебя влюблен?

— Нет, — сказала Саванна и улыбнулась. — Он меня почти не знает.

— А ты в него влюблена?

— Нет. Я тоже его не знаю.

— Тогда зачем ты пошла с ним на свидание, если не влюблена в него? — с явным неодобрением осведомилась Дейзи.

— Потому что он хотел поужинать и посмотреть фильм и пригласил меня, а я подумала и решила, что можно и пойти, раз он приглашает, — сказала Саванна.

Дейзи кивнула, поняв логику сказанного, но сочла это совсем неромантичным. Пока они разговаривали, в кухню вошел их отец в теннисном костюме.

— Я видел, как вчера вечером ты уезжала из дома с мальчиком. Это, случайно, не один из мальчиков Эшби? — тоже с интересом спросил он. Ее свидания явно становились в городе горячей темой для обсуждения.

— Да.

— Хороший парень?

— Думаю, да. Мне он показался хорошим, — призналась она.

— Я играю в теннис с его отцом. Они пережили тяжелые времена. В прошлом году погибла его жена. Пьяный водитель сбил ее на автостраде 526, в пяти милях от дома. Это, должно быть, тяжело отразилось на детях.

— Он ничего не говорил об этом. Мы просто разговаривали о школе.

Том кивнул ей и сказал, что во второй половине дня из Нового Орлеана прилетает Генри.

— Ему не терпится увидеться с тобой. Он сегодня будет дома к ужину. И Трэвис со Скарлетт тоже придут. Вся семья соберется, — заключил Том с довольным видом.

В это время, словно его не замечая, на кухню вошла Луиза. Она собиралась в загородный клуб, чтобы целый день провести в спа-салоне, предназначенном специально для женщин. Том напомнил о приезде Генри, и Луиза сказала, что вернется домой ближе к вечеру. Пять минут спустя она ушла из дома, и они снова остались одни. Саванна предложила Дейзи пойти в аквариум, что, судя по всему, интересовало обеих. Он назывался «Аквариум Южной Каролины», и его очень хвалили.

Саванна и Дейзи ушли из дома в одиннадцать часов, обошли весь аквариум, там же пообедали и вернулись домой в три часа дня. По словам Таллулы, отец отправился в аэропорт за Генри, поэтому они поиграли в компьютерные игры, а вскоре после пяти приехали отец и сын.

Дейзи молнией бросилась вниз по лестнице навстречу брату. Это был красивый молодой человек атлетического телосложения, на год моложе Трэвиса. В колледже он играл в футбол и учился не в Виргинском университете, а в Дюке. Саванна знала, что он специализируется в области истории искусства и в конечном счете намерен стать педагогом. В отличие от брата и отца он не интересовался бизнесом и работал в одной известной художественной галерее Нового Орлеана, а также был интерном в музее, поскольку музейная работа его тоже привлекала.

Расцеловав младшую сестренку, он взглянул на лестницу и увидел улыбающуюся Саванну. Она совсем не изменилась, с тех пор как была маленькой девочкой, просто выросла, как это уже говорил Трэвис.

— Ужасно рад видеть тебя, — тихо сказал Генри, подойдя к ней и заключив в медвежьи объятия. — Я счастлив, что ты здесь. Трэвис и Дейзи уже рассказали мне все о тебе. В этот уик-энд я приехал домой специально, чтобы увидеть тебя, — сказал он. Судя по его тону, он говорил правду.

Они прошли в гостиную. К счастью, Луиза еще не вернулась домой: она была бы недовольна тем, что он так суетится вокруг Саванны. Правда, Генри это не беспокоило. Он никогда не плясал под дудку матери.

Они уселись в кресла и немного поговорили, и Генри задал обычные вопросы: что ей нравится, чем она занимается, какую музыку любит, какие у нее любимые книги и кинофильмы. И даже фамилии ее друзей спросил. Он хотел знать о ней все. Его взгляд стал грустным, когда он спросил ее о матери.

— Мальчишкой я не любил писать, потому и не писал. Но я всегда думал о ней и о тебе. Когда твоя мама была замужем за нашим отцом, она сделала для меня особую вещь, — сказал он так, будто делился очень важным секретом. — У меня была очень тяжелая дислексия, и твоя мама учила меня говорить. Я терпеть не мог своего учителя, поэтому это делала она. Кажется, она даже посещала какие-то курсы, чтобы научиться заниматься со мной. Так или иначе я окончил среднюю школу исключительно благодаря ей. Об этом я никогда не забывал. Она была самой доброй и самой терпеливой женщиной из всех, кого я знал, — воплощение сочувствия и любви.

Том в это время стоял на пороге и все слышал, а потом удалился со страдальческим выражением лица. Ни Генри, ни Саванна этого не заметили.

— Она мне об этом не рассказывала, — честно призналась Саванна. — Наверное, вы добились хороших результатов, если тебя приняли в Дюк.

Они продолжали разговаривать, а потом вернулась Луиза после дня, проведенного в спа-салоне. Она поцеловала сына и быстро отправилась переодеваться. Ей не понравилось, что он разговаривает с Саванной, но она ничего не сказала. В их комнате с самым несчастным видом сидел Том, который совсем забыл, как Алекса учила говорить Генри все те годы и с какой любовью она это делала.

— Что это с тобой? — спросила Луиза.

— Ничего. Просто я думаю. Как ты провела день в своем салоне?

— Спасибо, хорошо, — холодно ответила она, не собираясь налаживать их отношения, пока Саванна не уедет в Нью-Йорк. Луиза собиралась наказать мужа по полной программе, преподать урок, чтобы ему не вздумалось когда-нибудь снова привезти сюда Саванну. Она не станет терпеть присутствие дочери Алексы в своем доме. Но пока это у нее не получалось.

В тот вечер во время ужина за столом царило веселье. Тон задавал Генри. Он рассказывал забавные истории, уморительно изображал разные персонажи и поддразнивал всех присутствующих, включая свою мать. Трэвис был более сдержанным, хотя общаться с ним было тоже приятно. Скарлетт нравился ее будущий деверь, хотя он и ее беспощадно поддразнивал относительно масштабов предстоящей свадьбы. По словам Скарлетт, точно так же вел себя ее младший брат. Генри было двадцать четыре года, он молодо выглядел, но в нем чувствовалась некоторая утонченность. Саванна подумала, что, наверное, жизнь в другом городе расширила его горизонты. Трэвис же по-прежнему жил в семейном коконе в Чарлстоне. И даже отец всю свою жизнь так прожил. Только Генри по-настоящему оторвался от дома, хотя выбрал для себя тоже южный город. Но Новый Орлеан был крупнее, и жизнь там была сложнее, чем в Чарлстоне, к тому же Генри много времени проводил в Лондоне и Нью-Йорке. Он знал все любимые места Саванны в Нью-Йорке.

Когда Генри дирижировал застольной беседой, все были в хорошем настроении, даже мать. В конце ужина она его спросила о милой девушке, с которой он встречался прошлым летом, и он в ответ как-то странно посмотрел на нее.

— Она живет хорошо, мама. Недавно была помолвлена.

— Ах, мне так жаль! — с сочувствием сказала Луиза, и он рассмеялся:

— А мне нет.

Он много рассказывал о своем приятеле Джеффе, с которым жил в одной комнате. Судя по всему, тот был из Северной Каролины, и они в последнее время несколько раз ездили в поездки вместе. Луиза не стала о нем расспрашивать.

После ужина, вволю нахохотавшись, все перешли в гостиную, и Генри сел играть в карты с девочками. Родители, пожелав всем доброй ночи, поднялись по лестнице к себе. Трэвис и Скарлетт тоже ушли, потому что на следующий день был назначен утренний прием для преподнесения подарков невесте. Трэвис предупредил Скарлетт, что не стоит приглашать Саванну, иначе разозлится мать. Скарлетт так и сделала, хотя испытывала теперь мучительное чувство неловкости. Но она во всем слушала Трэвиса.

Луизе очень хотелось видеть Генри подальше от Саванны, но она не посмела заявить об этом, потому что Генри стал бы возражать и обвинять ее в бестактности. Когда ему не нравилось ее поведение, он, не скрывая, говорил ей об этом. Он ее не боялся. А Дейзи уже успела рассказать старшему брату по телефону о том, что мать плохо относится к Саванне, и он старался как мог окружить Саванну вниманием за ужином. И он не кривил душой, говоря, что приехал домой увидеться с ней.

Во время игры в карты Дейзи заснула, и Генри бережно взял ее на руки, отнес наверх и уложил в постель, а Саванна отправилась в свою комнату. Вскоре в ее дверь постучал Генри, чтобы узнать, в приличном ли она виде. Когда он вошел, она уже переоделась в ночную сорочку и чистила зубы. Как положено настоящему брату, он направился прямиком в ее ванную комнату и остановился на пороге поболтать с ней.

— Мне нравится, что у меня есть еще одна сестра, с которой действительно можно поговорить, — сказал он, улыбаясь ее отражению в зеркале. — Тебя слишком долго не было.

Они уселись в ее комнате и еще немного поболтали. Он сказал, что собирается через несколько лет переехать в Нью-Йорк или Лондон, как только окончательно решит, где ему хочется работать — в картинной галерее, музее или школе. Но работа в области искусства оставалась его мечтой.

— Ты не хочешь сюда возвращаться? — удивилась Саванна. Теперь ей казалось, что южане стараются оставаться поближе к дому и к своим корням.

— Для меня слишком мало места в маленьком провинциальном городе, — просто сказал он. — А поскольку я гей, жить здесь мне было бы сложно, — сказал он.

Она с удивлением взглянула на него.

— Ты гей? — Она об этом не догадывалась, тем более что его мать спрашивала о какой-то девушке, с которой он встречался в прошлом году.

— Да, а Джефф — мой партнер. Я сказал родителям о том, что я гей, когда мне было восемнадцать лет. Папа был не в восторге от этого, но отнесся к этому нормально. А мать ведет себя так, как будто забыла или вообще не знает об этом, сколько бы я ей ни напоминал. Продолжает, например, спрашивать о девушке, с которой я встречался. А ведь сама знает, что я не встречаюсь с женщинами. Я догадался о том, что я гей, примерно через год после отъезда твоей мамы, когда мне было пятнадцать лет. К шестнадцати годам я знал это наверняка. Этому не следует придавать большого значения, но для некоторых людей, в частности для моей матери, это очень важно. И она будет продолжать расспрашивать меня о женщинах, с которыми я встречаюсь, даже когда мне исполнится сто лет. Наверное, она надеется, что я «излечусь». Просто тот факт, что я гей, не входит в ее планы. Думаю, ей легче от того, что я не живу в Чарлстоне. Ее это смущало бы, а мне было бы тяжело. И она продолжает лгать своим друзьям.

— Какая нелепость, — сказала озадаченная Саванна. — Ей-то какая разница?

— По ее понятиям, это «отклонение от нормы», а значит, «неправильно». А для меня это правильно.

— Просто ты такой есть, — с улыбкой сказала Саванна. — Не следует придавать этому значения. Дейзи об этом знает? — спросила она.

— Они меня убьют, если я расскажу ей. Но со временем она и сама догадается. Думаю, Трэвис тоже не в восторге от этого. Он гораздо больше похож на них, чем я. Этакий типичный провинциальный мальчик, которому хочется, чтобы им были довольны родители. Я бы, наверное, повесился, если бы женился на Скарлетт, но для него она именно то, что нужно, — хорошая южная девушка.

— Ты говоришь совсем как янки, — поддразнила его Саванна.

— Может быть, в глубине души я и есть янки. Терпеть не могу процветающее здесь лицемерие, но, возможно, это присуще всем маленьким провинциальным городам. Мне не нравится, когда люди скрывают то, что думают и чувствуют на самом деле, просто из вежливости. А здесь это принято. Иметь в семье парочку генералов армии Конфедерации — это хорошо, но иметь сына-гея — не дай Бог! Они с трудом это терпят. Откуда нам знать, черт возьми, может быть, все эти генералы были геями! — Оба рассмеялись, потом Генри снова стал серьезным. — Твоя мама не придала бы этому значения. Такой любящей женщины я никогда больше не встречал. Когда она жила здесь, я еще не знал, что я гей, но потом не раз думал, что она, возможно, знала об этом раньше меня. Она ведь очень проницательна.

Саванна с гордостью кивнула.

— Как поживает твоя мама? — спросил он. — Мои родители с ней отвратительно обошлись. Она так и не вышла снова замуж, насколько я понял со слов Трэвиса, когда я его об этом спросил.

— Нет, — сказала Саванна, — не вышла. Хотя ей всего тридцать девять лет. Она все еще довольно сильно сердита на твоего папу. Или обижена, — честно призналась она.

— Имеет полное право, — так же честно сказал он. — Моя мать сломала ей жизнь, а папа умыл руки. Вероятно, что с тех пор между ними испортились отношения, но папа не уходит, хотя мать абсолютно с ним не считается. Она предала всех нас, когда бросила отца. И об этом стараются не вспоминать. Так всем удобнее, — неодобрительно сказал он.

— Я это заметила, — призналась Саванна. — Она в ярости, оттого что я здесь.

— Плохо. Ему следовало привезти тебя сюда много лет назад. Я не могу себе простить, что не наладил контакта с тобой или твоей мамой. Я ведь тоже позволил этому произойти. Правда, мне было тогда всего четырнадцать лет, но мне очень не нравилось, как они поступили. А потом меня захлестнули средняя школа, колледж, жизнь, и я так ничего и не сделал. Но я рад, что ты здесь. Надеюсь как-нибудь увидеться с твоей мамой. Мне хотелось бы многое сказать ей.

— Она собиралась попробовать навещать меня каждые две недели. В прошлый уик-энд мы отлично провели время. Ей не хотелось возвращаться сюда, но она приехала.

— Должно быть, ей это непросто, — с пониманием сказал он, и Саванна кивнула.

Они оба подумали об Алексе, потом Генри наконец встал, обнял ее на прощание и отправился в свою комнату. Дейзи в эту ночь спала в собственной постели. А Саванна, забравшись под одеяло, долго думала о Генри. Из-за того, что он гей, ее отношение к нему ничуть не изменилось. Но она жительница Нью-Йорка, а не Чарлстона. Здесь все было по-другому.

Глава 13

Как и предсказывала Джулиана, Тернер Эшби снова пригласил Саванну на свидание. Они отправились ужинать в ресторан, который специализировался на блюдах из морепродуктов, и говорили за ужином о более личных вещах. Он рассказал, что в прошлом году потерял мать.

Да, они справляются, но особенно тяжелым ударом это стало для отца и младших братьев. В глазах Тернера стояли слезы — для него, очевидно, это тоже было тяжелым ударом, хоть он этого и не говорил, не хотел выглядеть слабаком в ее глазах. Он даже будет рад уехать в колледж, потому что в доме без матери стало очень печально. А Саванна сказала, что росла в основном без отца. Они оба согласились, что хорошо, если она ближе познакомится с ним хотя бы сейчас, несмотря на сложности со злой мачехой. Рассказ Саванны потряс Тернера, хотя он никогда не любил Луизу и считал большим снобом. А оказалось, что она вдобавок жестока и бестактна.

Тернер, очень добрый, чуткий, тактичный юноша, обращался с Саванной, как положено хорошо воспитанному южанину. По его словам, он наслаждался ее обществом и хотел бы чаще видеться с ней, но Саванна ответила, что в следующий уик-энд к ней приезжает мать. На его вопрос, нельзя ли как-нибудь зайти к ней, Саванна ответила положительно. Это походило скорее на старомодное ухаживание, чем на свидание двух выпускников школы, но в конце второго свидания он ее поцеловал, и Саванне это понравилось. Они отлично провели время вместе, и она пообещала познакомить его со своей матерью, когда та снова приедет в Чарлстон.

Саванна обо всем рассказала Алексе, которая не на шутку встревожилась. Что, если дочь влюбится? Что, если они поженятся и Саванна останется в Чарлстоне? Алекса поделилась своими опасениями с матерью, рассмешив ее.

— Девочке семнадцать лет, и она никуда не уезжает. Они просто хорошо проводят время, — сказала Мюриэль.

Только тогда Алекса несколько успокоилась.

В последнее время нервы у нее были на пределе. До суда оставалось семь недель, а предстояло сделать еще тысячу мелочей. Новые жертвы не обнаружились, и Алекса занималась подготовкой дела с особой тщательностью и вниманием.

На следующий день после свидания Саванна по своей инициативе решила навестить бабушку. После полудня у нее выдалось свободное время, и она подумала, что было бы хорошо заехать к бабушке, хотя лучше предварительно позвонить. Она застала бабушку на веранде, где та дремала в кресле-качалке с книгой в руке. Услышав шаги на веранде, Юджиния открыла глаза и очень удивилась, увидев перед собой Саванну в желтом свитере и джинсах.

— Что ты здесь делаешь? — резко спросила Юджиния.

— Я подумала, что было бы хорошо навестить вас, вот и пришла, — робко сказала Саванна, заметив, что бабушка хмурится.

— Следовало сначала позвонить. Мы здесь не одобряем северные привычки. Южане — люди вежливые.

— Простите, — извинилась Саванна несколько обиженным тоном. — Я приду в другое время и предварительно позвоню. — Она собралась уходить, но бабушка указала на стул:

— Нет. Садись, раз ты здесь. Зачем пришла? — Саванне стало не по себе. Бабушка даже в своем преклонном возрасте оставалась грозной леди.

— Я просто подумала, что было бы хорошо навестить вас. Я люблю слушать рассказы про войну, про генералов и сражения. Мы в Нью-Йорке мало об этом знаем.

Она говорила правду, но пришла главным образом для того, чтобы сделать приятное старой даме, хотя и не могла сказать этого.

— Что ты хотела бы узнать? — улыбнулась бабушка, оживившись. Все-таки сказывается в ней южная кровь.

— Расскажите о вашей семье. Это ведь также и часть моей биографии.

— Разумеется, — согласилась Юджиния, которой понравилась идея рассказать историю семьи этой молодой девушке. Вот лучший способ вспомнить о предках и передать историю от одного поколения другому.

Она начала со своего прадеда, который приехал из Франции, потом, рассказав о браках и генералах в нескольких поколениях, дошла до того времени, когда они поселились в Чарлстоне. Она рассказала о том, сколько земли им принадлежало и сколько у них было рабов. Она не собиралась извиняться за владение рабами, которые, по ее понятиям, были необходимы для освоения земель, и напомнила, что в те дни наличие рабов составляло существенную часть их богатства. Саванна поморщилась. Для нее это была новая мысль, и ее это покоробило.

В конце концов они добрались до Гражданской войны, и глаза Юджинии загорелись. Она знала каждую дату и каждую подробность всех крупных сражений на Юге, а также боев, которые велись в Чарлстоне и его окрестностях, и, конечно, знала, кто выиграл, а кто проиграл сражение. Она добавила подробности личного характера: кто на ком был женат, кто овдовел, кто женился второй раз. Юджиния была ходячей энциклопедией Гражданской войны и истории Чарлстона, и Саванна слушала ее как завороженная. У бабушки оказалась отличная память на даты и подробности, и она могла говорить об этом часами. Давно уже никто не слушал ее с таким сосредоточенным вниманием. Когда она закончила рассказ, подошло время ужина. Бабушка воодушевилась, вспоминая все эти подробности и делясь ими с Саванной. Она пообещала также дать ей почитать кое-какие книги. Саванне все это действительно понравилось. Было интересно узнать, что она приходится родственницей этим людям. Так она познакомилась с совершенно новой частью своей биографии, о которой она ничего не знала и не узнала бы, если бы не воспоминания бабушки.

Уходя, Саванна искренне поблагодарила бабушку, помогла ей перейти в небольшую гостиную, где та любила сидеть по вечерам, и, оставляя ее под присмотром престарелой служанки, поцеловала в щеку.

— Это в тебе говорит южнокаролинская кровь, которая течет в твоих жилах, — напомнила она Саванне, — не забывай об этом. В тебе ведь не только кровь янки!

— Да, бабушка, — с улыбкой сказала Саванна.

Она отлично провела вторую половину дня и думала об услышанном, возвращаясь в «Тысячу дубов».

Дейзи упрекнула ее за позднее возвращение, и Саванна тихо объяснила, что ездила навестить бабушку.

— Одна? — удивилась малышка. — Но там так скучно! — Дейзи терпеть не могла навещать старую бабушку, потому что там было совершенно нечего делать. Она очень не любила все эти разговоры о генералах, которые вела Юджиния.

— Нет, там совсем не скучно, — возразила Саванна. — Она знает всё про всех и каждого на Юге. Я узнала много нового.

В ответ Дейзи скорчила гримаску. Более неприятного времяпрепровождения она представить себе не могла. Бабушка пыталась рассказать и ей о ее корнях, но Дейзи и знать не хотела об этом. Уж лучше остаться дома и посмотреть телевизор. Саванна же, которая была на семь лет старше, впитывала эти рассказы как губка.

В тот вечер родители Дейзи в кои-то веки отправились на званый ужин вместе, так что Саванна не имела возможности рассказать отцу о своем визите к бабушке. Но на следующий день мать сама рассказала ему об этом, когда он заехал к ней после ленча.

— Очень хорошая девочка, — сказала Юджиния, глядя на сына.

Он понятия не имел, кого она имеет в виду, и подумал, что, возможно, она говорит о своей служанке, которую до сих пор так называла. Своих слуг мужского пола она именовала мальчиками, что казалось весьма бестактным. Но в давние времена их именно так и называли.

— Кто? — переспросил Том.

— Твоя дочь, — ответила Юджиния, поблескивая глазами, чего он уже давненько не видывал.

— Дейзи?

— Саванна! Она пришла ко мне, чтобы узнать побольше об истории Юга. Слушала внимательно, стараясь запомнить все. Это дает о себе знать южная кровь в ее жилах. Она хотела узнать все о нашей семье и обо всем остальном. Необыкновенная девочка!

— Знаю, — сказал озадаченный Том. — Она приходила сюда одна?

— Конечно, одна, — рассердилась его мать. — Не думаешь же ты, что ее привезла сюда твоя жена? Луиза меня с ума сведет, если будет продолжать жаловаться на этого ребенка, — недовольным тоном сказала мать, качая головой, что его тоже удивило.

— Она снова звонила тебе? — расстроился Том.

Он знал, что Луиза однажды жаловалась ей по телефону на Саванну, но не подозревал, что это продолжается.

— Она звонит почти каждый вечер. Хочет, чтобы я воспользовалась своим влиянием и заставила тебя отправить девочку назад. Но это неправильно, если ее жизни угрожает опасность, как ты говоришь. Думаю, ты говоришь правду. С чего бы тебе лгать?

— Я не лгал. Саванне стали приходить какие-то очень неприятные письма, которые предположительно писал мужчина, убивший восемнадцать женщин. Сам он сейчас находится в предварительном заключении, но у него есть дружки на свободе, которые подсовывают письма под дверь их квартиры. А если это не его рук дело, значит, действует другой, такой же плохой человек. Я думаю, Алекса поступила правильно, увезя Саванну из Нью-Йорка.

— Я тоже. Нет никаких причин рисковать ребенком. Или даже запугивать ее. Восемнадцать женщин, подумать только! Как это ужасно. О чем только думает Алекса, когда берется вести такие дела? — неодобрительно сказала Юджиния.

— Она помощник окружного прокурора, — спокойно сказал Том. — У нее нет выбора. Это ее работа.

— Это, конечно, благородно с ее стороны, но слишком опасно, тем более для женщины, — чуть мягче сказала мать. Тома даже позабавило, что мать защищает Алексу и Саванну, а ведь когда-то она первая приказала ему изгнать их. Скоро же люди забывают свое собственное вероломство и свои преступления. — Так вот, Луиза хочет избавиться от Саванны и ждет, что я сделаю это, заставив тебя отправить ее назад. Десять лет назад Луиза получила то, что хотела. Она получила тебя. И у нее есть Дейзи. Она получила назад своих мальчиков, так зачем ей теперь продолжать обижать Саванну или ее мать. Все мы натворили достаточно дел десять лет назад. Я сказала Луизе, чтобы она оставила меня в покое, чем вызвала ее недовольство, — сказала мать.

Том представлял себе, как бесилась Луиза. Ведь раньше свекровь была ее главным союзником и соучастником преступления; она продолжала оставаться ею до сих пор.

— Ты сожалеешь об этом, мама? — прямо спросил он.

Раньше он не осмеливался задавать ей подобные вопросы. Она сидела в своем кресле-качалке, закутав шалью колени, и казалась такой старенькой и хрупкой. Но он знал, что мать не такая хрупкая, как кажется, и воля ее по-прежнему крепка как сталь.

— Иногда, — чуть помедлив, ответила она. — Это зависит от того, как сложилась жизнь у Алексы. Если она счастлива, то все, что мы сделали, было, возможно, правильно. Видишь ли, я не хотела, чтобы Дейзи была незаконнорожденным ребенком, да и Луиза оказывала сильное давление на меня.

Он тогда угодил в ловушку, которую устроили для него Луиза с матерью. Луиза соблазнила его и забеременела за одну ночь, хотя он тайно ухаживал за ней в течение нескольких недель и сошелся бы с ней без посторонней помощи. Том так и не смирился с тем, что Луиза ушла от него к другому мужчине, и все эти годы страдал от уязвленной гордости. Он любил Алексу, но Луиза была более могущественной, более эффектной и к тому же южанка. Добрая, открытая, непосредственная, любящая Алекса полностью доверяла ему. Ему до сих пор становилось не по себе всякий раз при мысли об этом.

— Она счастлива? — спросила мать, и Том тяжело вздохнул:

— Не думаю. Я еще никогда не видел таких печальных глаз. Она живет одна с Саванной, и в ее жизни никого нет. Она великолепная мать.

— Не можешь же ты вернуться к ней теперь, оставив Луизу, потому лишь, что Алекса одинока! — воскликнула мать, кажется, испугавшись этой мысли.

— Вряд ли она приняла бы меня назад, и была бы права, — печально сказал Том. Но такая мысль приходила ему в голову.

— Возможно, она была бы права, — согласилась мать, озадачив его этими словами. — Если ты любил, тебе не следовало оставлять ее ради Луизы, что бы я ни говорила. А ты вернулся к Луизе, словно послушный барашек, и отправил Алекса в Нью-Йорк.

Он печально кивнул. Том хотел вернуть Луизу, чтобы успокоить уязвленную гордость, но любил он Алексу. Чего он действительно не хотел, так это его теперешней жизни с женщиной, которую ненавидит и которая ненавидит его. Но он получил по заслугам и понимал это.

— Я просто хотела бы, чтобы Луиза перестала звонить мне по поводу Саванны. Ей следовало бы вести себя прилично по отношению к ней. Это долг Луизы перед Алексой, которая заботилась о ее сыновьях.

— Я ей говорил это. Она и слышать ничего не желает.

— Она называет Саванну отродьем. Никакое она не отродье, а чудесная девочка. Она сама пришла навестить меня. И сказала, что придет снова. Надеюсь, что придет.

— Я уверен, — сказал Том. Саванна была из тех девочек с добрым сердцем, которые навещают старых леди, чтобы составить им компанию. Отец и бабушка понимали это. Понимали это также Дейзи и ее братья. Только Луиза знать ничего не желала. У нее вообще не было сердца. Она манипулировала Томом, чтобы заполучить его назад, и с тех пор мучила его.

— Рада, что хоть кто-то в нашей семье хочет знать нашу историю. Луизе это неинтересно. У нее имеется своя собственная. В ее семье столько же генералов, сколько в нашей, — с раздражением сказала Юджиния, и Том едва не рассмеялся. Его мать всегда очень серьезно относилась к этим вещам. Он, конечно, мог иногда что-нибудь перепутать или забыть. Слишком уж много генералов было, собьешься со счета. А рассказы о сражениях, храбрости и победах конфедератов всю жизнь вызывали у него скуку. В отличие от своей матушки он не был любителем истории.

Вечером Том поблагодарил Саванну за то, что навестила бабушку, и сказал, что бабушке это понравилось и она надеется, что Саванна придет еще раз. Луиза, подслушав разговор, сердито выговорила им, что Саванне не следует беспокоить слабого старого человека. Том запротестовал и выразил свое желание, чтобы Саванна навещала бабушку. Луиза презрительно фыркнула и больше не сказала ни слова. Когда она днем разговаривала со свекровью по телефону, та сказала ей то же самое. К большому неудовольствию Луизы, положение изменилось коренным образом.

Саванна рассказала матери по телефону о посещении бабушки, об уроке истории, а также о Генри и его партнере Джеффе. Она звонила ей ежедневно и держала в курсе всех местных новостей.

Алексу не удивила новость относительно Генри. Она сказала, что он не интересовался девочками, хотя ему исполнилось четырнадцать лет. У нее возникали кое-какие вопросы, но она не осмеливалась обсуждать их с Томом. Тот старательно избегал этой темы, и Саванна сказала, что он избегает говорить об этом до сих пор, как и все остальные. А Луиза, собственная мать Генри, делает вид, будто младший сын не гей. Алекса выразила надежду, что он счастлив и что она как-нибудь с удовольствием с ним увидится. Она предполагала приехать в ближайший уик-энд. Мать и дочь планировали снова остановиться в «Уэнтуорт-Мэншн». Алекса уже зарезервировала просторный сьют.

— Ты намерена познакомить меня с этим мальчиком? — спросила Алекса, имея в виду Тернера, и Саванна усмехнулась:

— Может быть. Посмотрим. Если он не занят. В этот уик-энд у него матч.

— Может, сходим на матч? Ты не стыдишься меня?

— Ты же знаешь, что не стыжусь. Я очень, очень горжусь тобой, мама, и тебе это известно.

— Я тоже горжусь тобой, миленькая, — заверила мать и, закончив разговор, продолжила работу с Сэмом и Джеком Джонсом, а Саванна отправилась на встречу с Тернером.

Дейзи увидела ее, когда она возвращалась с прогулки. Саванна незаметно проскользнула в дом перед ужином, а Дейзи как раз возвращалась с кухни с бутербродом.

— Ну?

— Что значит «ну»? — переспросила Саванна, сделав вид, будто ничего не понимает.

— Только не притворяйся. Я видела, как ты уходила с ним. Он симпатичный? Он тебя целовал?

Саванна решила быть честной со своей младшей сестрой. Ей нравилось, что у нее есть сестренка. Дейзи это тоже нравилось.

— Он симпатичный. И он меня целовал.

— Ничего себе! — воскликнула Дейзи, взбегая вверх по лестнице. — Вот, наверное, противно-то! — Потом она свесилась через перила и задала следующий вопрос: — Он твой бойфренд?

— Нет, — покачала головой Саванна и улыбнулась. — Он просто мальчик, которой мне нравится.

— Жаль, — заявила Дейзи и, расхохотавшись, скрылась в своей комнате.

Глава 14

На этот раз, когда Алекса приехала на уик-энд в Чарлстон, чтобы увидеться с Саванной, все казалось ей более привычным и удобным. Уже не пришлось испытать потрясение от возвращения в мир, который она некогда знала и любила, но потеряла. В «Уэнтуорт-Мэншн» обе на этот раз чувствовали себя как дома, и Алексе даже удалось быть дружелюбной с Томом, когда он привез Саванну. Алекса уже не выглядела такой зажатой. Поэтому он расхрабрился настолько, что пригласил пообедать. Она этого не хотела, потому что старалась провести с Саванной как можно больше времени, хотя быть грубой по отношению к нему ей тоже не хотелось. Он выручил ее, рискуя навлечь на себя ярость Луизы. Алекса чуть помедлила, прежде чем ответить, однако, заметив умоляющий взгляд Саванны, кивнула и согласилась.

— Только недолго, — предупредила она. — Я хочу побольше времени провести с Саванной. Я здесь ради нее.

— Разумеется.

Алекса чувствовала, что он хочет мира, но она пока не была готова к дружеским отношениям с ним. Возможно, со временем они смогли бы общаться, если не как близкие друзья, то хотя бы как цивилизованные люди, по случаю таких, например, событий, как свадьба Саванны или, скажем, окончание колледжа. Она полагала, что он имеет в виду ту же цель. «Холодная война» между ними длилась годами. И Алекса, кажется, была не прочь постепенно выйти из этого состояния.

Он предложил встретиться на следующий день в «Магнолиях», и Саванна сказала, что она могла бы, пока они обедают, пойти на матч, в котором участвовал Тернер. Все были довольны, хотя Алекса предпочла бы пообедать с дочерью. Однако она не стала отказываться, и Саванна поблагодарила ее, когда они поднялись в сьют. На этот раз все вокруг было так же красиво, а цветов было, кажется, еще больше. Для каждой был приготовлен бокал шампанского, чтобы отпраздновать начало уик-энда. К шампанскому была подана клубника в шоколаде. Обе выпили по бокалу. Алекса не любила, когда Саванна пила спиртное, но время от времени ради праздника ей это разрешалось. Сама она тоже пила мало. Алекса нервничала в связи с завтрашним обедом с Томом. Как-никак они еще не были друзьями. Пока.

— Ладно. А теперь расскажи мне о мальчике, по которому ты сходишь с ума. Когда ты меня с ним познакомишь? Как насчет того, чтобы встретиться завтра после футбольного матча? Мы могли бы где-нибудь выпить кофе или еще что-нибудь.

Саванна, чуть помедлив, кивнула.

— Он хороший, мама. У нас нет ничего серьезного. Он капитан футбольной команды и надеется поступить в политехнический колледж штата Джорджия.

— Хороший южный мальчик, — усмехнувшись, сказала мать, однако без малейшего сарказма. Они почти никогда не уезжают учиться в северные учебные заведения. Алекса заметила это, еще когда жила здесь.

— У него три младших брата, а в прошлом году он потерял маму.

— Сочувствую, — мягко сказала Алекса. — Он хорошо относится к тебе? Я требую только одного: чтобы он хорошо обращался с тобой. Вы часто встречаетесь?

— Он очень хорошо относится ко мне, — заверила Саванна. — И я каждый день вижусь с ним в школе. Иногда мы вместе обедаем в кафетерии, а пару раз в неделю где-нибудь ужинаем и ходим в кино.

— Ты спишь в ним? — не желая ходить вокруг да около, грубовато спросила мать, и Саванна покачала головой. Для этого было слишком рано. — Не забудь принимать противозачаточные таблетки, — напомнила Алекса, и Саванна усмехнулась. Она потеряла девственность в шестнадцать лет, и мама смирилась с этим. Алекса реально смотрела на вещи, к тому же Саванна пока переспала только с одним мальчиком, однако мать хотела, чтобы она вела себя осмотрительно с Тернером. — И помни о презервативах, пожалуйста! — напомнила она.

Саванна аж застонала и подняла глаза к потолку.

— Да знаю я, знаю. Не такая уж я глупая. Для этого слишком рано, — сказала она.

Однако он ей очень нравился. Очень. И целовались они все чаще и чаще. Страсти накалялись.

— Все это так, но на всякий случай будь готова. Люди иногда обо всем забывают. Правда, сама я об этом почти не помню, — печально усмехнувшись, сказала Алекса. У нее бы для этого и времени не хватило. Она так много работала, готовясь к предстоящему судебному процессу, что едва успевала принять ванну и немного поспать.

В тот вечер они поужинали в уютном маленьком бистро, где ели свежего краба.

После позднего ужина они, взявшись за руки и чувствуя себя еще ближе друг к другу, чем обычно, возвратились в отель. Заказали какой-то фильм, который обеим нравился, а когда он закончился, улеглись на огромную удобную постель и проснулись утром свежими и отдохнувшими.

После завтрака мать и дочь, как и на прошлой неделе, прошлись по магазинам, потом Саванна отправилась на футбольный матч, а Алекса — в «Магнолии» на встречу с Томом. Он уже ждал ее и, судя по всему, нервничал. Как и она.

Их усадили за столик в глубине зала, и оба углубились в меню. Потом Алекса, отложив меню, взглянула на Тома:

— Прости, но все это весьма странно. Я просто не могла не сказать это вслух. Может быть, и ты чувствуешь себя странно?

— Так и есть, — сказал он и рассмеялся.

Она всегда умела вытащить на свет правду. Она не скрывала ее и не приукрашивала. Это шло вразрез с южным стилем, но он любил в ней эту способность. Никаких уловок, никаких игр. Она ничуть не изменилась. Более того, ему показалось, что она теперь, одиннадцать лет спустя, стала еще красивее. Красота ее стала более зрелой.

— Почему нам все это кажется странным? — сказал Том, глядя на нее.

Луиза понятия не имела, что он встречается с Алексой.

— Ты шутишь? — сказала Алекса. — Ты бросил меня. Я все последние десять лет ненавидела тебя. И вдруг — на тебе! — обедаю с тобой. И наша дочь живет у тебя. Все это, согласись, выглядит безумием.

— Может быть, нет. Ты имела полное право ненавидеть меня. И ты поступила очень любезно, согласившись пообедать со мной, но ведь ты всегда была чутким и незлопамятным человеком.

— Пока что не рассчитывай на это, — честно призналась она и снова рассмеялась. — Но почему тебе все это кажется странным? Или ты тоже ненавидел меня?

— Мне не за что тебя ненавидеть, — печально сказал он. — Я очень сожалею о том, что случилось.

— Это не «случилось». Это дело твоих рук, а также Луизы и твоей матушки. Они за тебя приняли решение избавиться от меня и вернуть тебя Луизе, а ты не возражал. Полагаю, ты тоже этого хотел.

Они с сожалением посмотрели друг на друга. Потом он медленно покачал головой:

— Все было не так просто. Я не знал, чего хотел. Я хотел успокоить свою уязвленную гордость, но любил я тебя.

— В таком случае ты совершил действительно глупый поступок, Том. — Сказав это, она почувствовала себя значительно лучше.

— Да, я согласен с тобой. Полностью. И с тех пор не переставал сожалеть об этом.

Она не хотела обсуждать с ним эту тему. Не хотела об этом знать.

Они заказали обед, причем оба выбрали суп-пюре из лобстера и пирожки с крабами, что всегда нравилось обоим.

Некоторые вещи не меняются. Алекса сказала себе, что единственным, что осталось у них общим, являются предпочтения в еде.

Потом они поговорили о других вещах. О Саванне. О судебном процессе Алексы. О его банке. О Трэвисе и Генри. Алекса мимоходом упомянула, что Саванна сказала ей, что Генри гей и что он ей очень нравится. Она не считала его образ жизни противоестественным и надеялась на разумное отношение Тома к этому, но сразу же увидела, как это больно задело его.

— Извини. Это тебя расстраивает? — спросила она. Трудно было поверить, однако она знала, как консервативен Том и как старомоден.

— Иногда. Но наверное, такой уж он есть. Конечно, не о такой жизни я мечтал для одного из своих сыновей. Но в конце концов я хочу лишь, чтобы он был счастлив. Мать знать этого не желает, из-за этого Генри еще тяжелее.

— С ее стороны глупо. — Алекса поморщилась. — Мне просто очень жаль, что Генри не может себя чувствовать самим собой с вами обоими. А Трэвис нормально относится к этому? Он так же консервативен, как ты. — Она очень хорошо знала сыновей Тома, хотя не видела в течение десяти лет, а когда-то оставила тинейджерами. Странно было сидеть за обедом с бывшим мужем и разговаривать с ним, как старый друг, а не как женщина, которая была ему верной женой и которую он предал. Жизнь вообще странная штука.

— Мне кажется, что Трэвис пытается относиться к этому с пониманием, но ты права, он довольно строг в вопросах нравственности. Мальчики выросли и теперь не так близки между собой, как прежде. Они слишком разные.

Они всегда были разными, — спокойно заметила Алекса. — Плохо, что они не близки между собой, — с грустью сказала она. — Раньше они дружили.

Тома смутило, что он так мало знал о своем сыне, и он почувствовал себя виноватым. Ему было о чем сожалеть и в чем раскаиваться. И это прежде всего касалось Алексы.

— Я говорю серьезно, — заявил он за теплым персиковым коблером и кофе, которые они взяли на десерт. Том добавил к этому ванильное мороженое, Алекса обошлась без него. Снова те же старые привычки. На мгновение она отчетливо вспомнила, как была счастлива с ним, вспомнила маленькую Саванну, их семью. Они так любили друг друга, причем Алекса продолжала любить Тома.

— О чем ты? — спросила Алекса, наслаждаясь десертом, который таял во рту. Она совсем забыла, о чем он говорил раньше. Они коснулись в разговоре множества тем, включая их дочь, которую он считал великолепной и очень хвалил, причем заслуженно.

— Я говорил серьезно, когда сказал, что с тех пор, как оставил тебя, я постоянно сожалею об этом. — Говоря это, он выглядел печальным и подавленным, а у нее при этих словах взгляд стал жестким.

— Очень жаль, Том. Трудно тебе приходится.

— Что правда, то правда, — сказал он. Ему было жаль самого себя.

Алекса холодно посмотрела на него:

— Не труднее, чем быть выкинутой из жизни любимым мужем ради другой женщины, которая раньше бросила его, а потом вернулась, потому что это ей удобно. Было бы хорошо, если бы ты смог предвидеть это заранее.

Он кивнул, увидев, что Алекса не забыла обиду.

— Я не предлагаю тебе взять меня назад.

— Вот и хорошо, потому что я тебя не приму. Даже через сто лет. — Она хотела, чтобы это было абсолютно ясно, если они намерены попытаться стать друзьями. Хотела обозначить четкие границы их отношений, чтобы избежать недоразумений. Он все еще оставался очень привлекательным мужчиной, и она когда-то любила его. Она не хотела, чтобы это угрожало ей какой-то опасностью. А опасность возникнет, если она снова влюбится в него. Он уже достаточно ясно доказал ей, что не держит слово. Она не могла снова поверить ему, как бы сильно ни любила его и каким бы красивым и обаятельным он все еще ни был.

— Я просто хотел, чтобы ты знала, как сильно я об этом сожалею.

— Я тоже сожалею, потому что никогда больше не верила ни одному мужчине и, наверное, никогда не поверю, — сказала она. Вину за это она полностью возлагала на него.

— Это ужасно, — печально сказал он с удрученным видом, снова почувствовав себя виноватым.

— Возможно. Но такова реальность, по крайней мере для меня. Я никогда не поверю, что другой мужчина не сделает то же самое. Казалось, наш брак будет длиться вечно.

— Я тоже так думал. А потом вернулась Луиза, и я все сломал. — Алекса кивнула. Ей не хотелось обсуждать с ним за обедом переживания, связанные с их браком. — Просто знай, что я об этом сожалею и что с тех пор у меня не было ни одного счастливого дня. Она вечно пребывает в дурном настроении.

— В таком случае почему ты не разведешься с ней? Не ради меня. Ради самого себя.

— Я не хочу снова проходить через все это. Наш развод едва не убил меня.

— Так же, как и меня, — с горечью сказала Алекса и невольно рассмеялась. — Я, кажется, все еще злюсь. Моя мать говорит, что надо перешагнуть через это, но это трудно сделать. Я в течение пяти лет регулярно бывала у психоаналитика, а потом перестала к нему ходить. Прошло пять лет, а я была так же зла, так же обижена и ожесточена. Наверное, чтобы избавиться от этого, требуется больше времени, по крайней мере мне. Я медленно выздоравливаю. Однажды сломала руку, и мне, чтобы поправиться, потребовалось шесть месяцев вместо шести недель.

— Знаю, — сказал Том, судорожно сглотнув. — Я тогда был с тобой.

— Ну да, — пробормотала Алекса, глядя в тарелку, потом снова взглянула на него. — Послушай, давай быть честными. Я уверена, что где-то в глубине души я все еще люблю тебя. Если бы не любила, то не стала бы ненавидеть так сильно. И сейчас у меня нет к тебе ненависти, и зла я не держу. Я с тобой с удовольствием пообедала. У нас чудесная дочь, и я тебя очень любила. Возможно, всегда буду любить в глубине души. Может быть, слова «пока смерть не разлучит нас» именно к нам и относятся? Надеюсь, что нет, но это возможно. Я никогда не забуду, как ты ушел к Луизе и бросил нас с Саванной. Но ты это сделал.

Сейчас ты делаешь доброе дело для Саванны, и я очень ценю это. Мне не приходится тревожиться за нее, потому что она с тобой, а это очень важно. Ты снял тяжелый груз с моих плеч. И ты по-прежнему самый красивый мужчина из всех, кого я знаю, и самый обаятельный. Мне очень нравилось жить здесь с тобой, и я любила Юг, пока не возненавидела его, потому что ты был южанином. Возможно, мы теперь сможем стать друзьями. Но я не хочу, чтобы кому-нибудь из нас пришло в голову, будто мы можем начать жизнь с чистого листа. Я не поступлю с Луизой так, как она со мной. Я не хочу красть тебя у нее. И не хочу снова влюбиться в тебя. Думаю, что для меня это было бы подобно смерти, особенно если бы ты снова предал меня. Сожалеешь ты об этом или нет, но я не дам тебе еще один шанс. Не могу. Попытка перешагнуть через тебя уже заняла у меня десять лет, и я намерена действовать в том же направлении. Может быть, теперь нам удастся стать друзьями, но и только. Большего мне от тебя не надо. Если Луиза отравляет тебе жизнь, разведись с ней. Но даже если ты разведешься, я останусь всего лишь твоим другом. Мы с тобой родители Саванны, и будет очень хорошо, если мы будем относиться друг к другу как цивилизованные люди. Но ты не должен видеть в этом нечто большее. — Алекса предельно ясно изложила ему свою точку зрения. Это она всегда умела делать, что было одним из миллиона качеств, которые он в ней любил, но забыл или пытался забыть.

— Я понял, Алекса. Извини, что я вообще затронул эту тему. Мне просто хотелось, чтобы ты знала, что я все еще люблю тебя и сожалею о случившемся.

Его слова снова рассердили ее. Со стороны Тома было просто нечестно так говорить. И это после всего, через что ей пришлось пройти за последние десять лет, после всех мучений и пролитых слез. Она возмутилась:

— Никогда больше не говори мне об этом, слышишь? Сейчас ты сожалеешь, но где ты был последние десять лет? С Луизой. Если ты никогда больше не будешь говорить об этом, то мы, возможно, станем друзьями. Договорились?

Он удрученно кивнул. Ему еще повезло, что она готова сделать хотя бы это.

— Договорились. Прости.

— Вот и хорошо. А теперь отправляйся домой к жене или еще куда-нибудь, а я должна встретиться с Саванной на футбольном матче, — сказала она.

И он снова кивнул, потрясенный ее словами. Глупо, конечно, но он почему-то надеялся, что сможет вернуть ее. Он подумал об этом, когда увидел ее в Нью-Йорке, только не знал, как подступиться. И надеялся, что Алекса, возможно, чувствует то же самое. Но его надежды не оправдались. Очевидно, он слишком сильно ее обидел. Даже если она его простит, она никогда уже не вернется. Теперь он в этом не сомневался. Как и она.

Том расплатился по счету, они вышли из ресторана, и Алекса улыбнулась.

— Спасибо. Я чувствую себя лучше. — Она ждала целых десять лет, чтобы сказать все это ему, и наконец получила такую возможность. Она понимала, что ей просто повезло. Он явно не чувствовал себя лучше, но это больше не было ее проблемой.

Оставив его у входа в ресторан, Алекса отправилась на футбольный матч и увидела Саванну, когда та только что спустилась со зрительской трибуны. На поле ее ждали высокий красивый мальчик и другие ребята, закончившие игру. Саванна ему улыбнулась с такой любовью, что у Алексы защемило сердце. Она сказала себе, что если этот мальчик обидит Саванну, то она убьет его собственными руками. Не в прямом смысле слова, конечно, но сделает это. Алекса все еще вспоминала слова Тома во время обеда. Если бы она позволила, он бы бросил Луизу и вернулся к ней. Возможно. Или завел бы с ней интрижку и снова разбил бы ее сердце. Если бы мать позволила ему сделать это или если бы у него хватило мужества, которого, как она знала, он не имел. Луиза и мать давно лишили его мужества. С его стороны было нечестно говорить, что он все еще любит ее, но он по крайней мере сказал, что сожалеет о случившемся, причем, кажется, говорил это серьезно. Может быть, этого достаточно. Наконец-то Алекса почувствовала облегчение.

Когда она пересекла поле и подошла к ребятам, Саванна представила ей Тернера:

— Мама, это Тернер.

— Привет, — сказала Алекса, улыбаясь. Он показался ей милым мальчиком, совсем юным. Глядя на него, она вспомнила, что он потерял мать, и ей стало жаль его.

— Рад познакомиться, мэм. Я слышал много хорошего о вас от Саванны. — Он выглядел настоящим южанином и был очень вежлив, но казался искренним.

— Я тоже слышала о вас много хорошего. Как прошла игра?

— Мы выиграли, — широко улыбаясь, сказал он с довольным видом, и Саванна улыбнулась ему, потом матери.

— Тернер обеспечил успешный исход матча, забив два решающих гола, — с гордостью заявила она, и мать, глядя на обоих, почувствовала себя столетней старухой, но была счастлива за них.

Алекса пригласила Тернера и Саванну в их излюбленное место встреч на гамбургеры и молочные коктейли. Они непринужденно болтали в течение часа, потом Саванна с матерью вернулись в отель, потому что были записаны на маникюр. Алекса сказала, что Тернер ей очень понравился, и Саванна, судя по ее виду, была рада это слышать.

Когда они вернулись в номер после маникюра, Алекса рассказала Саванне о том, что произошло за обедом. У нее не было от нее секретов. Они были не только матерью и дочерью, но и лучшими подругами, хотя Алекса никогда не забывала о том, что она прежде всего мать.

— Сегодня папа спросил меня, не вернусь ли я к нему. Он все еще любит меня и сожалеет о том, что сделал.

— Что ты ему ответила? — с интересом спросила Саванна, глядя в глаза матери. Она выглядела счастливой. Такой счастливой Алекса давно ее не видела.

— Сказала, чтобы он больше никогда не говорил мне этого. Вполне достаточно, если мы сможем быть друзьями. Это уже было бы чудом после произошедшего. Я никогда не смогла бы ему снова верить. Не хочу даже вспоминать об этом.

— А он что сказал?

— Думаю, он был поражен, — честно призналась Алекса.

— Рассердился?

— Не думаю, скорее, опечалился. С его стороны даже нечестно спрашивать об этом или надеяться. Прошло много времени, и он слишком сильно обидел меня.

Саванна кивнула, соглашаясь. Она знала, вернее, догадывалась, как сильно переживала мать.

— Я понимаю, мама. Думаю, ты поступила правильно. — Даже Саванна помнила, как долгие годы мать плакала ночами. Не мог же отец просто взять и вернуться теперь. Потому что он сделал неудачный выбор. — Все равно, мне кажется, он не оставит Луизу, — мудро изрекла Саванна. — Она им командует. А он позволяет ей делать это.

— Он всегда позволял, — спокойно сказала Алекса, — даже когда мы еще не развелись. Они стоят друг друга.

Саванна кивнула, хотя и жалела отца. Луиза — мерзкая особа. Но он ее выбрал сам, причем дважды.

Мать и дочь прекрасно провели вечер за разговорами и заснули далеко за полночь. Когда Саванне позвонил Тернер, Алекса пригласила его на поздний завтрак. Утром раздался звонок от Трэвиса. Он хотел увидеться с Алексой, и они со Скарлетт зашли в отель на несколько минут. На этот раз Саванна и Алекса решили не ходить в церковь, им не хотелось снова столкнуться там с Луизой. Они с успехом избежали этой встречи, потому что Трэвис с матерью только оттуда вернулись.

Он уселся с Алексой в их гостиной, и они поболтали о прежних временах и о его теперешней жизни. Он извинился за то, что не писал, и она отнеслась к этому с пониманием. Он был еще слишком молод и подчинился запрету матери. Алекса это знала, хотя из лояльности к матери он этого не сказал. Он был все таким же милым и вежливым, как в детстве, и с гордостью познакомил ее со Скарлетт. Она показалась Алексе милой девушкой, и та надеялась, что молодые люди будут счастливы друг с другом. Немного поговорили о предстоящей свадьбе и о том, как трудно все организовать. Вскоре Трэвис и Скарлетт уехали. Они торопились на обед к родителям Скарлетт, где предстояло окончательно утвердить список приглашенных на церемонию бракосочетания.

Остаток дня пролетел незаметно, и наступило время отъезда. Как и прежде, Том встретил их в вестибюле, чтобы забрать Саванну. Алекса снова поблагодарила его за вчерашний обед. Он ловил каждое ее слово и печально заглядывал в глаза.

— Спасибо, что согласилась пообедать со мной, — сказал он, только сейчас поняв, какую большую уступку она ему сделала и сколько мужества ей потребовалось для этого. Только теперь он понял, как сильно ее обидел. В течение почти одиннадцати лет он был занят собственными страданиями и потерями и только теперь понял, как глубоко страдала Алекса. Он потерял ее навсегда, и именно тогда, когда хотел вернуть ее. Том опоздал. Для нее, как бы она его ни любила, он остался человеком, которому она никогда не сможет больше поверить. Том был раздавлен. Вчера он лишился последней надежды, тогда как Алекса пережила это десять лет назад.

Еще раз поцеловав на прощание мать, Саванна поехала домой с отцом. Алекса обещала приехать снова через две недели. Время шло, и Саванна мало-помалу привыкла к местной жизни. В чем-то она чувствовала себя как дома, а что-то оставалось ей чуждо. Алекса говорила, что чувствовала то же самое, когда жила здесь, потому что, как бы ты ни любил Юг, если ты не родился там, ты никогда не станешь одним из южан. Теперь и Саванна начала это понимать. Здесь все еще говорили о южанах и янки, в их сердцах навсегда остался флаг Конфедерации, который развевался на крышах многих домов.

По дороге домой Саванна обратила внимание на несчастный вид отца и с беспокойством опросила:

— С тобой все в порядке, папа?

Он кивнул и улыбнулся ей, но глаза остались печальными. Она подозревала, что все сказанное вчера матерью глубоко подействовало на отца. Но Саванна нисколько не винила мать.

Дома его ждала Луиза в черном костюме от Шанель, со множеством ювелирных украшений и бьющим в глаза макияжем. Том получил выговор за опоздание. Они отправились на званый ужин с друзьями. Такова была теперь его жизнь. В радости и в горе, так сказать. Это была та жизнь и та женщина, которые он выбрал. А та, которую он по-настоящему любил и которая любила его, уехала.

Глава 15

Наступил апрель, до суда оставался всего месяц. В Нью-Йорке все еще стояли холодные дни, и всю неделю после возвращения Алексы шел снег. А весенний Чарлстон утопал в цветах. Цвели азалии и глицинии, цвела вишня. В великолепном саду «Тысячи дубов» не покладая рук трудилась целая армия садовников.

Между этими двумя городами и жизнью в них существовал резкий контраст. В Нью-Йорке дул пронизывающий ветер, падал снег, и Алекса готовилась к суду над человеком, убившим восемнадцать молодых женщин. Погода была серой и мрачной, под стать тому, что она делала.

В Чарлстоне стояла теплая погода, цвели сады, и Тернер с Саванной были влюблены друг в друга. Дейзи постоянно поддразнивала сестру, а все девчонки в школе завидовали. Отец позволил пригласить Тернера домой на ужин. Луизе это не понравилось, но она по крайней мере вела себя с ним сносно, потому что Бомоны находились в дружеских отношениях с отцом юноши.

Помимо того что Саванна подружилась с Дейзи, стала встречаться с Тернером Эшби и установила хорошие взаимоотношения с бабушкой, пребывание в Чарлстоне дало ей возможность сблизиться с отцом, чего в противном случае никогда бы не произошло.

Он ходил с ней на долгие пешие прогулки, показывал места, где играл в детстве, брал на знаменитые плантации за пределами города — Дрейтон-Холл, «Магнолия», Миддл-тон-Плейс и Бун-Холл. Потом они гуляли по пляжам возле Маунт-Плезант. Они часами разговаривали, узнавая друг друга.

Наконец-то у нее был реальный отец, а не какой-то картонный персонаж, который появлялся в Нью-Йорке два раза в год и не пускал ее в свою настоящую жизнь. Как и Саванна, он знал теперь наверняка, что никогда больше не станет отгораживаться от нее. Он хотел, чтобы Саванна стала частью его жизни.

Том водил обеих девочек в аквариум. Он играл с ними в теннис. Он взял Саванну в загородный клуб и со всеми там познакомил. И чем больше он сближался с дочерью, тем сильнее Луиза ощущала его предательство, но Тому теперь это было безразлично. Пребывание Саванны в Чарлстоне и отношение к этому Луизы еще больше углубили пропасть, существовавшую между ними еще до приезда Саванны. Том и Луиза уже почти не разговаривали друг с другом, и Луиза в бешенстве либо куда-то уходила, либо лежала в постели с салфеткой на голове. Она даже не пыталась наладить отношения. С момента приезда Саванны у Луизы не нашлось для нее ни единого доброго слова. Отец извинялся перед дочерью, но он не мог заставить жену вести себя как подобает цивилизованному человеку. Это была необъявленная война.

Юджиния немного простудилась, и Саванна несколько раз навещала ее и ухаживала за ней. Она прочла все книги, которые дала ей бабушка, и многое узнала о Гражданской войне.

Однажды, когда Саванна сидела с ней на веранде, без предупреждения явилась Луиза. Она пришла в ярость, увидев там Саванну, и приказала ей отправляться домой. Не желая накалять страсти, Саванна хотела подняться.

— Сядь, — резко сказала бабушка и взглянула на невестку. — Она никуда не пойдет, Луиза. Когда ты наконец успокоишься? Она всего лишь ребенок и не причинит тебе зла. От тебя ей ничего не нужно. А ее мать не хочет забирать Тома назад.

Сын уже сообщил Юджинии о своем разговоре с Алексой. Мать не удивилась этому и прониклась к ней уважением. По мнению матери, Алекса была права, а гордости и самоуважения ей не занимать. Алекса, наверное, все еще любит его, но не хочет принять назад человека, который смог так жестоко обидеть ее, а потом ждать целых десять лет, чтобы возвратиться назад, когда ему это будет удобно. Тома потрясли слова матери.

— Понятия не имею, о чем вы говорите, — чопорно заявила Луиза, когда свекровь, прищурившись, взглянула на нее.

— Все ты понимаешь. Боишься, как бы Том не поступил с тобой так же, как вы с ним обошлись с Алексой. Этого не будет. Она не позволит. Он твой. И Саванна здесь ни при чем. Она останется здесь. Так что нет никаких причин наказывать ее.

— Я ее не наказывала! — возмутилась Луиза. — Это она вам такое сказала? — Она злобно посмотрела на Саванну, а свекровь покачала головой:

— Нет, это сказал Том. Оказывается, с первых дней ты злобствуешь и грубо обращаешься с ней. — Юджиния, отчитывая невестку, не стеснялась в выражениях. Саванна пришла в ужас, слушая разговор двух южанок. — Тебе нужно сесть, успокоиться и для разнообразия попробовать приятно провести время. Повторяю, он твой, и он никуда не уйдет.

— Откуда вы знаете?

— Не такой он человек. — Юджиния знала сына и знала также, что он слабохарактерный. — Ты всеми правдами и неправдами заставила его развестись, а я тебе помогла. Без нашей помощи он бы даже не подумал разводиться. А семнадцатилетняя девочка для тебя не угроза. Она здесь всего лишь ждет, пока у матери закончится суд и можно будет вернуться домой.

— Почему она проводит у вас так много времени? — недоверчиво спросила Луиза, подозревая какой-то заговор между ними. Так поступила бы она сама, но Саванне такое и в голову не приходило.

— Потому что она хорошая девочка, — с теплотой сказала ее бабушка, которая за это короткое время успела полюбить ее и была благодарна за то, что та проводила с ней время. — К тому же ей, наверное, здесь одиноко без матери. Ты ведь палец о палец не ударила, чтобы она почувствовала себя здесь как дома.

— Я... я... — бормотала Луиза, но так и не нашлась с ответом.

— Почему бы тебе не навестить меня в другое время, когда я одна? — Бабушка выставляла Луизу, и Саванна встала, вконец смутившись. Они говорили о ней так, будто ее здесь не было. По крайней мере Луиза вела себя так, словно ее не существует.

— Мне все равно еще нужно делать уроки, — сказала Саванна, наклоняясь, чтобы поцеловать бабушку. Пообещав вскоре прийти снова, она уехала, оставив Луизу со свекровью, которая знала слишком много, сама во всем участвовала, но теперь уже не являлась ее союзником.

— Я думала, ты будешь хорошо к нему относиться, — сказала Юджиния, когда невестка уселась напротив, все еще кипя негодованием. — Но это далеко не так. Ты недоброжелательна по отношению к моему сыну. Ты его выиграла, как собаку на ярмарке. Теперь он твой и был твоим в течение десяти лет. Нет никакой необходимости донимать его. Возможно, при другом обращении он относился бы к тебе лучше. — Она защищала сына и имела на то причины. Луиза так и не оценила его.

— Я и впрямь не имею понятия, о чем вы говорите, мама Бомон, — сказала она. Луизе очень хотелось назвать все это старческими бреднями, но обе знали, что у Юджинии пока абсолютно ясный ум и что она говорит чистую правду. Луиза притворилась обиженной, но на самом деле она едва сдерживала себя.

— Думаю, тебе лучше отправиться домой и подумать об этом, — сказала Юджиния. Близился вечер, и она устала. Саванна пробыла у нее долго, и она наслаждалась компанией девочки. Но сейчас Юджинию одолевала усталость и ей не хотелось больше общаться с невесткой. — Ты в конце концов его потеряешь, если будешь продолжать в том же духе. Алекса не примет его назад. Но это сделает кто-нибудь другой. Он по-прежнему красивый мужчина.

— Я уже потеряла его, — с удрученным видом хрипло сказала Луиза, и эти слова прозвучали с неожиданной искренностью. — Он никогда не любил меня, по крайней мере с тех пор, как мы воссоединили наш брак. Он не переставал ее любить. — Они обе знали, что это правда, и Юджиния всегда сожалела об этом. Ее сын был несчастен в течение десяти лет, и в этом в значительной степени была виновата она, мать. Юджиния и сейчас чувствовала свою вину и пыталась как-то загладить вину перед Саванной. Луиза же думала только о себе и о том, что муж ее не любит и никогда не переставал любить Алексу.

— Мы с тобой обе были не правы, Луиза. Мы не имели права так поступать. Мы причинили боль им обоим и их ребенку. На твоем месте я бы сделала все, чтобы хоть как-то исправить положение, пока Саванна здесь. Это для Тома имело бы большое значение, — сказала свекровь.

Луиза, в кои-то веки лишившись дара речи, кивнула и направилась к машине. В тот вечер ее отношение к Саванне или Тому не изменилась, но она стала очень, очень тихой. У нее явно было что-то на уме. Том по привычке старался держаться от нее подальше. Луиза не стала ужинать, а отправилась наверх, сказав, что у нее разыгралась мигрень и она ляжет в постель.

В самый разгар весны Алекса снова прилетела в Чарлстон. Насколько было известно Саванне, она везла с собой письма о приеме в университет и нью-йоркскую бабушку. Саванна с нетерпением ждала этого и бросилась в объятия Мюриэль, как только увидела ее.

— Ты выглядишь великолепно, малышка, — сказала бабушка с довольным видом. Она боялась, что столь долгое пребывание в чужом городе плохо отразится на любимой внучке. А та, напротив, выглядела счастливой, цветущей и казалась повзрослевшей и уверенной в себе. Мюриэль теперь стало ясно, почему тревожилась Алекса. Судя по всему, Саванне так нравилось в Чарлстоне, что даже не верилось в ее желание уехать отсюда. Но Мюриэль все же верила, что в конечном счете Саванна захочет вернуться домой. А Нью-Йорк, где жила мать, был ее домом.

— Ну что ж, может быть, вскроем письма? — взволнованно спросила Алекса, когда они пришли в отель. Саванна не позволила матери вскрыть письма и зачитать их по телефону. На прошлой неделе пришли наконец все ответы, одни с небольшим запозданием, другие вовремя. Некоторые конверты были потолще, что обычно предполагало положительный ответ. Саванна получила ответы из всех колледжей, куда подавала заявления, и, кажется, нервничала, держа в руках все конверты. Сейчас должно было решиться ее будущее и определиться место, где она проведет следующие четыре года. Причем вполне вероятно, что у нее будет несколько вариантов на выбор. Она надеялась на самые лучшие варианты, а не на запасные на всякий случай.

Всего было шесть конвертов. Некоторые ее друзья подавали заявления в дюжину учебных заведений, но Саванна ограничилась шестью. Алекса и Мюриэль сидели на кушетке и ждали затаив дыхание.

Первым Саванна вскрыла конверт из Стэнфорда. Там отказали. Саванна, кажется, приуныла, но мать заметила, что все равно не отпустила бы ее туда, и это несколько смягчило удар. Мать не раз говорила, что отпустит ее в Стэнфорд, только если не будет другого выбора.

Гарвард тоже ответил отказом. И туда Саванне не слишком хотелось. Уровень учебного заведения казался невероятно высоким и пугал ее.

Браун предлагал внести ее в резервный список и хвалил за хорошо выполненную работу.

Оставались Принстон, Университет Джорджа Вашингтона и Дюк. Следующим она вскрыла конверт из Дюка. Приняли! Все три женщины, радостно вскрикнув, принялись обнимать друг друга, потом снова уселись. Саванна улыбнулась. Она принята, причем в хорошее учебное заведение.

— Почему я ощущаю себя как на присуждении «Оскара»? Причем за лучшую картину... — сказала Мюриэль.

Саванна нервно хихикнула. Следующим она открыла конверт из Университета Джорджа Вашингтона. Снова положительный ответ. Она принята уже в два учебных заведения! А последним остался конверт из университета, куда ей хотелось попасть больше всего.

Принстон. Конверт казался тоненьким. Наверное, отказали. Она замерла, держа его в руках.

— Да открой же ты его наконец, ради Бога! — взмолилась Мюриэль. — Я больше не выдержу.

— Я тоже, — призналась Алекса.

Здесь распоряжалась Саванна. Это она работала не покладая рук ради этой минуты, и это она так долго ждала результатов. Ее заявления были отправлены три месяца назад. Она медленно вскрыла последний конверт и осторожно развернула письмо. На мгновение закрыла глаза, потом прочла его и, вскочив, издала победоносный вопль.

— Я поступила! Подумать только, меня приняли! Я поступила! — кричала она, танцуя, а ее мама и бабушка прослезились. Но тут они тоже вскочили и принялись обнимать Саванну. — Я буду учиться в Принстоне! — радостно повторяла она, но вдруг вспомнила, что Тернер будет огорчен тем, что она не выбрала Дюк. Он был принят туда и собирался там учиться. Но ведь они смогут навещать друг друга. Принстон был мечтой Саванны. Не отказываться же от мечты ради мальчика, даже ради такого хорошего мальчика, как Тернер.

Пока Алекса открывала шампанское, Саванна позвонила отцу. Он знал, что Алекса должна была привезти письма, и тоже с нетерпением ждал результатов. Том находился дома и сразу же схватил трубку своего мобильника.

— Стэнфорд, Гарвард — отказ, Браун — резервный список, положительные ответы из Джорджа Вашингтона, Дюка и... Принстона! — крикнула Саванна, и его физиономия расплылась в радостной улыбке. — Я еду в Принстон, папа!

Как и Тернер, отец предпочел бы Дюк, но он с пристрастием относился к южным учебным заведениям. Саванна поставила высокую цель и достигла ее. Том очень гордился дочерью.

— Прими мои поздравления! Отпразднуем это завтра вечером. Я приглашаю всех на ужин. Поздравляю тебя, дорогая. Я так горжусь тобой!

Поблагодарив его, она вернулась к маме и бабушке. Они долго сидели и разговаривали, потом отправились ужинать в любимый ресторан Саванны. Там собиралась шумная, дружелюбная компания студентов колледжей. Большинство ее друзей тоже получили на этой неделе ответы на свои заявления. Джулиана, верная своему слову, заявления не подавала, решив взять отпуск на год, и теперь немного жалела об этом. Она чувствовала себя «отбившейся от стаи», и Саванна не стала ей звонить, чтобы не расстраивать. Но Тернеру она позвонила. Он был рад за нее, хотя и разочарован, что она не захотела учиться с ним в Дюке. Но он знал, как много значит для нее Принстон, а потому просто пообещал навещать ее там, как только сможет, и она поклялась делать то же самое.

Чудным теплым вечером они возвращались пешком в отель. Бабушка была в восторге от города, который давно полюбила. Он понравился ей, еще когда она навещала здесь Алексу, которая в то время была замужем за Томом. Она всегда ощущала огромное обаяние этого города. Они проболтали еще целый час, пока наконец не разошлись по своим кроватям, все еще взбудораженные важными новостями.

На следующее утро позвонил Трэвис, потом Дейзи. Малышка хотела узнать, сможет ли навещать Саванну в Принстоне, и старшая сестра ответила утвердительно. Потом позвонил Генри, который тоже радовался за нее, хотя и чуть-чуть обижался, что она не будет учиться в его альма-матер. После этого он попросил к телефону ее маму. Они с Алексой поговорили несколько минут, и Алекса с улыбкой передала трубку Саванне.

Звонили все. Следующей позвонила бабушка Бомон. Она сказала, что на ее месте поступила бы в южное учебное заведение, но если уж она решила учиться в северном, то Принстон — весьма достойный выбор.

— Разве там учатся не только мужчины? — несколько озадаченно спросила Юджиния.

— Раньше там действительно учились только мужчины, — ответила Саванна. — Теперь нет.

— Куда катится мир? — пробормотала Юджиния и усмехнулась. Потом она сказала, что хотела бы прийти во второй половине дня в отель на чашку чаю, чтобы повидаться с матерью и бабушкой Саванны. Саванна пришла в изумление. Она сказала, что они будут рады с ней встретиться, и поблагодарила бабушку за предложение. — Я попрошу твоего отца отвезти меня. — Она предложила встретиться в четыре часа.

Саванна повесила трубку, надеясь, что мать не будет возражать против визита Юджинии.

— По-моему, это очень мило с ее стороны, — дружелюбно, но весьма сдержанно сказала Алекса. Десять лет назад Юджиния способствовала разрушению ее жизни, но она приходилась бабушкой Саванне, и Алекса была готова сделать шаг к примирению. Она намеревалась сделать это ради дочери. Раз уж Алекса виделась с Томом, то почему бы не встретиться с его матерью, хотя теплых чувств по отношению к ней она не испытывала.

— Спасибо, мама, — прочувствованно сказала Саванна, зная, каких больших усилий стоило бабушке Бомон выйти из дома. Она последнее время почти совсем не выходила. По возрасту Юджиния могла бы быть матерью другой бабушки Саванны.

Они продолжали праздновать целый день и все вместе отправились в салон красоты. Мюриэль там понравилось, и она после массажа сделала прическу и привела в порядок ногти. В половине четвертого вернулись в номер, чтобы переодеться перед встречей с миссис Бомон.

Юджиния прибыла точно в назначенное время в сопровождении Тома. Саванна, увидев бабушку, обрадовалась,

Мюриэль сердечно ее приветствовала, Алекса насторожилась. Бабушка Бомон прежде всего направилась к ней.

— Я должна извиниться перед тобой, Алекса, — сказала она, опираясь на трость и серьезно глядя Алексе прямо в глаза. — Я испортила твою жизнь и жизнь моего сына. Извинения тут не помогут. Но ты должна знать, что я сознаю это и когда-нибудь отвечу за содеянное перед Создателем. Хочу сказать, что у тебя чудесная дочь и я ее очень люблю.

Алекса тихо поблагодарила ее и обняла. Это правда — извинениями ее разрушенный брак не вернуть. Но Юджиния по крайней мере имела мужество признаться в содеянном. Том стоял за спиной матери в полном смятении и старался не встречаться о Алексой взглядом.

А затем приступили к собственно празднованию. Алекса показала бабушке Бомон брошюру о Принстоне. Это было великолепное учебное заведение со студенческим городком, куда Саванне не терпелось поехать. Утром она позвонила нескольким своим нью-йоркским друзьям, а с некоторыми связалась по электронной почте. Двое из них были приняты в Принстон. С одной девочкой они договорились жить в одной комнате. Они уже все продумали.

Мать Тома оставалась у них в течение часа, потом сын отвез ее домой. Выход за пределы дома был для нее большим событием, особенно после недавней простуды, после которой она ослабела. Уходя, она обняла Алексу и снова похвалила Саванну.

Перед уходом Том напомнил всем, что встретится с ними в ресторане в восемь вечера, он привезет с собой Трэвиса, Дейзи и Скарлетт; приглашен также Тернер. Восемь человек будут праздновать поступление Саванны в Принстон. Он отвез домой мать и отправился к себе. Найдя Луизу, он еще раз пригласил ее пойти с ними. Она повернулась к нему с привычно злобным выражением лица:

— Это смехотворно, Том. Я не собираюсь с ней ужинать. — Он понял, что она имеет в виду Алексу. — И мне наплевать, куда поступила Саванна. Она не мой ребенок. Более того, я уверена, что Алекса тоже не хочет меня видеть. Я на ее месте не захотела бы.

— Возможно, ты права, — согласился он. — Но ты могла бы принять какое-то участие. С тех пор как приехала Саванна, ты делала все возможное, чтобы отравить ей существование. А ведь она моя дочь.

— Но не моя, — повторила Луиза. Она казалась мрачной и печальной. — Я не хочу ее здесь видеть. А ты, зная это, все-таки привез ее сюда.

— У меня не было выбора. Чего ты боишься, Луиза? Она не причинит тебе зла, так же как и ее мать. Им ничего не нужно от тебя и даже от меня.

— Они уже все имеют, — печально сказала она. — Алекса владела тобой в течение последних одиннадцати лет. Ты никогда не уходил от нее, Том.

Он был ошеломлен ее словами.

— О чем ты говоришь? Я оставил ее одиннадцать лет назад ради тебя и Дейзи. Я оставил ее, чтобы мы с тобой могли снова пожениться. Я никогда больше не виделся и даже не разговаривал с ней до февраля этого года, — сказал он.

Луиза кивнула. Она этому верила, потому что часто проверяла его, будучи убеждена, что доверие не исключает контроля.

— И ты также не переставал любить ее. Я знала это, видя, как ты смотришь на меня. Я думала, что смогу украсть тебя у нее — и ты о ней забудешь. Но ты не забыл. Ты никогда не любил меня, Том. Ты хотел заполучить меня назад, чтобы поквитаться с Торнтоном, потому что я бросила тебя и ушла к нему. Тогда пострадала твоя гордость, но не твое сердце. А сердце твое всегда принадлежало Алексе. — Том не стал отрицать. Они оба знали, что это правда. Знала это и Алекса. — Ты не переставал любить ее, а теперь любишь ее дочь, которая выглядит так же, как она.

— Саванна совершенно самостоятельная личность, — возразил Том.

— Ты обедал с Алексой, когда она приезжала сюда в прошлый раз.

— Да, мы обедали, — согласился Том. Луиза всегда знала обо всем, что он делал. — У нас с ней общая дочь.

— А еще что?

— Ничего. Я не нужен ей, — уныло сказал он. Ему совсем не хотелось разговаривать об этом с женой.

— А ты спрашивал?

— Нет. Но на душе у меня скверно, и ты это знаешь. Долгие годы я не видел от тебя ничего хорошего. Ты добилась своего, а потом, непонятно почему, начала мстить мне.

— Потому что я знала, что ты все еще любишь ее. Ты никогда меня не любил.

— Но я остался с тобой, а это что-то значит. Между нами был своего рода молчаливый уговор. — Но и здесь он оказался ненадежным. Том был просто слабохарактерным. А это нечто другое, и Луиза это знала, так же как и он сам.

— Не знаю, почему ты остался, — сказала Луиза в порыве откровенности впервые за многие годы, а может быть, вообще впервые в жизни. — Может, из-за Дейзи. Или из-за лени. Или не желая перечить своей матушке. Даже она теперь против меня. — Луиза знала о ее визите к Алексе и ее матери со слов Тома. — Ты ополчился на меня, едва только привез сюда Саванну. У тебя нет ко мне никакого уважения.

— Трудно уважать женщину, которая вечно раздражена и вечно злобствует, Луиза. Ты плохо относишься даже к Дейзи, своей собственной дочери. Ты предавала наших мальчиков и меня. Такие вещи не забываются. Так что же нам делать? Ненавидеть друг друга все последующие годы или просто плыть по течению? Не лучше ли нам остаться хотя бы друзьями? Тебе не обязательно сегодня идти на ужин, ты права, не следует этого делать. Это никому не доставило бы удовольствия — ни вам обеим, ни Саванне. Она всегда защищает мать.

— Как и ты.

— Нет, я просто виноват. А это совсем другое. В свое время я не защитил Алексу. От тебя. Обманывая ее, спал с тобой, и ты забеременела с умыслом. — Она не стала опровергать сказанное. — Я пошел на поводу у тебя и своей матери. Я не защищал Алексу ни секунды, хотя в то время не ты, а она была моей женой. Сейчас ты моя жена. Было бы неплохо, если бы ты хотя бы время от времени вела себя как жена, а не как мой яростный враг. Мы зашли в тупик. Ты получила то, что хотела. Почему бы нам не попытаться найти хоть какой-то выход? Иначе нас обоих ждет жалкое существование, — сказал он. И это была правда.

— Я буду чувствовать себя лучше, когда Саванна уедет, — проговорила Луиза. — Тогда мы могли бы начать все сначала.

— Делай как знаешь. — Он уехал несколько минут спустя.

Она осталась наверху в своей комнате. Откровенный разговор потряс обоих. Луиза никогда не делала ни шага навстречу Тому и даже не пыталась быть доброй. Такая уж она была. Их брак оказался в результате катастрофой. Наверное, теперь так все и будет продолжаться. Том вдруг понял, что поведение Луизы ничуть не изменится, когда уедет Саванна. Его наказание соответствовало его предательству.

Ужин в честь Саванны выдался на славу. Немного подвыпивший Трэвис забавлял всех рассказами о студенческой жизни в Виргинском университете. Скарлетт, которую Саванна обожала, рассказала ей о подготовке к свадьбе. Дейзи веселилась и едва не прыгала от радости. Ей понравились мама и бабушка Саванны, которые оказались моложе и гораздо веселее, чем ее собственные. А Тернер во время ужина с обожанием смотрел на Саванну и, сидя рядом, держал под столом ее за руку. И в какой-то миг глаза Алексы и Тома встретились через стол, и всех этих лет как не бывало. Что бы ни произошло между ними, они оба гордились своей дочерью в этот очень важный для нее день. По общему признанию, вечер доставил всем удовольствие. Они ушли из ресторана последними. А Саванна сегодня в окружении любящих людей была безмерно счастлива, а ведь для нее все еще только начиналось. И в течение всего вечера никто не вспомнил о Луизе, даже Том. Она сидела дома одна, переполненная ненавистью.

Глава 16

Алекса летела домой, сидя рядом с матерью. Их уик-энд превратился в праздник, и Мюриэль осталась довольна, что поехала с дочерью и смогла разделить бурную радость Саванны, принятой в Принстонский университет. Такие счастливые минуты невозможно забыть.

Мюриэль заметила также кое-что новое в Алексе. В ней уже не видно было прежней горечи, она казалась более умиротворенной. По-видимому, вынужденное возвращение в Чарлстон пошло ей на пользу. Алексе пришлось столкнуться лицом к лицу со всеми демонами своего прошлого. С Томом, его матерью, с Луизой. С течением времени они словно растеряли былое могущество. Алекса, для которой распавшийся брак все еще оставался невосполнимой потерей, увидела, каков Том на самом деле, как он слабохарактерен и эгоистичен. Может быть, теперь она поймет, что не так уж много потеряла. По мнению Мюриэль, единственная причина желания эгоиста Тома вновь вернуть Алексу, заключалась в его неудачном браке с Луизой. Если бы сложилось

226

по-другому, он не испытывал бы никаких сожалений. Вероятно, он получил то, что заслуживал: женщину, которая имела к нему так же мало уважения, как он сам к себе. Он напоминал ей Эшли из «Унесенных ветром». А ее дочери сейчас нужен был Ретт Батлер. Она надеялась лишь, что рано или поздно такой найдется. После всех этих тяжелых лет одиночества Алекса имела право на счастье. Она столько труда вложила в воспитание дочери. Эта работа сейчас тоже закончилась. Саванна стала совсем взрослой и была готова начать собственную жизнь.

Дочь стала самым большим достижением Алексы. Глаза Саванны сияли от радости при мысли об открывающихся перед ней горизонтах. Ее бойфренд из Чарлстона показался Мюриэль очень хорошим мальчиком. Интересно, продлится ли их роман, когда Саванна уедет в Принстон, а он — в Дюк? Такое всегда бывает трудно предугадать. Некоторые ранние романы длятся долго, а некоторые прекращаются. Время покажет.

Когда они подлетали к Нью-Йорку, Мюриэль посмотрела на дочь, крепко спавшую рядом с ней в пассажирском кресле. Этот уик-энд для всех был полон треволнений.

Вскоре Саванне предстояли еще два больших события. Она будет присутствовать на церемонии окончания школы вместе со своим классом в Чарлстоне, а потом, возвратившись в Нью-Йорк, на такой же церемонии в своей нью-йоркской школе. Она успеет повидаться со своими друзьями и попрощаться с ними. Тернер тоже обещал прилететь. Это радовало Саванну. Отец не приедет, поскольку будет присутствовать на чарлстонской церемонии, Нью-Йорк же он считал территорией ее матери и не хотел вторгаться туда. Саванну это устраивало. Но сначала должен закончиться суд. И только после этого Саванна сможет вернуться домой. Она была готова. Чарлстон многое дал ей — отца, сестру, двух братьев; здесь она влюбилась. Но Нью-Йорк, где жила мама, по-прежнему оставался ее домом.

Алекса сомневалась, что сможет снова приехать в Чарлстон до окончания суда: становилось все больше работы. И Саванна понимала, что это заключительный рывок.

На следующее утро после чарлстонского уик-энда Алекса в семь часов уже пришла в свой кабинет. Она поднялась в пять утра, чтобы прочесть кое-какие материалы, необходимые для подготовки к суду, и ходатайства общественного защитника.

Общественный защитник подала судье ходатайство о прекращении дела, что выглядело абсолютно смехотворно. Ни один судья не пошел бы на это, тем не менее она все-таки подала его для проформы. Эта женщина чувствовала себя обязанной сделать все возможное для клиента. Она пыталась также не допустить перекрестного допроса Квентина в присутствии Алексы по предыдущим случаям осуждения. Этого общественный защитник могла бы добиться, но Алексу такой поворот событий уже не волновал. Улики против Квентина в этом деле были абсолютно неопровержимыми, а преступления настолько омерзительными, что его предыдущие обвинения в мошенничестве и разбойном нападении, за которые он уже отбыл наказания, казались пустяками, хотя сам факт, что прежде он уже имел судимости, несомненно, подскажет присяжным заседателям, с кем они имеют дело.

Оба ходатайства рассматривались утром при закрытых дверях. Алекса в обоих случаях выступила против, и судья отклонил оба ходатайства. Общественный защитник с хмурым видом вернулась в зал заседаний.

— Вот и ладно, — процедил Джек сквозь зубы, выходя с Сэмом вслед за Алексой из суда вместе с еще одним членом элитного подразделения ФБР по серийным преступлениям, который помогал расследовать дело. Ходатайства были обычной практикой, и судье не хотелось, чтобы общественный защитник медлил с их подачей. Судья не испытывал ни малейшего сочувствия к Люку Квентину, и еще меньше сочувствия тот получит у присяжных заседателей. Алекса идеально выстроила обвинение, без сучка без задоринки.

После обеда Алекса отправилась к Джуди Даннинг.

— Извините, что отклонили ходатайства, — вежливо сказала Алекса, пытаясь изобразить сочувствие, которого не испытывала.

— Я думаю, судья поступил неразумно в отношении второго ходатайства, — пожаловалась Джуди. — Чтобы вынести решение по этому делу, жюри совсем не обязательно знать о судимости Квентина за разбойное нападение.

Алекса только кивнула. Она пришла сюда в надежде еще раз попробовать убедить Джудит заставить клиента признать себя виновным и избежать суда.

— В таком деле я не могу предложить Квентину взамен какие-то уступки, — честно призналась Алекса, — но он мог бы рассчитывать на более мягкое обращение в тюрьме, если бы сейчас стал вести себя разумно. Иначе суд превратится в балаган, а Большое жюри все равно вынесет обвинительный вердикт. Вы должны знать это. Против него слишком много неопровержимых улик. Только у меня в кабинете лежит около двадцати коробок с материалами по этому делу. Поговорите с ним, Джуди. Кому нужна лишняя головная боль? — убеждала Алекса.

Общественный защитник пыталась даже оспорить правомочность выдачи окружным прокурором ордера на обыск Джеком и Чарли гостиничного номера Квентина, но и это ходатайство тоже отклонили, и суд признал приемлемыми полученные таким образом инкриминирующие улики.

— Квентин имеет право на суд, — с недовольной миной заявила Джуди Даннинг. Говорить с ней было все равно, что говорить со стеной, и раздосадованная Алекса вернулась в свой кабинет. Ясно, что средства массовой информации превратят суд в занимательное зрелище и он получит сто лет тюремного заключения. Но тут уж ничего, как видно, не поделаешь. Предстояло еще много работы. Алекса всю неделю встречалась с сотрудниками ФБР, помогавшими привести в соответствие показания по девяти штатам.

Ей еще нужно было привести в порядок свидетельские показания и закончить подготовку своего вступительного заявления. Короче, еще предстояло сделать тысячу мелочей, а до суда оставалось всего несколько недель. Теперь по делу работало столько следователей, что она даже по именам не всех знала, а представители ФБР присутствовали на каждом совещании, чтобы убедиться в неукоснительном соблюдении всех надлежащих процедур. Никому не хотелось, чтобы обнаружились нарушения процессуальных норм и пришлось бы все начинать заново. Обсудили, но затем отклонили предложение о возможном изменении судебного округа, в котором должно слушаться дело. Из-за шумихи, поднятой средствами массовой информации, дело оказалось в центре внимания всей страны.

Судья, назначенный для слушания, отличался суровостью по отношению к прессе, что оказалось весьма кстати. В течение нескольких недель до начала слушания и на всем его протяжении Алексе предстояло есть и спать с мыслью о судебном процессе и видеть его во сне.

Алекса каждый день звонила дочери из кабинета, но не имела ни минуты лишнего времени на продолжительный разговор, а когда возвращалась с работы домой, было слишком поздно звонить. А у Саванны в Чарлстоне жизнь била ключом: школа, друзья, ее бойфренд.

Однажды Том в своем кабинете смотрел новости и вдруг, увидев какую-то пресс-конференцию, понял, что там показывают Алексу. Он позвал Саванну, потом примчалась Дейзи. Они уселись перед экраном и слушали, как Алекса рассказывает о предстоящем через две недели суде над убийцей восемнадцати молодых женщин. Несмотря на множество полицейских и сотрудников ФБР, все микрофоны были направлены к ней, а она давала осторожные, связные, умные ответы на вопросы, при этом выглядела спокойной, невозмутимой, компетентной. Не зная, по какой причине все так взволновались, вошла и Луиза, постояла, глядя на экран, потом удалилась, изменившись в лице.

Когда пресс-конференция закончилась, Том, глядя на старшую дочь, похвалил ее мать:

— Она очень хорошо держалась. Впереди труднейший судебный процесс, а репортеры уже безумствуют. По-моему, она производит сильное впечатление, а ты как думаешь?

Саванна согласилась с ним, очень гордясь матерью. Дейзи тоже пришла в восторг. Ей еще никогда не приходилось видеть по телевизору людей, которых она знала.

— Она выглядела как кинозвезда, — восхитилась Дейзи, улыбаясь Саванне; и тут снова вошла Луиза и позвала всех ужинать. Она не сказала о передаче ни слова, хотя появление Алексы на экране явно вызвало ее недовольство. Видимо, Луиза была абсолютно не в состоянии вести себя цивилизованно по отношению к Алексе. Она не желала слышать о ней, видеть ее или иметь что-либо общее с ее дочерью, и все ей постоянно напоминало, что Том заставил ее терпеть присутствие здесь Саванны. Луиза не могла дождаться, когда Саванна уедет из Чарлстона.

Завершающий удар Луиза получила за три дня до начала судебного процесса, когда по почте прибыли приглашения на свадьбу Трэвиса и Скарлетт. Саванна тоже получила приглашение. Она как раз вскрывала конверт, когда Луиза вернулась домой от парикмахера. Она немедленно поняла, что это такое, и выхватила приглашение из рук Саванны.

— Где ты это взяла?! — воскликнула она так, будто Саванна украла его или вскрыла чужую почту.

— Это мне, — ответила Саванна. — Письмо пришло по почте. На конверте написано мое имя, — пыталась она объяснить злой мачехе, которая старалась каждый день ее жизни превратить в сущий ад, иногда, впрочем, небезуспешно. Если бы не отец, который постоянно ее защищал, жизнь Саванны стала бы невыносимой. Том старался принимать на себя все удары, но иногда Луизе все-таки удавалось взять над ней верх.

— Неужели тебе прислали приглашение на свадьбу?! — в ужасе воскликнула она.

Пять минут спустя она появилась в кабинете Тома, воинственно размахивая конвертом перед его носом.

— Я не желаю видеть ее на свадьбе нашего сына! — заявила Луиза, трясясь от злости. — Она не член семьи! Она ему не родная сестра! И я не позволю унижать меня на свадьбе собственного сына! — кричала Луиза.

Увидев приглашение в ее руке, Том сразу же понял, что произошло, и покачал головой:

— Если она будет здесь, когда состоится бракосочетание, ты не сможешь запретить ей присутствовать. Она не будет сидеть здесь, как Золушка, когда все остальные отправятся на свадьбу.

— А если ее не будет здесь во время свадьбы? — спросила Луиза, не желая, чтобы Саванна специально приезжала на свадьбу. Пусть она исчезнет. Навсегда. И уж конечно, пусть ноги ее не будет на таких семейных торжествах, как это. Там будут присутствовать все, кто имел вес в Южной Каролине и соседних штатах.

— Трэвис и Скарлетт должны сами решить, приглашать ее или нет. Позволь напомнить тебе, что свадьбу устраиваем не мы, а родители Скарлетт. Им и решать. — Он хотел уклониться от прямого ответа, но Луиза не позволила.

— Кто внес ее имя в список?

— Понятия не имею, — ответил он.

Луиза тут же позвонила Скарлетт и без обиняков заявила невестке, что не желает присутствия Саванны на свадьбе.

— Мама Бомон, — спокойно сказала Скарлетт, — вряд ли это правильно. Она сестра Трэвиса и мне очень нравится. На приеме будут присутствовать восемьсот человек, хотя в церкви всего триста. Неужели кого-то обеспокоит ее присутствие на нашей свадьбе? — Скарлетт давала понять, что не намерена игнорировать Саванну.

— Это обеспокоит меня! — крикнула в телефонную трубку будущая свекровь. — Ты ведь этого не захочешь? — В голосе ее послышалось предостережение.

— Конечно, нет. Я посажу ее в противоположном от вас конце шатра, — заверила ее Скарлетт.

Луиза, повесив трубку, долго еще не могла прийти в себя.

— Может быть, я уже уеду, — тихо сказала отцу Саванна. — Суд к тому времени должен уже состояться.

— Тебе будет приятно пойти на свадьбу. Там соберется половина Чарлстона. Среди восьми сотен гостей будет трудно найти кого-то, даже если захочешь. И Луиза к тому времени успокоится.

Том уговаривал Саванну, пытаясь не показать, как сильно расстроен. Луиза походила на собаку, которая ни за что не желает расставаться со своей костью. Она хотела изгнать Саванну из их жизни. Для семнадцатилетней девочки это было трудное положение, но еще труднее приходилось ему, вынужденному разрываться между женой и дочерью. Саванна обижалась, у него подобное злопыхательство уносило все силы. Дейзи старалась по возможности не попадаться матери под горячую руку.

В тот вечер, разговаривая с матерью, Саванна упомянула о приглашении, и Алекса удивила дочь, сказав, что тоже получила приглашение на свадьбу.

— Ты приедешь, мама? — спросила Саванна, которая не могла себе этого представить, если там будет Луиза.

— Нет, миленькая, не приеду. Но с их стороны очень мило пригласить меня. Ты можешь пойти, если хочешь. Вряд ли мне следует это делать. У Луизы случился бы сердечный приступ, или она могла бы отравить мой суп, — сказала Алекса, и Саванна рассмеялась.

— Там будет восемь сотен гостей. По слова папы, она нас может не увидеть.

— Не хочу создавать ей неудобства, Саванна.

— Знаю, мама. Но мне хотелось бы пойти только с тобой.

— Ну посмотрим. После суда поговорим. Сейчас у меня голова не воспринимает разговоры о свадьбах, — сказала Алекса.

В тот день у нее была еще одна пресс-конференция. Общественный защитник тоже провела свою. Она настаивала на том, что всему виной неправильная трактовка событий, что невиновного человека просто подставили и что все выяснится в ходе судебного процесса. Она заявила о своей абсолютной уверенности в том, что с Люка Квентина будут сняты обвинения и он будет отпущен на свободу.

Когда Саванна чуть позднее еще раз увидела эту женщину на экране, ее вид и слова показались ей еще более безумными. Дейзи, смотревшая телевизор вместе с Саванной, совсем запуталась.

— Так сделал он это или не делал? — спросила сестру Дейзи.

— Это решат присяжные заседатели. Но он это сделал, поверь. Ему предъявят обвинение и посадят в тюрьму.

— Так почему же другая леди говорит, что он этого не делал?

— Это ее работа. Она должна его защищать. А работа моей мамы — доказать, что он это сделал, — объяснила Саванна.

Дейзи кивнула. Она ежедневно получала от Саванны уроки юриспруденции. Судья запретил съемки в зале судебных заседаний, но как только начнется суд, в коридорах и на ступеньках лестницы, ведущей в здание суда, закипят страсти.

В день начала суда Саванна посмотрела новости перед уходом в школу. Потом смотрела их снова в кафетерии во время обеденного перерыва. Рядом толпились учащиеся, знавшие, что ее мама выступает обвинителем на этом судебном процессе. В окружении толпы репортеров Алекса поднималась по ступенькам в здание суда, но даже не остановилась. Последующие несколько дней суду предстояло заниматься выбором присяжных заседателей.

Судья Артур Либерман, человек лет пятидесяти с небольшим, казался суровым. Его зоркие глаза замечали каждую мелочь в зале заседаний. Бывший морской пехотинец, подтянутый, с коротко подстриженными седыми волосами, он не выносил никакой расхлябанности в работе.

Он терпеть не мог прессу, но и адвокатов не любил, ни со стороны защиты, ни со стороны обвинения, считая, что они зря тратят его время бесполезными ходатайствами и пустыми возражениями. Перед слушанием дела он пригласил Алексу и Джуди Даннинг к себе в кабинет и прочел им отрезвляющую лекцию, строго предупредив, чего он от них ожидает.

— Я не допущу в моем зале заседаний никакого вздора, никаких глупых выдумок, никакого заигрывания с Большим жюри и неуместных действий. В моем зале заседаний еще никогда не допускалось нарушений процессуальных норм, и я не намерен допускать этого и впредь. Это ясно?

Обе женщины кивнули и сказали, словно послушные дети:

— Да, ваша честь.

— У вас есть клиент, которого нужно защитить, — продолжал он, обращаясь к Джуди, — а вам нужно доказать, что он виновен в убийстве восемнадцати человек. — Он взглянул на Алексу. — Это единственное, что от вас требуется. В моем зале заседаний я не потерплю никакого безответственного актерствования и излишней драматизации событий. И будьте осторожнее в беседах с представителями прессы! — напутствовал он.

Через полчаса начался выбор присяжных, которому, казалось, конца-краю не будет. Алекса сидела за прокурорским столом между Джеком с одной стороны и Сэмом Лоренсом — с другой.

Алекса прониклась уважением к Сэму, когда они вместе готовили судебный процесс. Он придирался к каждой мелочи. Однако благодаря ему она стала работать еще тщательнее, чем обычно. За последние месяцы они не раз обедали вместе за ее рабочим столом. Она знала, что ему за пятьдесят, что он много лет назад овдовел и всю свою жизнь посвятил ФБР. Она знала также, что если они выиграют дело, то не без его помощи. Сэм ненавидел Квентина и был так же твердо намерен изолировать его от общества, как Джек, Алекса или окружной прокурор. Именно это являлось его единственной целью, а не желание во что бы то ни стало отобрать у нее дело в отличие от директора регионального отделения ФБР. Старший специальный агент Сэм Лоренс хотел, чтобы обвинение осуществлялось самым компетентным работником, и, считая таковым Алексу, всячески помогал ей. Он улыбнулся, когда она заняла место рядом, и отбор присяжных начался.

После того как были отпущены будущие матери, больные, те, кто не мог уйти со своих работ, кто не говорил по-английски, ухаживал за умирающими родственниками или отказывался, не будучи в состоянии привести убедительные причины, отобрали сотню потенциальных присяжных заседателей для этого долгого, изнурительного процесса.

Алекса знала, что среди этой сотни людей, сидевших в зале с надеждой, что их тоже отпустят, будет еще немало таких, которые откажутся по аналогичным причинам. Судья объяснил им всем, что дело будет рассматриваться долго, поскольку связано с множественными убийствами, свидетельские показания и аргументация могут продлиться несколько недель или даже больше месяца. Те, для кого это может создать трудности или кому это не подойдет по состоянию здоровья, должны заявить об этом секретарю суда. Не прошло и нескольких минут, как к нему выстроилась очередь примерно из двадцати человек. Остальные восемьдесят человек замерли в молчании, ожидая, когда им начнут задавать вопросы защитник и обвинитель, чтобы либо оставить их, либо отпустить. Среди них были люди всех рас, возрастов, обоих полов, и они выглядели как обычные люди, каковыми и являлись — врачи и домохозяйки, учителя, почтальоны, студенты. Все застыли в ожидании, глядя на Джуди и Алексу.

Когда процесс начался, тихо привели Люка Квентина, в костюме и без наручников или кандалов. Поскольку за месяцы пребывания в тюрьме в ожидании суда никаких проявлений ярости с его стороны замечено не было, ему позволили появиться как цивилизованному человеку, чтобы не оказывать ненужного воздействия на присяжных своим злодейским видом, хотя те и знали, за что он там оказался.

Скользнув по нему взглядом, Алекса заметила новенькую белую сорочку. Она не встретилась с ним взглядом, но видела, как Джули ободряюще улыбнулась ему, когда он вошел, и потрепала по руке, когда он уселся рядом. Он казался спокойным и собранным, отнюдь не испуганным. Неторопливо прошелся взглядом по жюри присяжных, как будто собирался сам их выбирать. Формально он тоже имел право задавать им вопросы, хотя Алекса сомневалась, что он будет это делать.

Первым присяжным был уроженец Азии, который четыре раза неправильно понял вопросы Алексы и два раза вопросы Джуди. Его поблагодарили и отпустили. Второй была недавно прибывшая из Пуэрто-Рико молодая женщина с испуганным лицом, которая сказала, что у нее четверо детей и две работы и она не может оставаться. Ее тоже отпустили. Алекса знала, какого присяжного она предпочла бы иметь — солидного гражданина, желательно в возрасте родителей. Общественный защитник делала все, что могла, лишь бы таких в жюри не оказалось. В этой игре каждый адвокат пытался расставить на доске фигуры по своему усмотрению. И защитник, и обвинитель могли сделать хоть двадцать отводов присяжных без указания причины, просто на том основании, что им не нравятся ответы на заданные вопросы. В составе жюри присяжных редко оставляли родственников офицеров правоохранительных органов или тех, кто слишком тесно связан с правовыми структурами или системой уголовного правосудия. Отводили кандидатуры копов, а также лиц определенных профессий, например, известных юристов или тех, у кого был убит или умер насильственной смертью родственник. Старались исключить все формы предвзятого отношения или излишнего сочувствия к любой из сторон. Этот трудоемкий, медленный процесс занял целую неделю, как того и ожидала Алекса. По правде говоря, она даже думала, что он может продлиться дольше.

И во время всего процесса Квентин спокойно встречался взглядом с каждым присяжным и либо улыбался, либо сверлил взглядом насквозь.

Казалось, он выбирает тактику, демонстрируя то запугивание, то невинность и мягкость, то безразличие. Большую часть времени он почти не замечал своего общественного защитника, хотя она частенько склонялась к нему, чтобы шепотом дать объяснения или спросить его о чем-либо. Он отвечал кивком или покачиванием головы. А за прокурорским столом Алекса консультировалась с Джеком и Сэмом, но чаще сама принимала решение о том, кого из присяжных оставить, а чью кандидатуру отклонить.

Двое присяжных получили отвод, когда сказали, что знают судью, и он подтвердил это; многие ссылались на проблемы со здоровьем, некоторые хотели бы остаться, но были не такими присяжными, каких хотела бы иметь Алекса, некоторым давала отвод Джуди, чувствуя, что они скорее всего признают Квентина виновным. Однако и защитник, и обвинитель могли пользоваться только тем материалом, который был в их распоряжении, и не имели возможности извлечь из цилиндра идеального присяжного, как фокусник кролика. Как эти люди будут реагировать на улики, преступления и обвиняемого? Ведь им предстояло вынести либо обвинительный, либо оправдательный вердикт, причем окончательное решение всех двенадцати присяжных заседателей должно быть единогласным. Если хоть один из них будет против, это означает роспуск жюри. И Джуди, и Алексе меньше всего хотелось роспуска жюри по причине того, что присяжные заседатели не вынесли единогласного решения. В таком случае пришлось бы снова рассматривать дело в присутствии жюри другого состава, хотя Квентину, возможно, понравилось бы, если бы затянулся процесс его обвинения и пожизненного водворения в тюрьму.

Приговор выносит судья, а не жюри присяжных, причем делает он это через месяц после вынесения вердикта. Единственное, о чем они могли не беспокоиться, так это о смертной казни. В 2004 году Нью-Йоркский апелляционный суд отменил смертную казнь, и в последующие годы, не прекращаясь, шла борьба за ее восстановление. Пока что в штате Нью-Йорк смертных приговоров не выносилось. Люк будет приговорен к пожизненному тюремному заключению без права досрочного освобождения, но не получит приговора к смертной казни. Таким образом, присяжные не будут мучиться, зная, что вследствие их решения человека лишили жизни, и это несколько облегчало их задачу. Все другие преступления Квентина увязывались с нью-йоркским делом, так что его судили сразу за изнасилование и убийство восемнадцати женщин. Ему предъявлялось обвинение в восемнадцати случаях изнасилования и восемнадцати случаях преднамеренного убийства первой степени.

В пятницу были выбраны двенадцать присяжных заседателей основного состава и еще четверо запасных на тот случай, если бы пришлось заменить кого-нибудь из основного состава. В основной состав присяжных входили восемь мужчин и четыре женщины. Алексу это устраивало. Может быть, у мужчин возникнет сочувствие к погибшим женщинам и они ожесточатся против Квентина. Четверо из них могли бы иметь дочерей такого же возраста. Двое, правда, были чуть моложе, чем ей хотелось бы, и их реакцию было труднее предсказать, но к тому времени, когда их выбирали, Алекса уже использовала все свои права на отвод присяжных без указания причины. Все они работали и выглядели респектабельными и разумными людьми.

Джуди возражала против молодых женщин в составе жюри, но все четыре запасные присяжные были в возрасте от тридцати до сорока лет, к тому же всех рас — белые, латиноамериканцы, азиаты и афроамериканцы. Взглянув на них, Алекса убедилась, что это хорошо подобранный состав присяжных. Она немало потрудилась, чтобы сделать его таким, несмотря на некоторые возражения Джуди, которой хотелось, чтобы в состав жюри входило побольше мужчин, потому что, по ее мнению, они могли с бо́льшим сочувствием отнестись к Люку. Алекса с этим не соглашалась, но в конце концов состав жюри удовлетворил обеих. Конечно, нельзя исключить и сюрпризов, но Алекса, опираясь на собственный опыт, считала состав этого жюри удачным. Насколько она права, станет известно после суда.

Когда присяжных отпустили, на Квентина снова надели наручники и кандалы и вывели в сопровождении четырех помощников шерифа. Он шел спокойно и самоуверенно и по пути замедлил шаг, чтобы взглянуть на Алексу. Он смотрел чуть насмешливо, а лицо Алексы оставалось бесстрастным. Потом он двинулся дальше.

В ту неделю они поработали на совесть. Сэм и Джек тоже остались довольны. Прежде чем выйти из зала, они минутку поговорили между собой. На Сэма произвели большое впечатление логичные суждения Алексы и ее умение точно оценить ситуацию, о чем он неоднократно докладывал высокому начальству. Конечно, все покажет суд, но Сэм обратил особое внимание на ее умение не упускать ни одной мелочи. Джо Маккарти в ту неделю тоже несколько раз незаметно приходил в зал заседаний, чтобы понаблюдать за процедурой выбора присяжных. Он одобрил выбранный Алексой состав и мысленно похвалил за умение избежать попадания в жюри нежелательных кандидатур.

— Ну что ж, теперь у нас есть жюри из двенадцати человек, чтобы судить Квентина, — сказала Алекса, укладывая в кейс документы. Чемоданчик стал теперь таким тяжелым, что пришлось поставить его на колеса.

— Готовы к съемке крупным планом, миссис Хэмилтон? — пошутил Сэм, когда они выходили из зала суда. Их встретила толпа представителей прессы, желающих узнать ее мнение о составе жюри присяжных.

— Мы удовлетворены составом жюри, — только и сказала Алекса, воздержавшись от дальнейших комментариев. Джек пытался проложить путь, а Сэм находился рядом с ней вместе с несколькими полицейскими, но она оказалась в центре внимания и очень неплохо с этим справлялась. У выхода их ждал фургончик. При Алексе должен был теперь постоянно находиться коп; ей пришлось вернуться в свой кабинет, чтобы закрыть все на уик-энд. Джек выразил желание пойти с ней, так что Сэма высадили у входа в здание ФБР и пожелали хорошего уик-энда. Сэм сказал, что, как и все они, будет доступен во время уик-энда по сотовому телефону. Алекса подумала было, не слетать ли в Чарлстон, чтобы увидеться с Саванной, но поняла, что не сможет этого сделать. Предстояло просмотреть кое-какие материалы и устранить последние шероховатости во вступительном заявлении.

Когда она входила в кабинет, зазвонил мобильник. Это была Саванна.

— Я только что видела тебя по телевизору, — с гордостью сказала она. — Ты выходила из здания суда. Мама, ты была великолепна!

Алекса рассмеялась:

— Ты слишком пристрастно относишься ко мне. Я всего лишь выразила удовлетворение составом жюри и воздержалась от дальнейших комментариев. Тем не менее спасибо. — Алексу тронуло живое участие Саванны в ее жизни.

— Дейзи и папа тоже так считают, — заявила Саванна. Они, видимо, достигли консенсуса. Луиза уехала играть в бридж. — Ты выглядела спокойной и собранной. Сказала, что хотела, и не теряла самообладания ни на миг. По крайней мере нам так показалось. И прическа твоя мне понравилась, — добавила Саванна. Вместо обычного тугого пучка Алекса собрала волосы в конский хвост и перевязала атласной лентой, что придавало ей менее строгий вид.

— Спасибо, солнышко. Посмотрим, что-то нам покажет следующая неделя. Думаю, состав жюри довольно удачен. Надеюсь, я не ошиблась. Хотела было приехать на этот уик-энд, но просто не смогу, — расстроенно сказала она.

— Мама, у тебя и без этого сейчас головной боли хватает.

— Что правда, то правда, — призналась Алекса. — Что ты собираешься делать в этот уик-энд?

— Завтра пойду на матч, где играет Тернер, а вечером он придет сюда. — В цокольном этаже дома находилась старая игровая комната — любимое место ее братьев в детстве. Там стоял стол для пинг-понга, а также бильярдный стол, и отец предложил Саванне и Тернеру встречаться там. Луиза никогда не спускалась в цокольный этаж, и Тому казалось удобнее принимать Тернера там, чем в ее комнате.

— Передай ему привет от меня, — сказала Алекса, возвращаясь к работе за письменным столом.

Вечером позвонил Сэм Лоренс.

— Я не помешал? — тактично спросил он.

— Вовсе нет. Я все еще работаю, — вежливо ответила Алекса. Работать с таким человеком было чрезвычайно приятно. Они с большим уважением относились друг к другу, да и с Джеком за последние месяцы Сэм подружился.

— Похоже, у нас с вами одинаковый режим работы. Я скоро, наверное, вообще перееду в свой офис, — рассмеялся он. Во время суда им всем придется работать день и ночь. Даже Джуди Даннинг, а возможно, ей еще больше, поскольку ей ФБР помощи не оказывало. — Я просто хотел сказать вам, что действительно доволен составом жюри и считаю, что вы очень хорошо справились с процессом выбора. Вы настоящий профессионал, — сказал он, что в его устах звучало высочайшей похвалой. Агенты ФБР редко одобряли чьи-либо действия, кроме действий своих сотрудников.

— Надеюсь. Такие дела не терпят дилетантства, — улыбнулась Алекса.

— Дайте знать, если вам потребуется моя помощь во время уик-энда.

— Спасибо, думаю, я справлюсь, — заверила она. Саванна находилась в Чарлстоне, а значит, ничто не отвлекало Алексу и не было у нее других обязанностей, кроме работы.

Весь уик-энд она работала дома, просматривая сложенные в коробки результаты судебно-медицинских анализов и прочие документы, а также окончательно шлифуя свое вступительное заявление и выстраивая процесс обвинения до последней мелочи. К утру понедельника она почувствовала себя полностью готовой.

В понедельник утром они встретились в офисе Сэма и отправились в суд вместе. Пресса уже ждала, и вокруг них поднялся страшный шум, но Алекса, пробираясь сквозь толпу с помощью Джека, Сэма и пятерых полицейских, выглядела спокойной и невозмутимой, даже ни один волосок не выбился из прически. Она расположилась за прокурорским столом — деловая, компетентная, собранная.

Джуди Даннинг уже сидела за столом защиты. Четыре помощника шерифа ввели Люка Квентина, который уселся рядом с ней. Пять минут спустя вошел и занял свое место судья. Он начал с того, что изложил членам жюри их обязанности. В простых и ясных словах он объяснил им процедуру и поблагодарил за то, что они тратят свое личное время. Они выполняют очень важную работу, возможно, самую важную в зале заседаний, важнее, чем работа судьи или работа адвокатов. Присяжные слушали его с серьезными лицами и кивали.

Потом поднялась Алекса, чтобы сделать вступительное заявление. Она готовила его целый месяц. Алекса была в строгом черном костюме и туфлях на высоком каблуке. Представившись членам жюри, она объяснила свою роль обвинителя. Затем перешла к свои коллегам, назвав старшего следователя Джека Джонса, а также Сэма Лоренса, старшего представителя ФБР. Они составляют одну команду.

— Зачем нам здесь представитель ФБР? — тихо сказала она, пройдясь перед ними и заглянув каждому в глаза. — Эти преступления совершались в нескольких штатах, точнее, в девяти. Восемнадцать молодых женщин были убиты в девяти штатах. — Она не подчеркивала это, но произнесла именно так, чтобы эти цифры отпечатались у них в мозгу. — А когда пересекаются границы штатов, когда подсудимый переходит из одного штата в другой, чтобы совершить преступление, включается ФБР, чтобы координировать информацию, не допустить ошибки или какой-нибудь путаницы в отчетах правоохранительных органов разных штатов и чтобы вам, леди и джентльмены, была представлена проверенная и надежная информация. То, что в работе участвует представитель ФБР, означает, что рассматривается важное дело.

И это действительно важное дело. Не потому, что здесь присутствует представитель ФБР, а потому что убиты восемнадцать молодых женщин. Всех их зверски изнасиловали, душили во время полового акта и убили. Их было восемнадцать. Самой младшей было восемнадцать лет, старшей — студентке медицинского колледжа — двадцать пять. Восемнадцатилетняя училась в колледже и изучала богословие. — Алекса хотела подчеркнуть их серьезность, и, судя по реакции жюри, ей это удалось. Глаза всех присутствующих в зале заседаний были направлены на нее, а она говорила спокойно, с достоинством и очень убедительно. Это заметили Джек, Сэм и все присутствующие в зале заседаний. — Убийца не наткнулся на них случайно и не случайно изнасиловал и убил их, что, конечно, тоже было бы ужасно. Он спланировал это, наметив свои жертвы. Мы уверены, что он искал их, выслеживал и все сделал предумышленно. Он планировал изнасиловать и убить их, потому что это его возбуждало. Он убил их, потому что это доставляло ему максимальное удовольствие. Подсудимый любил смотреть фильмы «про то, как убивают», где женщин убивали во время полового акта. Ему хотелось воплотить эту фантазию в реальность, и он решил сделать это, убив восемнадцать молодых женщин ради того, чтобы испытать возбуждение. Убийством первой степени считается такое, когда человек планирует убийство, когда он намерен совершить его и исполняет задуманное. Это не несчастный случай, а спланированное деяние, совершенное «со злым умыслом». Вы понимаете, что это означает? Это был план. И этот план был осуществлен. Теперь молодые женщины мертвы.

Я знаю, у некоторых из вас есть дети. Я спрашивала вас об этом, когда выбирали жюри. Но даже если у вас нет детей, вы наверняка потрясены этими преступлениями. Как и все мы.

У меня есть дочь. Ей семнадцать лет. Я считаю ее красавицей, она значит для меня все. Буквально все. Она учится в выпускном классе средней школы и осенью начнет учиться в колледже. — Алекса не стала называть Принстон, чтобы не показалось, что она принадлежит к элите общества. — Она играет в волейбол, состоит в команде пловцов, дороже ее у меня никого нет. Я воспитывала ее одна, и она мой единственный ребенок. Так что она — все, что у меня есть. — Она сделала паузу и посмотрела в глаза каждому. Она только что раскрылась перед ними, как человеческое существо. Она мать-одиночка с ребенком, ей могут поверить. Пусть они знают это. Когда она говорила, некоторые с пониманием кивали. Теперь они были у нее в руках. — Шесть из этих девушек были единственными детьми в семьях. У семи были матери-одиночки. Девять из них были студентками и подрабатывали, чтобы платить за обучение и помогать своим семьям. Две росли без матери и заботились о младших братьях и сестрах. Четыре были одаренными учащимися. Восемь получали стипендии. Одиннадцать из них были религиозны и активно участвовали в церковной деятельности. Пять были помолвлены. Они занимались спортом, у них были братья и сестры, мамы и папы, а также учителя, которые знали и любили их. У них были бойфренды и друзья. Всех их уважали и любили и обо всех очень горюют. И всех их убил обвиняемый, сидящий перед вами. Всех. Восемнадцать девушек. Мы уверены, что это правда. Этому верит штат Нью-Йорк, этому верят восемь других штатов, этому верит ФБР, и, я думаю, когда вы услышите свидетельские показания по этому делу, вы тоже поверите этому.

Человек должен быть абсолютно лишен совести и каких бы то ни было чувств, чтобы убить восемнадцать молодых женщин, насилуя их, потому что это его возбуждает, причем спланировать заранее для каждой мученическую смерть.

Штат Нью-Йорк не имеет ни малейшего сомнения в том, что Люк Квентин, сидящий сейчас в зале суда за столом защиты, преднамеренно изнасиловал и убил восемнадцать молодых женщин, и представит вам доказательства.

Мы не можем позволить людям, которые ведут себя подобным образом, разгуливать среди нас, угрожать нашим детям и убивать тех, кого мы любим. Преступники должны сидеть в тюрьме и отбывать наказание за содеянные преступления. Если мы этого не сделаем, никто из наших детей или наших любимых не будет в безопасности, как и мы сами.

Мы уверены, что Люк Квентин убил этих женщин. Мы можем это доказать, и докажем это в ходе суда, так что у вас не останется ни малейших сомнений. И если вы согласитесь с нашими доказательствами, мы обратимся к вам с просьбой признать его виновным в изнасиловании и убийстве восемнадцати женщин. Это все, что мы можем сейчас сделать для тех, кого уже нет в живых. — Алекса пристально посмотрела на них, потом тихо поблагодарила за внимание и, вернувшись за прокурорский стол, заняла свое место. Присяжных потрясла ее речь, а некоторых смутила. Когда Алекса садилась, Сэм Лоренс кивком выразил одобрение. Это мощное по силе воздействия вступительное заявление еще раз подтвердило, что они не ошиблись, поручив Алексе эту работу.

Затем Люк что-то шепнул своему адвокату, и та кивнула. Защита не была обязана делать вступительное заявление, но Джуди Даннинг все-таки решилась на это. Она понимала, что речь Алексы окажет мощное воздействие на аудиторию, и хотела попытаться хотя бы немного ослабить его до начала суда. Общественный защитник заранее предупредила судью о своем желании тоже сделать вступительное заявление.

Встав с места, она подошла к членам жюри и, представившись, объяснила, что будет защищать Люка Квентина.

— Я хочу, чтобы вы знали, леди и джентльмены, что я тоже скорблю по этим восемнадцати девушкам. Как и все мы. Как и Люк Квентин. Да и как можно не скорбеть? Навсегда ушли из жизни восемнадцать молодых, красивых женщин. Это ли не ужасно?

Вы услышите множество показаний, причем некоторые из них будут изложены трудным для понимания техническим языком. Они о том, что произошло, как произошло, где произошло и кто, возможно, это сделал. Штат Нью-Йорк считает, что это сделал Люк Квентин. Об этом только что вам сказала миссис Хэмилтон. Но мы этому не верим ни на минуту. Люк Квентин не убивал этих женщин, и мы сделаем все, что в наших силах, чтобы доказать это.

Иногда происходит ужасное стечение обстоятельств, и человек оказывается не в том месте, где следует, и не в то время. Все это выглядит так, словно он сделал что-то такое, чего он не делал. Будто совершил что-то ужасное, чего на самом деле не совершал. Как будто звезды, обстоятельства и просто злой рок ополчились на него, и его обвиняют в том, к чему он не причастен. — Она окинула каждого из присяжных острым взглядом. — Люк Квентин не совершал этих зверств. Он не насиловал и не убивал женщин. Мы приведем доказательства, и у вас не останется никаких сомнений. Если вы верите нам, если хоть немного сомневаетесь в том, что Люк Квентин совершил эти преступления, требуйте его оправдания. Не допустите наказания невиновного человека, какими бы ужасными ни были эти преступления. — С этими словами она вернулась на свое место.

Судья сразу же объявил перерыв на двадцать минут.

Джек и Сэм поздравили Алексу с ее вступительным заявлением, которое оказало сильное воздействие на жюри.

— Джуди тоже выступила неплохо, — справедливости ради заметила Алекса. Джуди не имела достаточно материала, на который можно было бы опереться, но она по крайней мере попыталась посеять в умах присяжных сомнение. Алекса понимала, что большего Джуди сделать не могла.

Они отправились к кофе-машине, наскоро выпили по чашке кофе и вернулись за прокурорский стол в тот момент, когда судья Либерман постучал молоточком, вновь призвав суд к вниманию. Он предложил Алексе вызвать своего первого свидетеля.

Она вызвала Джейсона из судебно-медицинской лаборатории, потому что он, как никто другой, был способен растолковать присяжным заседателям простым и доступным пониманию языком, что означают анализы ДНК. Далее она предполагала вызвать экспертов, информацию которых будет труднее осмыслить. Алекса задала Джейсону соответствующие вопросы, и он объяснил, что именно результаты анализов ДНК позволили изначально соотнести Квентина с преступлениями, совершенными в Нью-Йорке. Алекса держала Джейсона на свидетельской кафедре около часа, после чего судья объявил обеденный перерыв. Джейсон отлично справился со своей задачей, Алекса его поблагодарила. После обеда Джуди предстояло подвергнуть Джейсона перекрестному допросу. Сэм, Джек и Алекса не смогли проглотить ни кусочка. Она держалась за счет выброса адреналина и большую часть обеденного перерыва делала пометки в тексте и вставляла дополнительные вопросы. Пока она работала, мужчины разговаривали о спорте, а потом они все вместе вернулись в зал заседаний.

Перекрестный допрос Джейсона общественным защитником прошел слабо. Она тщетно пыталась сбить его с толку, подвергнуть сомнению его информацию. Но он всякий раз умудрялся растолковать сказанное еще понятнее и точнее. Не желая выглядеть глупой, она заявила, что больше вопросов не имеет. У Алексы тоже не было вопросов.

Затем Алекса вызвала одного из своих свидетелей-экспертов, который давал показания долго и медленно, но она ничего не могла поделать ввиду их особой важности. Алекса боялась, что подобные показания многих свидетелей от других штатов утомят присяжных, но информация каждого добавляла к обвинению важный штрих.

В целом первый день прошел удачно, как и вся первая неделя. Несмотря на гнусный характер преступлений, свидетельские показания не отличались эмоциональностью. Не было живых свидетелей преступлений, не могли дать никаких показаний родители. Преобладала техническая информация.

Самым эмоциональным фактором являлось, пожалуй, наличие в зале суда специально отведенных мест для родственников жертв. На этих местах сидели сто девять человек и с волнением наблюдали за происходящим, многие из них плакали. Присяжные сразу же поняли, кто они такие, и частенько на них поглядывали, Алекса один раз попробовала обратиться к ним, но Джуди заявила протест. Однако жюри к этому времени уже все стало ясно, и возражать было поздно. Там же находился Чарли вместе с родственниками, которые специально приехали, чтобы увидеть своими глазами, как вершится правосудие.

Представленные технические данные связывали Люка Квентина с каждой жертвой и ее смертью. Перекрестный допрос требовал опровержения этих показаний, а для этого у общественного защитника не было ни умения, ни данных, так что вряд ли она могла рассчитывать на успех. Алекса и Сэм встретились с Джуди в пятницу после обеда, когда суд распустили на уик-энд.

— Я хотела еще раз предложить вам уговорить клиента признать свою вину, — спокойно сказала Алекса. — Мы напрасно теряем время.

— Я так не думаю, — упорствовала Джуди Даннинг. — Случаются ошибки и в анализах ДНК. Мне кажется, в каждом штате копы постарались повесить на Люка все нераскрытые убийства. Если допущена хоть одна ошибка, если хоть один из эпизодов был представлен неправильно или не вполне добросовестно, появится сомнение, которое опровергнет все остальное.

Вероятность этого была ничтожно мала, но ничего другого Джуди не оставалось. Следовательские бригады в девяти штатах, а также ФБР постарались избежать ошибок. По мнению Алексы, Джуди вела себя опрометчиво и, как юрист, совершала самоубийство, лишь бы ее клиента судили открытым судом.

— Ему нечего терять, и он имеет право на суд, — мрачно заявила Джуди, как будто на ее глазах распинали на кресте невинного человека, а не хладнокровного убийцу. Стало ясно, что она все еще верит в невиновность клиента. Она уже не просто выполняла свою работу. Она выступила в крестовый поход во имя безнадежного дела. Алекса сочла поведение Джуди безумием.

— Ему есть что терять, — напомнила ей Алекса. — Судья обойдется с ним гораздо строже, если он будет попусту тратить наше время. Никто не проникнется к нему сочувствием. Сейчас ему было бы разумнее поставить точку и не заставлять нас затягивать суд на несколько недель. Судья придет в ярость.

Джек, полностью с ней согласный, считал, что опытный адвокат заставил бы Люка признать свою вину. Но Джуди была слишком слаба для этого и буквально порабощена Люком.

— Если бы я была его адвокатом, — сказала Алекса, — я заставила бы его сделать чистосердечное признание. Судья мог бы тогда вынести ему приговор по совокупности преступлений вместо приговоров по каждому пункту в отдельности, общий срок которых будет значительно превышать продолжительность жизни. Приговор по совокупности — это лучшее, на что он может рассчитывать.

— Значит, ему повезло, что вы не являетесь его адвокатом, — решительно сказала Джуди. — Я его адвокат, советник и заявляю, что он не станет признавать себя виновным.

Алекса кивнула, поблагодарила ее и вместе с Джеком вышла из комнаты, не говоря больше ни слова.

— До понедельника. — Алекса простилась с ним в вестибюле.

Четверо полицейских помогли ей спуститься по лестнице из здания суда и сесть в поджидавшую полицейскую машину, а еще двое весь уик-энд дежурили возле ее квартиры. В понедельник все вернулись в суд.

Технические показания продолжались в течение трех недель и, как считала Алекса, впечатляли своей убедительностью, не оставляя ни малейших сомнений. Им тоже, по мнению Алексы, не хватало эмоциональности. Тяжелое впечатление производили фотографии, потому что большинство жертв были обнаружены позднее, когда тела уже подверглись разложению. Присяжных предупредили, что придется на них посмотреть, хотя многим это стоило большого труда.

После трех недель показаний обвинение уступило место защите. Алекса представила огромный объем показаний экспертов и анализов ДНК, которые имели неопровержимый характер. Джуди же могла лишь попытаться внести путаницу, что она и сделала, правда, безуспешно. Но самым изобличающим фактом являлось то, что Люку не предоставили слова в свою защиту по причине его прежних судимостей и криминального прошлого. Он мог бы, конечно, сделать заявление, но это выглядело бы верхом глупости. Даже Джуди не захотела рисковать, поэтому он молчал, а это говорило о многом. В течение трех недель он просто сидел в зале суда с надменным видом, явно не испытывая никакого сочувствия к рыдающим родственникам жертв.

Показания защиты заняли менее недели. Алекса вызвала всего двоих свидетелей защиты для перекрестного допроса, но быстро их отпустила, убедившись в их полной некомпетентности. Потом взяла слово Джуди и сказала несколько эмоциональных заключительных фраз, умоляя присяжных не обвинять невиновного человека и выразив надежду, что ей удалось убедить их в его невиновности. Присяжные наблюдали за ней с каменными лицами.

В своем заключительном слове Алекса подытожила представленную информацию, напомнив, что по каждому эпизоду убедительно доказана связь Люка Квентина как убийцы с жертвой. Она прошлась по перечню доказательств, как простых, так и сложных, которые должны были убедить присяжных в том, что подсудимый виновен во всех этих преступлениях.

Затем она в целях большей эмоциональности напомнила об их обязанности как членов жюри присяжных вершить правосудие над преступниками вроде Люка Квентина и вынести обвинительный вердикт в отношении человека, который, как это доказано, изнасиловал и убил восемнадцать женщин. Она поблагодарила жюри за внимание во время длительного судебного процесса.

Затем судья разрешил присяжным покинуть зал, чтобы посовещаться. Старшина присяжных уже затребовал диаграммы и другие материалы, представленные в суде. На протяжении всего судебного процесса судья предупреждал присяжных о том, что они не должны читать, что пишут о суде в газетах, однако не изолировал их.

В тот вечер, если не будет достигнуто консенсуса, присяжных должны были отвезти на ночь в гостиницу. И так будет продолжаться до тех пор, пока они не вынесут вердикт. Присяжные покинули зал заседаний, и Алекса с облегчением вздохнула. Она сделала свою работу. Сэм и Джек смотрели на нее с восхищением.

— Вы проделали невероятно трудную работу, — сказал Сэм, испытывая почти благоговение перед решительностью

Алексы и точностью ее действий. Наблюдать за ней в суде было все равно что смотреть балет. Она обладала потрясающей способностью заставлять сложную информацию звучать просто и понятно для присяжных и поступала очень разумно, не сбивая с толку членов жюри технической терминологией.

Алекса поднялась с места как раз в тот момент, когда Люка Квентина выводили в наручниках из зала суда четыре помощника шерифа, которые были при нем в течение всего судебного процесса. На этот раз во взгляде его полыхала ненависть. Он, кажется, понял, что дело оборачивается для него плохо. Ничего не сказав, он прошел мимо Алексы, но если бы взгляды могли убивать, Квентин убил бы ее на месте. В тот момент Алекса больше, чем когда-либо, порадовалась, что отослала отсюда Саванну. Пока он не окажется пожизненно за решеткой в тюрьме строгого режима, ее дочь не будет чувствовать себя в безопасности.

Сэм, Джек и Алекса должны были ждать, пока присяжные не закончат совещаться, не в зале суда, а поблизости. Поскольку у каждого при себе имелся мобильник, они решили вернуться в кабинет Алексы. С трудом верилось, что дело близилось к завершению. Алекса надеялась, что жюри вынесет обвинительный вердикт, и никак иначе. Но жюри могло неожиданно проявить склонность к донкихотству, если вдруг у присяжных возникнет малейшая доля сомнения или если даже им окажется трудно воспринять информацию. И тогда преступник будет отпущен на свободу. Все знали, что такое иногда случалось.

В кабинете Алексы Сэм растянулся на кушетке, Джек удобно расположился в кресле, а Алекса уселась, положив ноги на другой стул. Она была взбудоражена и в то же время измучена, потому что последние пять недель после выбора присяжных работала на износ. Наступило уже первое июня. Через десять дней у Саванны состоится церемония окончания школы в Чарлстоне. К тому времени жизнь вернется в нормальное русло. Окружной прокурор пообещал Алексе недельный отпуск, как только будет вынесен вердикт. Сунув голову в приоткрытую дверь кабинета, он сказал, что заходил в зал, когда она выступала с заключительным словом, и что это было выше всяких похвал. Во время суда он и несколько высокопоставленных сотрудников ФБР частенько заходили в зал заседаний.

Не имея сил на разговор, они ждали в ее кабинете вызова из суда. Наконец позвонил судейский секретарь и сказал, что они могут отправляться домой. Присяжных отвезут на ночь в гостиницу и вновь созовут на утреннее совещание. Алекса сообщила об этом Джеку и Сэму, и оба выразили недовольство. Каждый в душе надеялся, что вынесен вердикт, хотя для этого было несколько рановато. Они пригласили Алексу поужинать, но она отказалась, сославшись на усталость. Алекса вернулась домой, уселась на диван и бездумно уставилась в экран телевизора. Последние пять недель были невероятно изнурительными. Она так и заснула на диване, не раздеваясь, без ужина, с включенным телевизором, и проспала до семи часов утра. Взглянув на наручные часы, Алекса вскочила. Надо принять душ и переодеться. Через два часа вновь соберется жюри.

Глава 17

Сэм, Джек, Алекса, общественный защитник, родственники жертв ждали еще целый день, пока жюри совещалось, но безрезультатно. Все они уже готовились уйти, отправив жюри еще на одну ночь в гостиницу, когда старшина присяжных нажал кнопку зуммера в кабинете судьи, объявляя тем самым, что жюри вынесло вердикт.

Суд немедленно собрался вновь, и снова ввели обвиняемого.

Пожилой мужчина, старшина присяжных, встал и взглянул на судью.

— Вы вынесли вердикт, мистер старшина присяжных? — официально обратился к нему судья, и тот кивнул:

— Да, мы вынесли вердикт, ваша честь. Присяжные заседатели вынесли вердикт единогласно.

Алекса облегченно вздохнула. Значит, не придется переизбирать жюри. Не будет повторного слушания дела. Как бы то ни было все кончилось. Все они сделали свою работу, в том числе и члены жюри.

Судья приказал обвиняемому встать и вновь обратился к старшине присяжных:

— Виновен или невиновен подсудимый в восемнадцати случаях изнасилования, мистер старшина присяжных?

— Виновен, ваша честь, — отчетливо произнес он, и Алекса взглянула на Сэма. Они еще не выиграли дело, но были на полпути к победе. Присутствующие в зале затаили дыхание.

— Виновен или невиновен подсудимый в восемнадцати случаях убийства первой степени?

— Виновен, ваша честь, — произнес старшина, глядя на судью, но не на Люка. — Виновен по всем пунктам обвинения.

В зале суда послышались крики, возгласы и рыдания родственников и вообще поднялся шум, но судья постучал молоточком и призвал всех к порядку. Алекса заметила, как Чарли и его мать обнимают друг друга и плачут. Судья поблагодарил присяжных за трудную работу, гражданскую ответственность и многие недели потраченного времени, после чего их сразу же увели из зала суда, как и Люка, на которого теперь надели и наручники, и уже приготовленные кандалы. Алекса не могла удержаться и все-таки посмотрела, как его уводят. Когда его проводили мимо, он повернулся к ней с перекошенным от злобы лицом, сразу же став похожим на маньяка-убийцу, то есть на самого себя.

— Пропади ты пропадом! — прошипел он напоследок.

Джуди пыталась успокоить Квентина, пока он еще находился в зале, но тот грубо оттолкнул ее, и она, ошеломленная, осталась сидеть на своем стуле. Алекса подошла к ней, чтобы, как полагается, обменяться рукопожатием.

— Вы не могли выиграть это дело, Джуди. У вас не было ни малейшего шанса. Ему следовало признать себя виновным, — сказала Алекса.

Джуди посмотрела на нее печальным взглядом.

— Я не думаю, что он это сделал. И это самое ужасное, — сказала она, когда Алекса, ушам своим не веря, взглянула на нее. Эта женщина верила человеконенавистнику и хладнокровному убийце.

— А я уверена в обратном, — тихо, но твердо сказала Алекса. Она надеялась, что Джуди никогда не увидится с ним после вынесения приговора. А ей самой, к сожалению, еще придется его увидеть.

Судья снова постучал молоточком и объявил, что приговор по этому делу будет вынесен десятого июля и что представители обвинения и защиты, а также подсудимый должны при этом присутствовать. Потом он поблагодарил всех, распустил суд и скрылся за дверью своего кабинета. Было половина восьмого вечера, и ему хотелось домой, так же как и Алексе. Она очень соскучилась по дочери, с которой не виделась уже целый месяц.

На сей раз, чтобы провести Алексу сквозь толпу репортеров, потребовались усилия десяти копов. Представители прессы проявляли настойчивость, им хотелось получить от нее комментарии или взять интервью, а она лишь улыбалась, торопливо спускаясь по ступеням к патрульной машине. Все бросились за ней.

— Что вы можете сказать? Каковы ваши ощущения? — Они окликали ее по имени, и она с улыбкой повернулась к ним, прежде чем сесть в машину.

— Справедливость восторжествовала. Это единственное имеет значение. Убийца восемнадцати женщин осужден. Для этого мы и находимся здесь. Это наша работа, — сказала Алекса и села в полицейскую машину.

Саванна позвонила ей по сотовому, когда она еще не успела доехать до дома. Она только что посмотрела новости и услышала, что сказала Алекса.

— Я так горжусь тобой, мама.

— А я горжусь тобой, миленькая. Извини, что все это заняло так много времени, — сказала Алекса, успокаиваясь впервые за несколько месяцев. Летом она будет наслаждаться каждой минутой пребывания вместе с Саванной, чтобы наверстать упущенное время. — Я прилечу к тебе завтра, миленькая, ты готова вернуться домой?

— Сразу же после церемонии окончания, мама. Осталась всего неделя.

— Знаю. Затем у тебя будет церемония окончания здесь. А мне придется присутствовать на вынесении приговора в июле, но я думаю, что потом мы сможем на несколько недель поехать в Европу. Мне очень нужны каникулы! — заявила Алекса и рассмеялась.

Они поболтали несколько минут, и Алекса пообещала прилететь на следующий день. Она была свободной женщиной. Свершилось. Люка Квентина заключат в тюрьму пожизненно. В течение следующего месяца ее еще будут продолжать защищать два детектива, но жизнь может снова стать нормальной. И Саванна сможет наконец вернуться домой. Входя в свою квартиру, Алекса широко улыбнулась. Она сделала свою работу, и сделала хорошо. Какое великолепное ощущение!

Глава 18

На следующий день Алекса, как обещала, улетела полуденным рейсом в Чарлстон. Саванна отпросилась в школе, чтобы встретить ее в аэропорту, и обе с нетерпением ждали встречи.

Накануне вечером, упаковывая чемоданы, Алекса поговорила по телефону со своей матерью. Та сердечно поздравила ее с успешным завершением дела, Стэнли тоже позвонил и поздравил. Он дважды заглядывал в зал заседаний и сказал, что она блестяще провела обвинение и держалась с достоинством. Она ни разу не попыталась превратить все в спектакль и опиралась на факты и данные судебно-медицинской экспертизы. Такой, по его мнению, правильный подход и помог выиграть дело.

Утром, перед ее выездом в аэропорт, позвонил Сэм и сказал, что ему будет не хватать ее. Он жил и работал в Вашингтоне и теперь туда возвращался, хотя часто бывал в Нью-Йорке. Он предложил пообедать вместе как-нибудь осенью. Накануне звонили Джек и Джо Маккарти. Вообще царила атмосфера победы и праздника, но еще приятнее было то, что она теперь могла привезти домой свою дочь. Квентин недавно намекнул одному из охранников в тюрьме, что устроил «маленькую игру», чтобы запугать Алексу, и Джек рассказал ей об этом. В эту «игру» Квентин играл с ней через одного своего дружка, который подбрасывал письма Саванне. Квентину это казалось забавным, и Алекса, узнав об этом, еще раз порадовалась тому, что отправила дочь в Чарлстон. Как только дружок сообщил Квентину об отъезде Саванны, тот потерял интерес к «игре», письма перестали приходить. Для Алексы это была не игра. Она сходила с ума от тревоги за Саванну, и эти письма попортили ей немало крови.

Алекса не могла не признать, что время, проведенное Саванной в Чарлстоне, пошло ей на пользу. У дочери установились близкие отношения с отцом, что было важно для нее, хотя и приводило в ярость его жену. Мать Алексы вновь напомнила ей, что Саванне полезно узнать кое-что о семье своего отца и встретиться со старенькой бабушкой, которой жить осталось не так уж долго. Для всех них это было самое подходящее время, чтобы окончательно забыть о прошлом. Даже Алекса смогла наконец справиться с призраками прошлого, которое уже не вызывало у нее былой горечи. Теперь, глядя на Тома, она видела бесхарактерного мужчину, который заплатил непомерно высокую цену за свое предательство. Неужели этого человека она любила или даже ненавидела? Теперь Алекса словно обрела свободу.

Когда она спустилась по трапу, дочь уже ждала ее. Они крепко обнялись и долго не отпускали друг друга. Саванна отвезла ее на маленькой машине, которую одолжил отец, и вернулась в школу, пообещав приехать позднее.

Том позвонил, когда она распаковывала вещи, и тоже поздравил ее. Он видел ее по телевизору накануне вечером выходящей из здания суда и, как всегда, поразился ее скромности, когда она сказала, что справедливость восторжествовала. Алекса не искала славы. Она добивалась лишь одного — чтобы виновный понес наказание, и это свершилось.

— Ты, наверное, измучена, — посочувствовал Том, и она призналась, что так и есть. — Но ты останешься на церемонию окончания школы? — с надеждой в голосе спросил он.

— Нет, я должна вернуться. Мне дали всего неделю отдыха, а затем я вернусь в Нью-Йорк. — Она по-прежнему испытывала к нему благодарность за эти четыре месяца, проведенные с Саванной у него в Чарлстоне. Помимо всего остального, это дало ей время подготовиться к суду, не тревожась о дочери.

— Мне будет очень грустно, когда она уедет, — признался Том. — И Дейзи тоже. Надеюсь, ты приедешь сюда в конце июня на свадьбу Трэвиса.

Алекса засомневалась в искренности его слов. Скорее всего это просто «вежливость по-южному». Трудно сказать.

— С их стороны очень мило пригласить меня, но твоей жене это может не понравиться.

Том расстроился, услышав ответ, потому что надеялся увидеть ее там.

— Когда собирается восемь сотен гостей, можно привести медведя в балетной пачке, и никто не заметит.

— Медведя, возможно, и не заметят, но не бывшую жену, — честно призналась Алекса. — Я уверена, Луиза будет против моего присутствия. — Это была территория Луизы, а не Алексы. Алекса с уважением относилась к соблюдению границ, хотя Луиза ее границы нарушала как заблагорассудится.

— Это не ей решать, а Трэвису и Скарлетт. А они хотели бы, чтобы ты приехала. Саванна тоже будет.

— Она может делать все, что хочет. Я с ней поговорю. Она уже большая девочка и может приехать одна.

— Я надеялся, что ты приедешь, Алекса, — тихо сказал Том, и она сделала вид, будто не заметила его тона. Удивительно знакомая мягкость его голоса имела сладковато-горький привкус, но было слишком поздно.

— Там видно будет, — уклончиво сказала Алекса, и оба понимали, что это означает «нет».

— Я еще увижусь с тобой на неделе до твоего отъезда, — сказал он.

— Я приехала, чтобы отдохнуть, провести время с Саванной и отдышаться после суда. Я как выжатый лимон. — Чувствовалось, что она действительно безумно устала, но была счастлива.

Саванна вернулась около шести часов, и они вместе побродили по тихим улочкам, вымощенным брусчаткой. Погода стояла жаркая, всюду цвели и благоухали роскошные цветы. Чарлстон был прекрасен и романтичен. Пока Саванна оставалась в школе, Алекса бродила по городу и посетила даже одну из старых плантаций. На следующий день они с Саванной отправились на пляж и взяли с собой Тернера. Потом Алекса пригласила Саванну с друзьями на ужин в порядке предварительного празднования окончания школы. Все, включая Алексу, находились в приподнятом настроении.

Неделя в Чарлстоне пролетела, не доставив никаких проблем или неприятных моментов. Они даже с Луизой ни разу не столкнулись. Все эти дни та полностью игнорировала Саванну, и никто не возражал.

Саванна до последнего вечера не начинала разговор о свадьбе Трэвиса. Она действительно хотела пойти и, разумеется, вместе с матерью. Действительно, при таком наплыве гостей едва ли могли возникнуть неприятности. А вот присутствие на предварительном ужине, который давали Том и Луиза в загородном клубе, могло вызвать проблемы, но на приеме этого не стоило опасаться. Алекса снова приняла от Тома приглашение на обед, и тот приободрился. Он больше не упоминал о том, как сильно скучает по ней, или о том, как сожалеет о происшедшем, как несчастлив с Луизой. Он уважал установленные ею границы, и она была благодарна ему за это. В противном случае их встреча больше не состоялась бы. Все для Алексы осталось в прошлом.

— Ну пойдем, мама, — уговаривала ее Саванна, выглядя при этом скорее как пятилетний ребенок, чем как семнадцатилетняя девушка. И Алекса рассмеялась.

— Какая разница, буду я там или нет? Ты станешь веселиться со своими друзьями.

Все, кого она знала, получили приглашения, даже Тернер и Джулиана, поскольку пригласили также их родителей. В Чарлстоне светское общество ограничивалось весьма небольшим кругом, и восемь сотен гостей представляли всех, кто имел положение в городе. По словам Саванны, на предварительный ужин пожалует даже сам губернатор, а на церемонию бракосочетания приедут несколько, ну по крайней мере двое, сенаторов. Луиза любила похвастать своими связями, так же как и родители Скарлетт. Эти две семьи стоили друг друга, равно как подходили друг другу жених и невеста.

— Просто было бы веселее, если бы ты была здесь. Мы могли бы приехать вместе. — Саванна еще не говорила, что хочет вернуться в августе, чтобы увидеться с Тернером, прежде чем оба разъедутся по своим колледжам. Роман между ними продолжался, чувства крепли. Они любили друг друга.

— Ладно-ладно, — сдалась наконец Алекса, — но мне это будет неудобно. Я знала всех этих людей, будучи замужем, а теперь я изгой.

— Никакой ты не изгой, мама. Ты звезда национальных средств массовой информации. Ты знаменитый прокурор из Нью-Йорка.

— Не говори глупостей. — Но на самом деле так оно и было.

— Тебе нечего стыдиться, мама, — продолжала настаивать Саванна.

— Если не считать того, что твой отец бросил меня, чему здесь все придают большое значение, можно сказать, огромное, — заметила Алекса. И каким бы крупным специалистом и профессионалом ни стала она, для нее самой это тоже продолжало иметь значение.

— Ты выше всего этого. И по-моему, ты пережила это и оставила в прошлом, — деликатно сказала Саванна, не желая расстраивать мать. — Он больше тебе не нужен, иначе, клянусь, могла бы его вернуть. Он несчастен с Луизой.

— Знаю, — спокойно сказала Алекса, он ей сам об этом сказал, — но ты права, теперь он мне не нужен. Хотя тогда было по-другому.

— Мамочка! — Саванна обняла мать. — Значит, ты приедешь?

— Приеду. Завтра отправлю ответ с согласием на приглашение.

— Я уже сказала Скарлетт, что приду, — хихикнула Саванна.

Они провели чудесный последний вечер вместе, и на следующее утро, когда Саванна отправилась в школу, Алекса поехала в аэропорт. Она считала это своей последней поездкой в Чарлстон, но, как оказалось, впереди еще одна — на свадьбу.

Алекса позвонила Мюриэль, как только добралась до дома.

— Не знаю, как я позволила Саванне уговорить меня, — пожаловалась Алекса. — А теперь придется покупать платье.

— Возможно, это пойдет тебе на пользу. Может быть, ты кого-нибудь там встретишь, — выразила надежду Мюриэль. К удивлению обеих, любовная жизнь Мюриэль всегда была богаче, чем у дочери.

— Не хватало только встретить еще какого-нибудь очаровательного южанина, — грустно заметила Алекса. — Одного хватит на всю жизнь. Это мы уже проходили, с меня довольно.

— Не все такие, как Том, — напомнила ей мать.

— Это правда. Или как Луиза. Но в их обществе, если ты не принадлежишь к нему, на тебя смотрят косо. Надеюсь, Саванна не вздумает остаться там по окончании колледжа, а вернется в Нью-Йорк.

— Одному Богу известно, где она захочет жить. Это будет зависеть от наличия работы или от того, в кого она влюбится. Я как-то справлялась с этим, пока ты жила в Чарлстоне.

— Да, но у тебя уже тогда был Стэнли. А у меня его нет. У меня есть только Саванна.

— Тебе нужно большее, — напомнила мать. — Такая тесная привязанность вредна для вас обеих.

— Но ведь она скоро уедет в университет. — Алексу это тревожило, однако последние четыре месяца, проведенные в разных городах, оказались хорошей практикой. Алексу приводила в ужас идея покинутого гнезда. Даже в течение этих четырех месяцев их квартира казалась пустой без Саванны. Хорошо, что она уезжает всего лишь в Принстон, а не куда-нибудь дальше. — Ты не хочешь пройтись со мной по магазинам в этот уик-энд? — спросила она у матери. — Мне нужно вечернее платье для свадьбы. В приглашении указано: «черный галстук»*.

— С удовольствием, — сказала Мюриэль, и они решили в субботу пойти к «Барни», а потом пообедать вместе.

— Я уже много лет не покупала вечернего платья, — с волнением сказала Алекса. Одиннадцать лет... С тех пор как была замужем за Томом. А теперь она ехала туда не как его жена, а как человек независимый. Прокурор из Нью-Йорка, как сказала Саванна. Да, сильно изменилась жизнь.

Когда Саванна праздновала окончание школы в Чарлстоне, Алекса уже вышла на работу и получила несколько мелких дел, казавшихся сущим пустяком после дела Квентина, благодаря которому она все еще оставалась звездой. Несколько журналов просили у нее интервью, но она отклонила их просьбы. Однако призналась Джеку, что теперь скучновато вести дела. Как ни странно, она сожалела о том, что закончилась работа в сотрудничестве с ФБР.

На церемонии окончания школы в Чарлстоне на девочках под мантиями были надеты белые платья, мальчики облачились в костюмы. Девочки держали букеты цветов, и все плакали, когда пели школьную песню. Все прошло эмоционально, нежно, как и должно быть. Том устроил для нее ленч в загородном клубе. Пришли Трэвис со Скарлетт, а также

---

* Черный галстук-бабочка надевается к смокингу. Надпись означает: смокинг для мужчин, вечернее платье для дам.

присутствовали Тернер и Дейзи. Бабушка Бомон почтила своим присутствием и церемонию, и ленч. Луиза, приглашенная на оба мероприятия, отказалась без объявления причин. По крайней мере она до конца не кривя душой демонстрировала свою неприязнь. Единственное, что ей хотелось бы отпраздновать, — это отъезд Саванны через два дня. К тому же Луиза продолжала злиться на то, что Саванна приедет на свадьбу. Зато после этого Луиза ее еще долго не увидит. Она не хотела появления Саванны в Чарлстоне, хотя Том уже заводил разговор насчет Дня благодарения. Луиза и слышать об этом не хотела. На ленче никто не заметил ее отсутствия.

В саду загородного клуба было чудесно. Бабушка Бомон подарила Саванне небольшое жемчужное колье, принадлежавшее еще ее собственной матери, а отец презентовал чек на весьма щедрую сумму и сказал, что очень ею гордится. Саванна хотела купить на эти деньги все необходимое для колледжа. Она собиралась также приехать в августе в Чарлстон, чтобы повидаться с Тернером и, конечно, со всеми остальными тоже. Том надеялся, что Луиза к тому времени отправится навестить свою семью в Алабаме, как делала это каждое лето. У нее были родственники по всему Югу.

Последние два дня Саванна проводила по возможности больше времени с Тернером. В июне и июле ему предстояло работать на нефтяных промыслах в Миссисипи, и он говорил, что будет безумно скучать по ней, когда она уедет. Она стала его любовью, светом его жизни. На следующей неделе Тернер собирался поехать в Нью-Йорк на церемонию окончания школы, но мог остаться там всего два дня, хотя они были благодарны судьбе и за это.

В свою последнюю ночь в «Тысяче дубов», лежа в постели рядом с Дейзи и держась с ней за руки, так же как и в первую ночь, Саванна испытывала сладковато-горькое чувство. В эту жаркую лунную ночь девочки долго шептались, пока не заснули. Саванна хотела, чтобы Дейзи навестила ее в Нью-Йорке или Принстоне, хотя обе боялись навлечь гнев Луизы. Тогда они решили попытаться устроить это через отца.

Когда Саванна уезжала, Дейзи стояла на лестнице и плакала. Джед погрузил все вещи Саванны в машину, а Таллула украдкой смахивала слезы. Пришла проводить ее и всхлипывающая Джулиана. Перед самым отъездом Саванна вдруг вернулась в дом, чтобы попрощаться с Луизой, которая так и не вышла из дома. Она нашла Луизу на кухне, где та завтракала и читала газету.

— Спасибо за все, Луиза, — вежливо сказала Саванна, а отец с болью в сердце с порога наблюдал за этой сценой. Саванна оказалась такой славной девочкой, она так старалась, чтобы все было хорошо, а у Луизы просто каменное сердце. — Извините, если я причинила вам беспокойство, пока жила здесь. Все было великолепно, — сказала Саванна со слезами на глазах.

Она покидала этот дом с грустью, хотя и была счастлива вернуться к матери. Здесь Саванна приобрела то, чего не имела никогда раньше, — отца. И теперь уже навсегда.

— Никакого беспокойства ты не причиняла, — холодно сказала Луиза. — Счастливого пути.

Она даже не подумала подойти к Саванне и вновь принялась за свою газету.

— До свидания, — тихо сказала Саванна и ушла с кухни в сопровождении отца.

Более теплого прощания она от Луизы и не ожидала.

Обняв напоследок Дейзи, Саванна села в машину. Дейзи, Джулиана и двое старых слуг махали ей и Тому, пока они не скрылись за поворотом.

Саванна бы никогда этому не поверила, но ей не хотелось покидать Чарлстон. Он стал для нее чем-то вроде второго дома. Даже Луиза не смогла испортить этого ощущения. Саванна подумала, что хотя она безумно скучала по своей матери, это были самые счастливые четыре месяца ее жизни. Теперь у нее на самом деле было двое родителей, и она любила обоих.

Глава 19

Церемония окончания школы в Нью-Йорке явилась полной противоположностью той же церемонии в Чарлстоне. Все ее друзья были в потертых до дыр джинсах и маечках под мантиями и в теннисных туфлях или резиновых сандалиях на ногах. Не было здесь ни цветов, ни красивых белых платьиц, но как только объявили об окончании школы, все издали оглушительный дикий боевой клич и принялись, ликуя, бросать в воздух шапочки и срывать с себя взятые напрокат мантии.

Одноклассники с радостью встретили Саванну. С большинством из них она поддерживала связь по электронной почте или звонила им по телефону из Чарлстона. Но, вернувшись сюда, Саванна испытала странное ощущение. Казалось, что в Нью-Йорке все совсем по-другому. Она теперь не знала, где чувствует себя больше как дома. Ей нравилось и здесь, и там. Она не говорила об этом матери, но временами очень скучала по Чарлстону.

На церемонию окончания школы к ней в Нью-Йорк приехал Тернер, и она показала ему все достопримечательности. Подруги сочли его великолепным, и даже мальчишкам он понравился. А бабушка Мюриэль пригласила их на ленч, а потом показала ему суд, где она работала. На Тернера производило большое впечатление, что бабушка Саванны — судья, а мама — помощник окружного прокурора. Его собственная мама никогда не работала.

— Моя мама тоже не работала, пока была замужем за папой, — объяснила Саванна. — Она поступила в юридическую школу после развода, а моя бабушка — после смерти дедушки. Думаю, для того, чтобы было чем заняться и не впасть в уныние.

Тернер признался, что у его отца есть двадцатишестилетняя девушка и он подумывает жениться второй раз, а дети из-за этого очень расстроены. Но отец чувствовал себя одиноким после гибели жены.

Саванна старалась как можно больше показать Тернеру в своем любимом городе. Она повела его на верхнюю смотровую площадку Эмпайр-Стейт-билдинг, куда ему хотелось подняться, они побывали у статуи Свободы и в музее на Айленд. Потом отправились в зоопарк в Бронксе и смотрели там на животных, снова чувствуя себя маленькими ребятишками. На Лонг-Айленд гуляли по пляжу. Они строили планы на осень, когда окажутся один — в Дюке, а другая — в Принстоне.

Саванна и Тернер уже не представляли своей жизни друг без друга. Даже если они разлучались на час, то постоянно перезванивались или обменивались посланиями по электронной почте. Обоим казалось, что пройдет целая вечность, прежде чем она приедет в августе в Чарлстон после поездки в Европу с матерью. Но их по крайней мере ждала еще встреча на грандиозной свадьбе Трэвиса и Скарлетт, которая должна была состояться через десять дней после отъезда Тернера из Нью-Йорка.

На следующий день после его отъезда Саванна подобрала себе платье. Алекса купила свое платье в тот день, когда они вместе с матерью отправились к «Барни». Платье оказалось абсолютно не в ее стиле — вечернее платье без бретелей из шифона персикового цвета, очень открытое и очень сексуальное, с длинной элегантной юбкой. Специально для него были куплены серебряные сандалеты на высоком каблуке. Примеряя его, Алекса беспокоилась, что оно слишком открытое.

— Мама, — упрекнула ее Саванна, — тебе ведь всего тридцать девять лет, а не сто. Ты должна выглядеть сексуально.

— Вот и бабушка говорит то же самое. Не понимаю, что вы обе имеете в виду, надеюсь, не собираетесь заниматься сводничеством? Мне его некуда будет потом надеть, — сказала Алекса. Ей казалось, что она зря потратила деньги, но платье ей ужасно нравилось. Такого платья у нее не было долгие годы.

Саванна осталась довольна тем, что мать купила такое красивое платье.

— Ты наденешь его на свадьбу Трэвиса. Это под стать торжеству. Ты выглядишь великолепно.

— Может быть, я потом его укорочу и буду носить на работу, — пошутила мать. — В суде, когда будет слушаться следующее дело, я буду выглядеть потрясающе.

— В жизни есть многое другое, кроме работы, — проворчала Саванна, и Алекса пожала плечами.

Раза два ей звонил Сэм, справляясь, как она поживает, и оба признались, что после суда испытывают какую-то опустошенность. Все кажется таким несущественным по сравнению с их последним делом. Однако серийные убийцы восемнадцати человек в девяти штатах не часто встречаются в карьере любого юриста. Было приятно сознавать, что они, очищая мир от нечисти, выполнили свой долг. Вынесение приговора должно было состояться накануне отъезда Алексы в Европу. Они с Саванной собирались посетить Париж, Лондон и Флоренцию, а может, если удастся, провести недельку на юге Франции. Алекса замахнулась на трехнедельное пребывание в Европе. А потом Саванна уедет в Чарлстон на две недели, чтобы увидеться с Тернером. Алекса и на это дала согласие, не желая быть помехой их роману.

На свадьбу брата Саванна купила платье из светло-голубого атласа без бретелей и длинное, как и платье матери, но несколько более закрытое, а к нему весьма сексуальные туфли на высоком каблуке. По мнению Мюриэль, мать и дочь будут выглядеть сногсшибательно. Мюриэль со Стэнли в то лето тоже собирались устроить каникулы. Они планировали продолжительное путешествие по штатам Монтана и Вайоминг, поскольку оба обожали ходить пешком, ездить верхом и рыбачить. Саванну такой отдых не привлекал. Ей гораздо интереснее было поехать с матерью, особенно в Париж.

Саванна и Алекса прибыли в Чарлстон и поселились в «Уэнтуорт-Мэншн» в пятницу после полудня, хотя они и не были приглашены ни на предварительный ужин, который давали Том и Луиза, ни на церковное бракосочетание, которое устраивалось только для членов семьи и самых близких друзей. Небольшая церковь Святого Стефана не могла вместить всех приглашенных на прием. Но Алексе и Саванне требовалось время для отдыха и подготовки к следующему дню. В тот вечер они собрались в салон красоты при отеле.

Сразу же по прибытии Саванна позвонила Дейзи, и отец ненадолго привез ее повидаться. Малышка с восторгом рассказывала, что будет на свадьбе «цветочницей» и что на ней будет очень красивое платье. Платье Саванны ей очень понравилось. Они отправились съесть мороженое, после чего отец отвез Дейзи домой. В тот вечер ей предстояло присутствовать на предварительном ужине, и она очень боялась опоздать, иначе с матерью случится истерика. Визит получился короткий, но очень приятный. Дейзи бросилась в объятия Саванны, словно пушечное ядро, и девочки принялись обниматься, целоваться и хихикать. Алексу очень тронула эта забавная сценка. Дейзи стала тем дополнением к жизни Саванны, которого ей всегда хотелось, — младшей сестрой. Алекса никак не ожидала, что это будет именно Дейзи. А Саванна уже пообещала малышке уик-энд в Принстоне и визит в Нью-Йорк, который Том дал слово организовать.

В тот вечер, когда они вернулись из салона, с ними ужинал Тернер. Он и Саванна поехали прокатиться на машине, и он предложил сопровождать их на завтрашний прием, что очень устраивало не только Саванну, но и Алексу, которой не хотелось нанимать такси или брать напрокат лимузин с водителем и вообще привлекать к себе внимание.

На следующий вечер ровно в половине шестого за ними заехал Тернер в стареньком «мерседесе», позаимствованном у отца. Увидев их, он даже присвистнул. В шифоновом платье персикового цвета Алекса казалась принцессой, с волосами, уложенными по-французски в виде валика на затылке. Саванна тоже выглядела ослепительно в светло-голубом платье под цвет глаз, достаточно открытом, но в меру. Потрясенный их великолепием, Тернер заявил, что с гордостью будет сопровождать их. Сам он был в летнем смокинге — белом пиджаке и традиционных черных атласных брюках в полоску и черных лакированных штиблетах, что было несколько старомодно, но в полном соответствии с торжеством, и в настоящем черном атласном галстуке-бабочке, который завязывался, а не пришпиливался в готовом виде.

— А вы потрясающе красивый молодой человек, — похвалила его Алекса, радуясь за Саванну. Они великолепно смотрелись вместе — такие юные, наивные и полные надежд, как и положено влюбленным.

Бракосочетание состоялось в церкви Святого Стефана, где однажды Алекса и Саванна столкнулись с Луизой и Дейзи. Но сейчас Алекса и Саванна приехали прямо на прием в машине Тернера. В церковь их не пригласили, о чем позаботилась Луиза. Алекса предвидела, что на приеме ее посадят где-нибудь на парковке или на кухне; скорее всего та же участь ждала и Саванну, но их это ничуть не беспокоило. Они пришли сюда ради Трэвиса и Скарлетт, а также намеревались хорошо провести время. Обеим было безразлично, где они будут сидеть. А Саванна рядом с Тернером прямо-таки светилась счастьем.

Принимая вереницу гостей, Скарлетт в своем изысканном платье походила на средневековую королеву, гордо стоя рядом с Трэвисом. Такой красивой, как сейчас, ее еще никто никогда не видел. Трэвис выглядел безупречно во фраке с белым галстуком и казался самым счастливым, самым гордым мужчиной в мире. Рядом находился Генри — его шафер. Их окружал десяток дружек жениха и подружек невесты. Старшая сестра Скарлетт была фрейлиной, а Дейзи, как цветочница, в белом платье из органди, держала в руках атласную корзиночку с лепестками роз. Множество цветов, в том числе орхидеи, гардении, ландыши, привезли сюда со всех концов мира. Свадьба представляла собой захватывающее зрелище.

— Вот это да! — шепнула Алекса дочери, наклонившись к ней. — Вот это свадьба так свадьба! — Родители Скарлетт занимали высокое положение в обществе, и Луиза чрезвычайно гордилась этим браком, как будто выиграла главный приз.

Как и предсказывала Дейзи, мать облачилась в ярко-красное атласное платье, надела бриллиантовую тиару, взятую напрокат, и рубиновое колье. Увидев это, Том пришел в легкое замешательство, но ничего не сказал. Луиза делала что хотела. На его взгляд, она несколько переигрывала, но, кажется, больше никто этого не заметил.

Увидев Саванну и Алексу, Том на минутку покинул линию принимающих, чтобы поцеловать обеих.

— Ты выглядишь превосходно, — сказал он Алексе, с нежностью взглянув на нее. — Мне очень нравится твое платье. Оставь за мной танец.

Было очень соблазнительно ответить ему так, как сказала бы Саванна: «Как скажешь, дорогой», но Алекса не стала этого делать. Было очень мило с его стороны подойти и поздороваться. Потом появился Генри и схватил сестру в медвежьи объятия.

— Боже милосердный, ты выглядишь так аппетитно, так бы тебя и съел, — заявил он, щекоча ее поцелуями в шею. Саванна рассмеялась, а он, улыбнувшись ее матери, сказал: — Ты тоже выглядишь красавицей, Алекса. Настоящей красавицей. И платье у тебя такое сексуальное.

— Надеюсь, не слишком, — снова забеспокоилась Алекса.

— Ты звезда средств массовой информации из Нью-Йорка. Пусть завидуют, — заявил Генри, абсолютно неотразимый в своем смокинге. Правда, покрой его смокинга был более современным, чем у большинства присутствующих мужчин, и купил он его в Лос-Анджелесе.

Как и ожидалось, Луиза, слишком занятая, не заметила Алексы и Саванны. Поток гостей, прибывших на прием, казался нескончаемым. Но и поместье родителей Скарлетт поражало своими размерами. Когда гости проходили мимо, Генри представлял им Алексу как свою мачеху, что тронуло ее сердце. Когда он говорил это, люди смутно вспоминали давно забытую историю о прежнем браке его отца. Все сочли очень милым, что она и мальчики еще поддерживают дружеские отношения.

Алекса немного поболтала с Генри, потом подошла и снова ушла Саванна, затем появился Том и напомнил насчет танца. А вскоре вся семья ушла, чтобы сняться вместе с женихом и невестой, и Алекса побродила вокруг одна с бокалом шампанского в руке. В толпе она заметила несколько смутно знакомых лиц, но не встретила никого хорошо знакомого и вздохнула с облегчением.

Полчаса спустя вновь появился Генри и повел ее к столу. У дверей ей вручили карточку с номером стола.

— Ого! — воскликнул Генри, заглянув в ее карточку. — Кажется, тебя сослали в Сибирь. Что и следовало ожидать.

Должно быть, в рассаживании гостей принимала участие моя мать.

Оба рассмеялись, потому что она тоже этого ожидала.

— Храни ее Господь!

После ее слов они рассмеялись еще веселее.

— Вот именно. Она меня сегодня не замечает, потому что я отказался прийти с женщиной. Теперь могу сказать, что пришел с тобой.

Алекса была рада поболтать с ним. Он умел поддержать компанию и любезно сопроводил ее к столу. Потом ушел на свое место, которое находилось в противоположном углу шатра. Саванна тоже сидела отдельно. Но прежде чем уйти, Генри шутливо предупредил Алексу, что нынче вечером здесь ожидается множество знаменитостей: будут, вполне вероятно, президент, королева английская и, разумеется, папа римский. Генри остался таким же забавным шутником, как в детстве, и Алекса всегда любила его, впрочем, так же как и Трэвиса. Но Трэвис в отличие от младшего брата был гораздо более спокойным ребенком.

За столом Алексы сидели очень приятные люди — четыре пожилые супружеские пары, примерно ровесники ее матери, а рядом с ней католический священник, оказавшийся весьма интересным собеседником. Однако вопреки надеждам ее матери прекрасного принца Алекса здесь сегодня едва ли встретит. Но она этого и не ждала.

Несколько раз в течение вечера к ней подходил Генри. Время от времени мелькали вдалеке Саванна и Тернер, а когда после ужина начались танцы, Генри повел ее танцевать. Весь прием по случаю бракосочетания проходил в шатре невероятных размеров.

— Как ты думаешь, они купили его на деревенской ярмарке? — спросил Генри, когда они начали танцевать, и Алекса усмехнулась. Шатер, казалось, соорудили из десяти тысяч миль белого атласа.

Алекса и Генри станцевали два танца, потом их заметил Том и отобрал ее у сына. Музыканты только что заиграли фокстрот, и он умело повел ее в танце. Танцуя, Алекса испытала странное чувство, но решила не обращать на это внимания. Они сделали крутой поворот и налетели на мужчину, который пробирался через толпу танцующих, видимо, направляясь к бару. Том сначала не обратил на него внимания, потом узнал. Он держал Алексу за руку и потянул за собой, не желая отпускать ее. Алекса как будто уже где-то видела этого человека, но понятия не имела, кто он. Высокий, с манерами джентльмена, виски тронуты сединой, на вид ему около пятидесяти лет. Мужчина улыбнулся, увидев Тома; улыбка его стала еще шире, когда он увидел Алексу.

— Что вы здесь делаете? — с улыбкой спросил незнакомец, вероятно, с кем-то ее спутавший. Она надеялась, что не с Луизой.

— Простите?

— В прошлом месяце я часто видел вас в новостях по телевизору. Вы выиграли очень трудное дело, советник. Примите мои поздравления! — сказал он. Смущенная и польщенная, она удивилась, что он узнал ее здесь. Правда, Алексу сначала встревожило, что его одобрительная улыбка и похвала относятся скорее к ее декольте, чем к интеллекту. Но все было не так плохо.

И тут Том представил их друг другу. Пришел ее черед удивляться.

— Сенатор Эдвард Болдуин, — официально представил его Том, и Алекса поняла, почему лицо мужчины показалось ей знакомым. Это был сенатор от Южной Каролины, и говорил он, как почти все здесь, с чарлстонским южным акцентом.

— Для меня большая честь познакомиться с вами, сенатор. — Алекса улыбнулась.

Они обменялись рукопожатием, сенатор кивнул и направился в бар, а Алекса с Томом продолжили танец, разговаривая о том, какая красивая получилась свадьба. Должно быть, это торжество обошлось родителям Скарлетт в миллион долларов, но чего не сделаешь для единственной дочери. Алексе нравилась скромность Скарлетт и ее желание работать медицинской сестрой, а через несколько лет обзавестись детьми.

В невесте Трэвиса не было ничего показного или претенциозного. Алекса это одобряла, Том тоже. Луизу потряс размах свадьбы. Предварительный ужин прошел гладко, и она постаралась сделать все возможное, чтобы родители невесты не смогли ее переплюнуть, но такого все-таки не ожидала.

Том станцевал с Алексой еще танец — медленный вальс в честь старшего поколения, который напомнил ей об их свадьбе в Нью-Йорке. Потом он отвел ее за стол. При таком шуме невозможно было вести серьезный разговор, и это радовало Алексу. Во взгляде Тома появилась тоска, он уже выпил слишком много шампанского. Алекса поблагодарила его за танцы и продолжила разговор со священником.

Два часа спустя, когда она собиралась незаметно вернуться к себе в отель, неожиданно появился сенатор Болдуин и уселся на стул, с которого только что поднялся священник.

— Здесь кто-нибудь сидит? — озабоченно спросил он.

— Только папа римский, — небрежным тоном сказала Алекса, и сенатор громко рассмеялся. — По словам моего пасынка, папа собирался быть здесь, но это оказался всего лишь священник из местной церкви. Он ушел.

— Я как завороженный следил за вашим делом, — вернулся сенатор к прежнему разговору. — Как вам удалось не позволить федералам забрать его у вас, несмотря на то что было затронуто столько штатов?

— Я отказалась его отдавать, — улыбнулась Алекса. — И моему окружному прокурору пришлось как следует побороться. Первые четыре эпизода произошли у нас, так что было бы несправедливо отдавать это дело федералам, после того как мы проделали всю работу. Они пристально следили за нашей работой, но позволили нам довести дело до конца.

— Для вас это настоящая победа, — сказал он, явно находясь под впечатлением сказанного.

— Иначе и быть не могло. Дело было подготовлено так, что комар носа не подточит. А вы не адвокат, сенатор?

— Был им. Но уже двадцать пять лет как в политике. — Это она тоже знала. — Я ушел в политику, проработав около двух лет в качестве обвинителя. Мне не хватило терпения, а может быть, таланта. Политику я люблю больше, чем юриспруденцию.

— То, чем вы занимаетесь, значительно труднее, — с восхищением сказала Алекса. Но ее восхищало не его высокое положение, а интеллект. Очевидно, Болдуин то же самое думал о ней.

— Как вы оказались в Чарлстоне? — с интересом спросил он, и Алекса, чуть помедлив, ответила:

— Когда-то я была замужем за отцом жениха много лет назад.

Сенатор улыбнулся и кивнул:

— Приятно слышать, что вы поддерживаете хорошие отношения. Мы с моей бывшей женой состоим в разводе уже двадцать лет. Но все наши отпуска проводим вместе. Я обожаю ее мужа. Великолепный человек. И гораздо более подходящий муж для нее, чем я. В течение двадцати лет я был женат на сенате. И она вышла замуж и родила еще троих детей. У нас с ней двое. Каникулы в таком составе получаются что надо.

Алекса не стала говорить, что ее отношения с Томом и Луизой совсем не похожи на эти и Луиза отнюдь не является ее близкой подругой. У той случился бы удар, если бы Алекса вдруг приехала к ним в гости на Рождество. Алекса лишь улыбнулась и кивнула. Так проще. А сенатор — явно из вежливости — пригласил ее на танец.

Она спросила, из Чарлстона ли он родом. Оказалось, из Бофора, живописного городка неподалеку отсюда, насколько знала Алекса. Стопроцентный южнокаролинец и, вне всякого сомнения, имел в родне дюжину генералов, а его матушка, как и ее бывшая свекровь, являлась членом Союза дочерей Конфедерации.

Несколько минут они танцевали молча. Он оказался на удивление высоким и танцором великолепным. Сенатор неожиданно ошеломил ее признанием, сказав, что не любит жить на Юге. Большую часть времени он проводит в Вашингтоне и предпочитает жить там.

— У меня не хватает терпения слушать все эти местные сплетни, видеть пожилых гранд-дам, размахивающих флагом Конфедерации, и мириться с тем, что все говорят обо всех «вежливые гадости» и готовы вонзить нож в спину. Это, пожалуй, слишком сложно для меня. В Вашингтоне все гораздо проще, — добавил он.

Насколько знала Алекса, там все было тоже не так просто. Однако сказанное точно соответствовало ее чувствам, но она никогда не осмелилась бы сказать такое о Юге, тем более здесь и особенно ему.

— Должна признаться, в этом наши мысли совпадают.

Тут мимо них в танце пронеслась в своем ярко-красном платье Луиза, тиара на ее голове съехала набок. Увидев партнера Алексы, она с трудом подавила вспышку бессильной злобы, и партнер увел ее в танце.

— Я любила Юг, когда жила здесь, но потом меня предали. Вернулась я в Нью-Йорк сильно озлобленная по отношению к Югу. Несколько месяцев назад приехала в Чарлстон впервые за десять лет.

— Замечательно, что вы вернулись. Мы не всегда хорошо обращаемся с северянами, — признался Болдуин.

«Что правда, то правда», — подумала она, удивленная таким честным признанием.

— А ваша жена южанка? — вежливо поинтересовалась Алекса, и он рассмеялся:

— Конечно, нет. Она из Лос-Анджелеса и всей душой ненавидит Юг. Это явилось одной из причин нашего развода. Когда я ушел в политику, она, поняв, что мне придется проводить здесь много времени, оставила меня. Теперь они с мужем живут в Нью-Йорке. Она писательница, он продюсер. — Судя по всему, это были интересные люди, как и сам Болдуин.

Алекса не встретила прекрасного принца вопреки надеждам матери, но зато встретила интересного человека, сенатора, с которым приятно поговорить. Тут Болдуин шутливо сказал:

— Если вы кому-нибудь передадите мои слова о Юге, я потеряю место в сенате и вину за это взвалю на вас.

Она приложила к губам палец, и оба рассмеялись. Потом он проводил Алексу на ее место за столом.

Снова подошел поболтать Генри. Она наконец увидела Саванну и сообщила, что уходит.

Вдруг грянул джаз-оркестр: теперь Саванну и Тернера отсюда уже не утащить. А Алексе хотелось домой. Здесь царило веселье, но с нее достаточно. Несколько минут спустя разрезали наконец свадебный торт, и можно было уходить. Она еще раз поздравила Трэвиса и Скарлетт, поцеловала Генри и, уходя, краем глаза заметила Тома. Он сидел в баре с самым несчастным видом, одинокий и, похоже, сильно пьяный. Луиза в каком-то исступлении лихо отплясывала рок, причем ее тиара болталась где-то за ухом. За весь вечер Алекса ни разу не увидела их вместе.

Алекса не стала прощаться с Томом. Общаться с ним, когда он в таком состоянии, было выше ее сил. Она села в одно из такси, поджидавших возле выхода из шатра, и вернулась к себе в отель. Было уже за полночь, то есть для нее довольно поздно. Сняв персиковое платье, она облачилась в уютную ночную сорочку.

— Прощай, красивое платьице, — сказала она, вешая его на плечики. — Мы с тобой больше никогда не увидимся.

Больше никогда в жизни она не наденет такое платье. А если и наденет, то очень и очень не скоро. На таких приемах, как этот, Алекса не бывала. На этой потрясающей свадьбе она с удовольствием пообщалась с Генри, сенатором и священником и даже потанцевала, чего не делала уже много лет.

Около половины четвертого пришла Саванна и неслышно скользнула в постель.

— Повеселилась? — пробормотала Алекса с закрытыми глазами.

— Еще бы! Было безумно весело. Спасибо, что ты приехала, — ответила Саванна, поцеловав мать в плечо. Алекса улыбнулась и снова заснула.

Глава 20

— Я как Золушка после бала, — призналась Алекса на следующей неделе, когда Джек заглянул в ее кабинет с несколькими папками бумаг.

— После свадьбы в Чарлстоне? — спросил он, усаживаясь на стул.

— Нет, после дела Квентина. Вернулась к нормальной жизни и к самым заурядным повседневным делам. А это трудно после всех связанных с ним волнений, — сказала она, рассмешив его.

— Обещаю поскорее найти вам еще какого-нибудь серийного убийцу, — сказал Джек, хотя сам чувствовал то же самое. Они попали в водоворот ничем не примечательных мелких дел. В большинстве случаев это была утомительная работа.

Едва успел он уйти из ее кабинета, как на письменном столе зазвонил телефон, и Алекса сама взяла трубку, потому что секретарша ушла обедать.

— Советник? — раздался в трубке звучный мужской голос, который она не узнала.

— Алекса Хэмилтон слушает, — официально сказала она.

— Это сенатор Болдуин, — сказал он так же официально и рассмеялся.

— Шутить изволите, сенатор? Сенаторы мне обычно не звонят, — сказала она.

Говорить такое было рискованно, потому что она его едва знала, но, похоже, с чувством юмора у него все в порядке.

— Я прилетел в Нью-Йорк на два дня и подумал, не согласитесь ли вы пообедать со мной. — Он был прямолинеен, как северянин, и не ходил вокруг да около.

— С удовольствием, — улыбнувшись, сказала Алекса.

— Вы очень заняты последнее время? — спросил он.

— Завалена канцелярской работой.

— Сочувствую, — сказал он и назначил место и время завтрашнего обеда. Судя по всему, он торопился и быстро повесил трубку.

Ее очень удивил этот звонок, но Болдуин, наверное, был хорошим человеком и, несомненно, интересным собеседником. Она понятия не имела, почему он позвонил ей. На свадьбе он не флиртовал и понравился ей — умный человек и отнюдь не зануда.

На следующий день ей предстояло появиться в суде по одному малозначительному делу, а потом она взяла такси и отправилась в верхнюю часть города к ресторану, куда ее пригласили. В этом многолюдном итальянском бистро с хорошей кухней она бывала когда-то. Он уже ждал ее за столом, просматривая какие-то бумаги, которые сразу же запихнул назад в свой кейс. У ресторана его ждала машина с водителем.

Они разговаривали обо всем — о политике, юриспруденции, а также о его детях в возрасте двадцати одного года и двадцати пяти лет. Его младшая дочь училась в Калифорнийском университете, где ей очень нравилось, а сын работал в Лондоне, в Королевском шекспировском театре. Он недавно окончил Школу искусств Тиша при Нью-Йоркском университете. Дочь Болдуина хочет стать врачом, хотя у всех остальных в семье склонности либо к литературе, либо к театру, включая мать его детей, которая несколько эксцентрична, но очень забавна. Он говорил о ней как о сестре.

Отношения Алексы с Томом пока не достигли такого уровня, а возможно, никогда не достигнут. Но по крайней мере они наконец стали общаться друг с другом. На другой день после свадьбы Том приехал попрощаться с ней и с Саванной. Судя по всему, он жестоко страдал от похмелья, и Алексе стало жаль его. Но не настолько, чтобы вернуть назад.

Алекса сообщила, что уезжает с дочерью в Европу сразу же после оглашения приговора по делу Квентина, которое состоится 10 июля. Оставалось еще две недели.

— Я тоже уезжаю, — сказал Эдвард Болдуин. — Я пользуюсь домом моей бывшей жены на юге Франции, в Раматюэле. Это рядом с Сен-Тропезом, но там не так многолюдно. А затем отправлюсь в Умбрию. Я снял там виллу. А вы где будете с вашей дочерью? — Сенатор интересовался ею и был дружелюбен, но у Алексы создалось ощущение ухаживания, и это понравилось. Возможно, они смогут стать друзьями.

— В Париже, Лондоне, Флоренции и, может быть, где-нибудь на юге, в Каннах, например, или Антибе. Я очень давно нигде не бывала, но это подарок от меня дочери по случаю окончания школы, да и весна для нас выдалась довольно суровой. До суда и на время суда мне пришлось отослать ее из Нью-Йорка на четыре месяца. Она стала получать от подсудимого письма с угрозами. Как позже стало известно, он делал это с целью вывести меня из равновесия, и небезуспешно.

— Как это ужасно.

— Еще бы! Это было довольно страшно. Так Саванна оказалась в Чарлстоне у отца. Мне было некуда больше отослать ее.

— Вы остались в хороших отношениях после развода? — спросил Болдуин, очевидно, предполагая, что у нее с бывшим мужем такие же отношения, как у него с бывшей женой.

Алекса рассмеялась и покачала головой:

— Мы с ним не разговаривали в течение десяти лет. До февраля он почти не виделся с дочерью. Но за последние четыре месяца все изменилось. Неприятность оказалась благодеянием для всех нас, кроме его жены. — Алекса решила рассказать свою историю до конца. — Короче говоря, его бросила жена, оставив двоих мальчиков. Он женился на мне, и все были бы счастливы, но через семь лет вернулась первая жена. Он, порвав со мной, возвратился к ней. А его мать принимала в этом участие. Я ведь не с Юга, а его первая жена южанка. Все очень просто. Я возвратилась в Нью-Йорк, стала юристом. У меня от этого брака единственная дочь и два пасынка, которых я любила и с которыми недавно увиделась в первый раз за десять лет. Один из них был женихом на этой свадьбе. А у моего бывшего мужа имеется прелестная десятилетняя дочка, которой жена номер один воспользовалась как средством заполучить его назад.

— Позвольте предположить, как развивались события дальше, — сказал Эдвард Болдуин с явно неодобрительным видом. Ему не понравилась эта история, хотя Алекса рассказывала ее небрежным тоном и даже с юмором. Он заметил обиду в ее глазах. — А теперь супруги ненавидят друг друга, и он хочет вернуть вас.

— Что-то вроде этого, — кивнула Алекса. — Но для меня это давно пройденный этап.

— Это звучит как плохой южный роман, — заметил Эдвард Болдуин. Его развод был прост и ясен. Жена ушла, но он ее не винил, и они до сих пор оставались друзьями. Она сделала это деликатно. — Вы его ненавидите? — Если он спрашивал, значит, ему было интересно. Он не стал бы ее винить, если бы она ответила, что ненавидит бывшего мужа. Услышав историю, он почувствовал неприязнь к Тому. Такие мужчины вызывали у него презрение.

— Нет. Теперь уже нет, — спокойно ответила Алекса. — Что-то помогло мне излечиться от ненависти, когда я снова приехала в Чарлстон и увидела его, слабого и жалкого. Он предал меня, но в конечном счете предал самого себя, а теперь предает ее. У меня нет к нему ненависти, осталась одна жалость. Но я долгое время очень злилась на него. Целых десять лет. Слишком долгий срок, чтобы испытывать недоброе чувство, а это тяжкий груз. — Она поняла это, лишь когда сбросила этот груз.

— Вы так и не вышли замуж второй раз? — спросил Болдуин.

Она рассмеялась, услышав вопрос, и покачала головой:

— Нет. Слишком глубокая обида засела внутри. И слишком занята своей работой и своей дочерью. У меня все есть, и большего не нужно.

— Каждому нужно большее. Мне, например. Но у меня нет времени. Я то устраиваю увеселительные поездки за казенный счет на Тайвань или во Вьетнам, то слежу, чтобы были счастливы мои избиратели, то веду политическую игру в Вашингтоне. Это забавно. Но времени на остальное почти не остается. — Однако оба они знали, что это не так. Существовало множество женатых сенаторов — их было даже большинство. По какой-то причине он, как и Алекса, тоже не хотел повторно вступать в брак. В этом они были похожи. Они оба чего-то боялись — или повторения обиды, или связанной с браком ответственности. И Болдуин не имел такого оправдания, как мерзкая бывшая жена, которая предала его; по его словам, они друзья и хорошо ладят между собой. Очевидно, он оставался неженатым по собственному выбору. Оказалось, ему пятьдесят два года, в разводе он уже двадцать лет. Из него может получиться хороший друг, подумала Алекса.

Потом Болдуин заплатил по счету, и она поблагодарила его за ленч. Простившись у входа в ресторан, она подозвала такси и вернулась на работу. Она дала ему свою визитную карточку; к ее удивлению, вечером он позвонил по мобильному.

— Еще раз спасибо за ленч. Все было очень мило, — сказала Алекса.

— Мне тоже понравилось. А знаете, у меня возникла одна идея. Завтра вечером я ужинаю с бывшей женой и ее мужем, вот и подумал, почему бы вам не познакомиться с ними. Она чудесный человек.

— С удовольствием, — согласилась Алекса. Она назвала свой адрес, он обещал заехать за ней в восемь часов. Алексу так озадачил его звонок, что, повесив трубку, она не знала, что сказать Саванне, а потому промолчала.

На следующий вечер, собираясь на ужин, Алекса надела черный костюм, который обычно надевала в суд.

— Куда это ты так принарядилась? — спросила Саванна, которая собиралась с друзьями в кино.

— Иду на ужин с сенатором и его бывшей женой, — ответила Алекса, понимая всю абсурдность этих слов.

— Что-о? С каким сенатором? — удивилась Саванна, не подозревавшая, что у матери есть знакомые сенаторы.

— С сенатором Эдвардом Болдуином от Южной Каролины, — уточнила Алекса. Саванна мельком слышала, будто он приглашен на свадьбу, но сама его не встречала. Луиза хвастала, что он там будет.

— Ты познакомилась с ним на свадьбе?

— Меня познакомил с ним твой отец. Сенатор очень хороший человек. Просто как друг. Он следил за делом Квентина по телевизору.

— Как и вся страна, — добавила Саванна и пристально посмотрела на мать. — Это свидание? — Она была потрясена. Мать ни слова об этом не говорила.

— Нет, он просто друг, — повторила Алекса.

— При чем тут его бывшая жена? — продолжала допытываться Саванна, и мать рассмеялась.

— Они остались хорошими друзьями.

Тут швейцар позвонил по внутренней связи и сказал, что ее ожидает машина. Алекса поцеловала дочь, схватила сумочку и выбежала из квартиры, а Саванна, посмотрев ей вслед, бросилась к телефону. Она немедленно позвонила бабушке. Мюриэль ответила после первого звонка.

— Привет, малышка. — Она сразу же поняла, что это Саванна. — Как дела?

— Боевая тревога, бабушка. Только не падай в обморок. Мама отправилась на свидание.

— Откуда ты знаешь? С кем?

— Она принарядилась и отправилась ужинать с одним сенатором, с которым познакомилась на свадьбе Трэвиса, и его бывшей женой.

— Бывшей женой? — удивилась Мюриэль, которой это показалось странным.

— Они друзья, — продолжала Саванна заговорщическим тоном.

— Что за сенатор?

— Болдуин, от Южной Каролины.

— Чтоб мне провалиться! — сказала Мюриэль, и обе они расхохотались.

287

Глава 21

Вечер с бывшей женой Эдварда Болдуина был забавным, полным неожиданностей и абсолютно безумным. Она, ее муж, известный кинопродюсер, и три их неуправляемых сына-тинейджера жили в фешенебельных апартаментах на Пятой авеню. Она являлась автором многочисленных бестселлеров. По ее словам, начала писать только после того, как ушла от Эдварда; и Алекса знала, что она с тех пор сделала чрезвычайно успешную карьеру. Своего нынешнего мужа она встретила восемнадцать лет назад, когда он купил ее книгу и сделал по ней фильм. Оба были очень привлекательными людьми, веселыми и немного сумасшедшими. Сибилла надела какое-то летящее одеяние, которое купила в Марокко. Ее муж был в джинсах и африканской рубашке. Четыре их собаки, казалось, находились повсюду сразу, и на жердочке в гостиной сидел попугай. Алекса прочла несколько книг Сибиллы, дочери известного голливудского продюсера, которая в конце концов взяла себе в мужья человека той же профессии. Не вызывало сомнений, что она и ее первый муж искренне любят друг друга, причем он находился в отличных отношениях с ее нынешним мужем. Их дети относились к Эдварду как к родственнику, чего нельзя было сказать о Луизе с Саванной.

Жизнь здесь походила на веселый фильм. На ужин варили лобстеров, причем все помогали; вовсю лаяли собаки, звонили телефоны, громыхало стерео, приходили и уходили приятели ребятишек, словно в разгар какой-то вечеринки. Вся их жизнь была сплошной вечеринкой, и они сами наслаждались этим. Привлекательная Сибилла была лет на десять старше Алексы.

Алексе еще никогда не приходилось проводить таких веселых и забавных вечеров. Все члены семьи обладали большим чувством юмора, даже дети, очень дружелюбные, и попугай, который произносил исключительно непристойные слова.

— Она не была такой сумасбродкой, когда я женился на ней, — объяснил Эдвард, провожая Алексу домой. — Брайан выявил в ней это качество, как выяснилось, необходимое обоим. Она обожает всякие грубые розыгрыши и всегда носит в сумочке надувную подушку, издающую неприличные звуки. Но по природе своей она очень добрая женщина. — Он улыбнулся.

— Вы по ней скучаете? — осмелев, спросила Алекса.

— Иногда, — честно признался Болдуин. — Но в то время я оказался плохим мужем, ставя политику выше, чем брак. Сибилла заслуживала лучшей доли. И нашла ее с Брайаном.

— А теперь? Вам по-прежнему больше нужна политика? — спросила Алекса. Он нравился ей. И вел интересную жизнь. В Болдуине сочеталось несочетаемое — старое и новое, Север и Юг. Его бывшая жена ненавидела Юг, считала его лицемерным, устаревшим и чванливым. Алекса относилась к Югу более терпимо, но взгляды Сибиллы понимала. Для Алексы воплощением всего худшего, свойственного Югу, была Луиза. Но ведь множество людей взяли от Юга все самое лучшее. И в Чарлстоне Алекса многое любила.

— Не знаю, — задумчиво ответил Эдвард. — Политика по-прежнему является движущей силой в моей жизни. Но я не хочу, чтобы этим все ограничивалось, хотя когда-то мне было этого достаточно. Не хочу остаться в одиночестве, но и не хочу также проходить через всю эту ерунду, чтобы найти подходящего, а может, и неподходящего человека. Я хочу проснуться однажды женатым на самой лучшей для меня женщине. Но прилагать ради этого усилия, рисковать, совершать ошибки... Скорее всего я останусь один. — Он рассмеялся. Такая перспектива, судя по всему, его не слишком волновала. — Вероятно, я просто ленив.

— Или испуган, — добавила Алекса, и он медленно кивнул:

— Возможно. А вы?

— Я пребывала в ужасе в течение десяти последних лет, — честно призналась Алекса.

— А теперь?

— Понемногу оттаиваю, — без особой уверенности сказала она.

— Вы имеете веские основания бояться замужества после того, как ваш муж с вами так обошелся. Он поступил омерзительно.

— Что правда, то правда. У меня никогда не возникало желания попытаться снова выйти замуж, снова рисковать. Сейчас я, кажется, немного успокоилась. Но очень долго оставалась той самой пуганой вороной, которая куста боится.

— Сложная штука — человеческие отношения, — ворчливо сказал Эдвард, и она рассмеялась:

— Совершенно с вами согласна.

Они поговорили о других вещах и незаметно подъехали к ее дому. Болдуин высадил ее из машины, Алекса поблагодарила его, пожав на прощание руку, и он уехал. Утром он возвращался в Вашингтон.

Его ничуть не удивило, что как только машина направилась к его гостинице, заверещал мобильник. Звонила Сибилла.

— Она подходит тебе идеально. Немедленно женись на ней, — заявила Сибилла, и Эдвард громко застонал.

— Я знал, что это случится, если я познакомлю ее с тобой. Не вмешивайся. Мы совсем недавно познакомились.

— Ладно, в таком случае подожди две недели и делай предложение. Она потрясающая, — не сдавалась Сибилла.

Им с Брайаном Алекса очень понравилась.

— Ты сумасшедшая, но я тебя люблю, — радостно сказал Эдвард. Он дорожил своей дружбой с Сибиллой больше, чем их прежней семейной жизнью, которая когда-то слишком многого от него требовала. В то время по-настоящему его интересовала только политика. Сибилла понимала это и потому деликатно ушла, еще не встретив Брайана.

— Я тоже люблю тебя, — с нежностью сказала она. — Спасибо, что привел ее к нам. Мне она действительно понравилась — умная, честная, веселая и красивая. Лучшей кандидатуры ты не найдешь.

— Буду держать тебя в курсе событий, — сказал Болдуин, не имея ни малейшего намерения делать это.

— Спокойной ночи, Эдди, — пожелала Сибилла, когда он подъехал к гостинице.

— Спокойной ночи, Сибилла. Привет Брайану и спасибо за ужин.

— Всегда будем рады вас видеть.

Она, конечно, была с сумасшедшинкой, но он ее преданно любил, по-братски.

Эдвард снова позвонил Алексе перед ее отъездом в Европу и взял у нее расписание поездки. Их дороги могли пересечься где-нибудь в Лондоне или Париже, и он обещал позвонить ей, если это случится. Но сначала ему предстояло побывать в Гонконге. Он постоянно путешествовал.

Накануне отъезда в Европу Алекса присутствовала на вынесении приговора по делу Квентина. Люк Квентин больше не носил пиджачную пару. На нем был тюремный комбинезон, в котором он присутствовал на допросах. Неухоженный, злой, он грубо разговаривал со своим адвокатом и винил ее в том, что ему вынесли такой приговор. Теперь он гораздо больше злился на Джуди, чем на Алексу. Общественный защитник приняла на себя главный удар его ярости. Алексу преступник совершенно игнорировал, к ее большому облегчению.

Джек тоже присутствовал, а вот Сэм, уже работавший над другим делом, не приехал.

Судья сдержал слово и приговорил Квентина к максимальному сроку по каждому пункту обвинения, что в общей сложности составляло сто сорок лет тюремного заключения без права досрочного освобождения. Он никогда больше не увидит дневного света. Когда Квентина выводили из зала суда, он сказал какую-то грубость общественному защитнику. На Алексу даже не взглянул. Война закончилась, и ему теперь было все равно. В ближайшие дни его переведут в тюрьму Синг-Синг.

Алекса вышла из зала суда вместе с Джеком. На вынесение приговора приехали только некоторые родственники жертв, большинство остались дома. Не было здесь Чарли и его родни. Все они вернулись к работе, удовлетворенные приговором, для них тоже все это закончилось. И как ни печально, восемнадцать молодых женщин ушли навсегда.

Представители прессы тоже присутствовали, но не были так назойливы, как во время суда. Алекса уехала вместе с Джеком. Люк Квентин — всего лишь опасный преступник, которого изолировали от общества. Будут у них и другие дела, хотя и не такие сенсационные. Дело Квентина явилось кульминационным моментом ее карьеры.

На следующий день Алекса и Саванна, прилетев в Лондон, остановились в маленькой гостинице, которую Алекса помнила еще со времен юности. Они выпили чаю в «Клариджес», побывали в Тауэре, прошлись по Бонд-стрит и поглазели на выставленные в витринах ювелирные украшения и красивую одежду. Перед Букингемским дворцом смотрели смену караула и заглянули в королевские конюшни. Они сделали все, что положено делать туристам, и сходили за покупками на Карнаби-стрит в Найтсбридже и на «блошиный рынок» на Ковент-Гардене, где Саванна купила маечку для Дейзи. Успели посмотреть несколько пьес в театре. Отлично проведя время, мать и дочь через пять дней улетели в Париж.

Остановившись в небольшой гостинице на Левом берегу Сены, они начали свое пребывание в Париже с ленча в кафе на открытом воздухе, во время которого строили планы, с чего начать осматривать город. Алекса собиралась начать с собора Парижской Богоматери, а Саванна хотела прокатиться на прогулочном катере по Сене и прогуляться по набережным. Решили сделать и то, и другое, и третье. На следующий день предполагалось полюбоваться панорамой, открывающейся с Сакре-Кер, посетить Лувр и Дворец Токио. Они вернулись в гостиницу, чтобы немного отдохнуть перед ужином, и в это время позвонил сенатор Болдуин. Он только что прибыл в Париж и решил задержаться в городе на два дня перед поездкой на юг Франции.

— Чем вы собираетесь заниматься? — спросил он, и когда Алекса перечислила все, что они успели сделать, это произвело на него должное впечатление. — Скажите, не мог бы я уговорить вас обеих поужинать со мной сегодня вечером, или у вас другие планы?

Алекса попросила разрешения посоветоваться с Саванной и перезвонить ему.

— Что ты об этом думаешь? — спросила Алекса, передавая приглашение Болдуина.

— Думаю, что это очень хорошо. Почему бы тебе не пойти одной? — спросила Саванна. Ей только что исполнилось восемнадцать, она уже взрослая и вполне может побродить вечером по Парижу без провожатых.

— Одна я не пойду. Я здесь с тобой. Ты хочешь пойти, или тебе это кажется слишком скучным?

На первом месте должны быть предпочтения Саванны. Это ее поездка. Саванне хотелось познакомиться с ним, посмотреть на него, и предложение это показалось ей интересным. Как-никак он сенатор.

Алекса перезвонила Эдварду через пять минут и сказала, что они с удовольствием принимают приглашение. Он остановился в «Ритце» и предложил поужинать там же, в саду. Стояла великолепная теплая погода. Он пригласил их на половину девятого.

В назначенный час Алекса и Саванна встретились с ним в ресторане — обе в юбочках, сандалетах, хорошеньких блузках и с распущенными белокурыми волосами. Они выглядели скорее как сестры, чем как мать и дочь, и показались ему похожими на близнецов.

Отель с вестибюлем, отделанным зеркалами и огромными вазами для цветов повсюду, поражал великолепием. Столик в саду, за который проводил их метрдотель, находился в окруженном мраморной стенкой внутреннем дворике с фонтаном посередине. Из главного ресторана доносилась музыка. Это было идеальное место, чтобы провести теплый вечер в Париже. И Эдвард, казалось, был счастлив видеть их.

— Как было в Гонконге? — спросила Алекса, познакомив его с Саванной, которая вела себя необычно тихо. Она наблюдала за тем, как он смотрит на ее мать. Несомненно, она ему нравится, причем не только как друг. Саванна его одобрила. Болдуин показался ей деликатным, дружелюбным, без тени высокомерия, с хорошим чувством юмора. Неплохое начало.

— Очень жарко, но жизнь кипит, — ответил он на вопрос о Гонконге. — Жду не дождусь, когда попаду на юг Франции. Я очень давно без отпуска. А мне он нужен.

Алекса тоже мечтала об отпуске, особенно после суда над Квентином и четырех месяцев напряженной подготовки к нему.

Они заказали ужин, Болдуин спросил Саванну о ее планах дальнейшей учебы. На него произвело впечатление, что она поступила в Принстон; его дочь училась на старшем курсе Калифорнийского университета и собиралась стать врачом. Ей нравилось в Калифорнии, она надеялась продолжить образование в Стэнфорде.

— Мама не позволила бы мне поехать туда, — с улыбкой сказала ему Саванна. — Это слишком далеко. Но я все равно не попала в Стэнфорд. А Калифорнийский университет — солидное учебное заведение. Мне следовало подать заявление туда, но я этого не сделала.

— С меня довольно Принстона, благодарю покорно, — вмешалась Алекса. — Я не хочу, чтобы ты находилась за три тысячи миль от меня. Достаточно четырех месяцев твоего пребывания в Чарлстоне. Я по тебе слишком скучаю. — Сенатор и ее дочь с улыбкой взглянули на Алексу. Она не скрывала своих чувств. — Ты у меня единственный ребенок.

Потом они поговорили о живописи и театре, о факультете, где будет учиться Саванна. Это был непринужденный вечер со старым другом, и у него, несомненно, был подход к детям. Еще во время ужина в доме его бывшей жены Алекса заметила, что Эдвард отлично ладит с ее сыновьями-тинейджерами. Болдуин Саванне сказал, что она должна обязательно приехать в Вашингтон и посетить сенат. Это можно сделать в любое время. Саванна заинтересовалась этим предложением. К концу вечера мать и дочь чувствовали себя с Болдуином легко и свободно. После ужина он проводил их и усадил в такси. Они ненадолго задержались на Вандомской площади, восхищаясь красивой подсветкой; в центре площади находился обелиск. Потом они назвали водителю адрес своей гостиницы на Левом берегу. Эдвард помахал им вслед и вернулся в отель.

— Мне он понравился, — сказала Саванна, когда они переезжали по мосту Александра III на Левый берег.

— Мне тоже, — призналась Алекса. — Но только как друг.

— Почему только как друг? — спросила Саванна. — Почему не больше? Не можешь же ты вечно оставаться одна. Я в сентябре уезжаю. Что ты тогда будешь делать? — Саванна не на шутку тревожилась за мать. Пора маме снова иметь рядом мужчину, она все еще молода. Ей еще нет сорока. Эдвард Болдуин, по мнению Саванны, в свои пятьдесят два года вполне подходил для матери.

— Не пытайся от меня отделаться. Меня все устраивает.

— Ничего хорошего тут нет. Смотри, останешься старой девой, — пригрозила Саванна, чем рассмешила мать.

На следующий день Алекса позвонила Эдварду Болдуину, чтобы поблагодарить за ужин. Вечером он уезжал в Раматю-эль и обещал позвонить, когда снова будет в Нью-Йорке. Вряд ли он позвонит. Это ее не тревожило, хотя от двух вечеров и ленча в его обществе она получила большое удовольствие. Его приглашения льстили ей.

Алекса и Саванна провели конец недели в Париже, наслаждаясь его достопримечательностями, и решили не ездить на юг Франции. Они отправились прямиком во Флоренцию. Они часами бродили по музеям, картинным галереям и церквам. Потом решили поехать в Венецию с той же целью. Прожили пять дней в забавном старом отеле на Большом канале. Это было что-то волшебное. Потом, проведя почти три недели в Европе, они вылетели домой из Милана. Поездка получилась великолепная.

Трудно было возвращаться в Нью-Йорк, к повседневной жизни. Алекса не хотелось приступать к работе, но через два дня после возвращения Саванна улетела в Чарлстон, чтобы повидаться с Тернером. Она на несколько дней останавливалась у Джулианы, потом перебралась к отцу, планируя провести там две недели. Луизы в городе не было. Дейзи на месяц уехала в лагерь.

А Алекса вдруг почувствовала себя страшно одинокой в пустой квартире. Теперь, когда закончился суд, не оставлявший свободного времени, ей не хотелось вечером возвращаться домой. Мать и Стэнли тоже уехали в путешествие по Монтане и Вайомингу.

Ужиная вместе с Джеком, она как-то пожаловалась ему.

— Вы должны что-то придумать. Причем как можно скорее, — предупредил он. — Через пару недель Саванна уезжает, возможно, навсегда.

— Ну спасибо, утешили, — мрачно сказала Алекса. В тот день они получили дело об ограблении, над которым предстояло работать вместе, но которое не очень интересовало ни того ни другого. Дурное настроение не отпускало Алексу.

Жизнь снова стала веселее, когда Саванна возвратилась из Чарлстона. К ним постоянно заходили ее друзья, чтобы попрощаться. Алексе и Саванне пришлось еще покупать и упаковывать кое-какие вещи, снова укладывать ее любимую одежду, а также простыни и полотенца для колледжа. Они притащили домой дорожный сундук, чтобы все в него уложить. Наконец они собрали все необходимое к первому сентября. В последний вечер в Нью-Йорке на прощальный ужин пригласили бабушку Мюриэль и Стэнли, недавно вернувшихся из Вайоминга. Оба они были в новых ковбойских сапогах, джинсах и ковбойских рубашках, и Саванна, смеясь, говорила им, что они настоящие красавцы.

Они поужинали в «Балтазаре», где особенно нравилось Саванне, и бабушка пообещала скоро навестить ее в Принстоне, куда было всего полтора часа езды. Том и Тернер тоже обещали приехать в октябре.

В ту ночь, уже лежа в постели, Алекса подумала, что, как ни трудно в это поверить, все кончено. Закончились все эти годы жизни вместе с Саванной, заботы о ней, и теперь она уезжает. Алекса чувствовала невосполнимую пустоту и понимала, что прежней жизни уже никогда больше не будет. Теперь Саванна станет приезжать домой лишь на время, не считая летних каникул. А до лета еще так далеко. Казалось, самое лучшее в жизни осталось позади. Чтобы отвезти вещи Саванны в Принстон, Алекса на следующий день взяла напрокат фургончик. Дочь брала с собой велосипед, компьютер, музыкальный центр, подушки, одеяла, двуспальное покрывало, фотографии в рамках, то есть все, что потребуется ей в колледже. Она без конца разговаривала с подругой, с которой будет жить в одной комнате. Они уже строили планы. Взволнованная Саванна четыре раза за девяносто минут пути звонила Тернеру. Он накануне приехал в Дюк, и у него в комнате было еще три человека. Саванна, которая делила комнату лишь с одной соседкой, устроилась, по его мнению, весьма цивилизованно. Тернер собирался приехать к ней на следующий уик-энд, и Саванна не переставала этому радоваться.

Глядя на карту кампуса, Саванна указывала матери дорогу в Принстон. Фургончик пришлось оставить на парковке. Саванна использовала в качестве ориентиров Нассау-Холл, старейшее здание в студенческом городке, и Кливленд-Тауэр, расположенный позади. Ее комната находилась в Батлер-Холле, и они нашли его, только расспросив окружающих. Комната оказалась на втором этаже. Потребовалось два часа, чтобы перенести вещи в комнату и расставить по местам. Оставалось только подключить стерео и компьютер — все остальное было сделано. Родители ее соседки занимались тем же. Отец девочки помог Алексе с компьютером. Подруги собирались вместе использовать микроволновку и холодильник, которые взяли напрокат. Каждой девочке были предоставлены телефон, кровать, письменный стол, стул и комод. Место в шкафу отводилось минимальное, и пока Алекса старалась разместить все вещи, девочки вышли в коридор, чтобы познакомиться с другими студентами. Не прошло и часа, как Саванна освоилась в общежитии и сказала матери, что можно ехать.

— Разве ты не хочешь, чтобы я развесила в шкафу твою одежду? — немного растерянно спросила Алекса. Но Саванне не терпелось встретиться с другими студентами. Ее новая жизнь только начиналась.

— Нет, мама, я сама справлюсь, — сказала она. Другая девочка то же самое сказала своим родителям. — Правда-

правда, ты можешь ехать. — Саванна вежливо выпроваживала мать.

Алекса крепко обняла ее, изо всех сил сдерживая слезы.

— Береги себя... звони...

— Конечно. Я тебе обещаю, — сказала Саванна, целуя ее.

Уходя, Алекса храбро улыбалась, но когда добралась до парковки, по щекам ее катились слезы, и не одна она плакала. Было больно оставлять здесь дочь — все равно что выпускать на волю птичку, которую любила и лелеяла целых восемнадцать лет. Что, если у нее крылышки слабоваты? А вдруг она забудет, как летают? Как сможет прокормиться? Саванна была готова к этому, а Алекса нет. Она села в фургончик, включила зажигание и проплакала всю дорогу до дома. Связывавшая их пуповина была окончательно перерезана; казалось, что это худший день в жизни Алексы.

Глава 22

На следующий день, одеваясь на работу, Алекса чувствовала себя так, будто кто-то умер. Мобильник заверещал, когда она выходила из квартиры, вероятно, это была Саванна. Накануне вечером Алекса усилием воли заставила себя не звонить дочери. Однако это оказался Сэм Лоренс. Она не разговаривала с ним с июля и обрадовалась его звонку.

— Вот это сюрприз! Как поживаете?

— Неплохо, — сказал Сэм. Голос его звучал бодро и по-деловому. — Не хотите ли пообедать со мной сегодня? — спросил он.

Она была совсем не в настроении.

— Откровенно говоря, мне не по себе. Дочь вчера уехала в колледж. Я чувствую себя так, будто жизнь подошла к концу. Я словно устарела и вышла из употребления, в общем, ничего хорошего. Может быть, отложим ленч на следующую неделю? У меня будет другое настроение. — Сейчас Алексе не хотелось ни с кем общаться. Она оплакивала детство Саванны, что явилось для нее огромной потерей.

— И все же давайте пообедаем сегодня. Возможно, мне удастся вас взбодрить.

Алекса надеялась, что это не какое-нибудь свидание, потому что на это уж совсем не была настроена, тем более с товарищем по работе; других отношений с ним она не представляла. Алекса еще раз попробовала как-нибудь отвертеться, но он не позволил.

— Ладно. Встретимся в кафетерии напротив. Может быть, тамошняя пища убьет меня, зато больше не будет мучить депрессия, — наконец сдалась она.

— Через пару недель вы почувствуете себя лучше. Вы держались хорошо, когда ваша дочь во время суда была в Чарлстоне, — напомнил Сэм.

— Верно. Я по ней безумно скучала, но была занята. А теперь мне как будто и делать нечего, — объяснила Алекса.

Он ничего не сказал, но они договорились встретиться в половине первого.

Когда Алекса появилась, Сэм сразу же заметил, что она совсем приуныла. Наспех причесанные волосы небрежно собраны в конский хвост, на лице ни капли косметики, к тому же на работу пришла в джинсах. Она походила на человека, выздоравливающего после болезни. Алекса тосковала по своему ребенку.

Сэм поговорил с ней несколько минут, как всегда, о том, как ужасна здесь пища, потом с улыбкой заметил:

— Может, я смогу улучшить вам настроение? — Он надеялся, что не делает ошибки, затевая этот разговор при ее подавленном состоянии. — Хочу сделать вам предложение, — загадочно сказал он.

Она взглянула на него с любопытством и подозрением:

— Что за предложение?

— Хочу предложить работу.

— Какого рода работу? — нахмурилась она. — Вы имеете в виду дело? — Она вдруг рассмеялась. — У вас есть дело, и вы хотите моей помощи? Вот это комплимент! — ФБР нуждается в ее помощи! Вместе они неплохо потрудились над делом Квентина.

— Не дело, Алекса, — улыбнулся Сэм. — Работу. Мы хотим предложить вам работу в Генеральном юридическом совете ФБР. Работа эта канцелярская, не оперативная, так что вам не придется гоняться с пистолетом за плохими парнями. Чем занимается совет, вы понимаете. Только теперь уже вы будете стоять над душой у каждого и если что не так, заберете дело в свои руки. Вам будет сделано официальное предложение, но я предваряю его. Я думал об этом со времени нашей совместной работы над делом Квентина. По-моему, вам становится тесно в канцелярии окружного прокурора. А здесь существенное продвижение вверх по служебной лестнице. Преимущества такого шага огромны, работа интересная, и, черт возьми, это же ФБР! — Ни о чем подобном она никогда не думала. Ни разу. Она собиралась работать в офисе окружного прокурора, пока не придет время выйти в отставку.

— Здесь? В Нью-Йорке? — Она все еще не могла прийти в себя от удивления. Работа, конечно, очень престижная, и такое предложение для нее большая честь.

— Нет, — чуть замявшись, сказал Сэм, — в Вашингтоне, округ Колумбия. Но ваша дочь уехала, Алекса. И насколько я знаю, мужчины в вашей жизни нет. Так почему бы вам не перебраться в Вашингтон?

— У меня здесь мать, — в смятении возразила Алекса. Слишком уж много перемен сразу: новая работа, новый город, новая жизнь.

— Нью-Йорк в трех часах езды на поезде, сущий пустяк. Это ведь, извините, не в какой-нибудь Венесуэле.

301

— Нет, конечно. А как насчет зарплаты? Я буду получать больше, чем зарабатываю здесь?

— Да, — улыбнулся он, — вы не прогадаете. А если не понравится, всегда сможете вернуться сюда. Но этого не будет. Для вас это пройденный этап, и вы это знаете. — Так ей казалось еще до дела Квентина, на некоторое время придавшего остроту ее работе. Теперь же Алекса вернулась к ограблениям, магазинным кражам, оргиям наркоманов и время от времени — убийствам. Ей хотелось заниматься чем-то более важным. — Вы обдумаете это предложение?

— Да. — Она кивнула, улыбнулась и почувствовала себя не такой несчастной, как час назад. Было страшновато, но она ощутила приятное волнение. — А я думала, что вы собираетесь пригласить меня на свидание, — со смехом призналась Алекса.

— Это я тоже могу сделать, — усмехнулся Сэм. — Вряд ли вы пошли бы со мной, иначе обязательно пригласил бы.

— Я не хожу на свидания с мужчинами, с которыми вместе работаю. Однажды я совершила ошибку. Получилось очень глупо, возникли проблемы, так что больше я этого не делаю.

— Я понял, — сказал Сэм. Он уже догадался, что на работе ее интересуют товарищеские отношения. Она и к Джеку так же относилась. — Принимайте это предложение. Вы им нужны, эта работа вам понравится. В вашей жизни должны произойти перемены. И может быть, даже появится мужчина.

Алекса пожала плечами.

— Вы говорите совсем как моя мать. И моя дочь.

— Не лучше ли к ним прислушаться?

Она снова рассмеялась, и остальное время за ленчем они разговаривали о ГЮС.

Два дня спустя ей сделали официальное предложение. Работа обещала быть интересной, с огромными преимуществами и несравнимо большей зарплатой. Несмотря на это, Алекса чувствовала себя виноватой, покидая канцелярию окружного прокурора. Она пришла туда семь лет назад, сразу после окончания юридической школы, и к ней там хорошо относились. К тому же Алексе нравился Джо Маккарти. Ей не хотелось покидать его, но, откровенно говоря, она им была не нужна.

Как всегда, принимая трудное решение, она со встревоженным видом явилась в конце рабочего дня в кабинет матери.

— Все в порядке? — спросила Мюриэль. — Как там Саванна?

— Отвратительно счастлива, — ответила Алекса. — Я пришла по поводу работы.

— Тебя уволили? — ошеломленно спросила мать. Алекса проделала такую великолепную работу по делу Квентина. Как ее могли уволить?

— Я получила предложение от ФБР.

Мать широко раскрыла глаза:

— Это впечатляет. Ты собираешься принять его?

— Еще не знаю. Там платят хорошие деньги, и работа мне нравится. На данном этапе работать в ФБР было бы гораздо интереснее, чем в канцелярии окружного прокурора. — Тут Алекса вздохнула. — Но это в Вашингтоне. Что скажешь? — спросила она у матери, и та задумалась.

— Интересный вопрос. Спасибо, что спрашиваешь. — Мюриэль ценила свои отношения с дочерью и внимание к ее мнению, которое проявляла Алекса. — Знаешь, не стоит из-за меня отказываться от новой работы. — Мать улыбнулась. — Я еще не так стара, все еще работаю и очень занята. Это похоже на отъезд Саванны в колледж. Приходится отпускать своих детей туда, где им надлежит быть. Я прошла через это, когда ты вышла замуж за Тома и переехала в Чарлстон. А Вашингтон находится гораздо ближе. Я буду скучать, — добавила она, — но я могу навестить тебя, и ты тоже. Гораздо важнее, как ты сама относишься к переезду в Вашингтон. Здесь в твоей жизни мало событий. Последние годы не стали для тебя счастливыми. И мне кажется, тебе скоро наскучит твоя нынешняя работа.

— Мне уже скучно, — призналась Алекса. После дела Квентина в делах полный застой, впрочем, так же как и прежде.

— Тебе нужны перемены, а теперь, когда Саванна уехала, самое время для этого, — сказала мать и с улыбкой добавила: — Возможно, в Вашингтоне ты встретишь подходящего мужчину.

— Это меня не волнует. Я думаю о тебе и Саванне.

— Она уехала, и со мной тоже все в порядке. Она с тем же успехом может навещать тебя в Вашингтоне, приезжая из Принстона. А если захочет приехать в Нью-Йорк, то сможет остановиться у меня. Я думаю, тебе надо решиться. — Мюриэль проявляла самоотверженность, потому что знала, что будет скучать по дочери.

— Я тоже так думаю. А ты уверена, что с тобой будет все в порядке?

— Да, — со вздохом ответила мать. — Стэнли надоедает мне разговорами о том, чтобы жить вместе. Оформлять брак мы не хотим, но он считает, что, старея, никто из нас не должен оставаться один, и предлагает жить вместе либо в его квартире, либо в моей. — Стэнли потребовалось семнадцать лет, чтобы попросить ее об этом, а Мюриэль до последнего времени устраивал существующий порядок.

— А ты чего хочешь, мама? Не принимая в расчет его желание.

— Кажется, мне нравится эта идея. Я боялась, что ты не одобришь, — со смущенной улыбкой ответила Мюриэль.

— Думаю, он прав. И я одобряю эту мысль. Значит, решено?

— Возможно. Хочу еще немного подумать. Такие решения не принимают второпях.

Алекса расхохоталась:

— Сколько лет вы с ним встречаетесь?

— Кажется, семнадцать. А Стэнли утверждает, что восемнадцать.

— В любом случае у вас было предостаточно времени подумать.

— Наверное, я все-таки решусь. Но лучше пусть он переедет ко мне. Мне не хочется расставаться со своей квартирой и не слишком нравится его жилище. Кстати, его это устраивает. Возможно, мы так и поступим — после Рождества. Мне нужно еще очень многое сделать. А как ты? Примешь предложение? — спросила Мюриэль.

Алекса кивнула:

— Думаю, да. Спасибо, мама. — Она наклонилась и поцеловала мать. Вместе они вышли из здания суда.

Вечером Алекса позвонила Саванне. Та готовилась к завтрашнему дню. Услышав от матери о лестном предложении, Саванна приятно удивилась. Переезд в Вашингтон пошел бы на пользу матери, и Саванна охотно стала бы останавливаться у бабушки в Нью-Йорке, если бы захотела встретиться там с друзьями. Похоже, для всех настало время больших перемен.

— Перемены — хорошая штука, мама. Кстати, что слышно от сенатора? — поинтересовалась Саванна.

Болдуин ей нравился, Алексе тоже.

— Думаю, он пробудет в Европе до середины или конца августа. Наверное, занят делами.

Саванна полностью одобрила ее переезд и тоже поблагодарила мать за то, что та посоветовалась с ней, а это сейчас для Алексы самое главное.

На следующий день Алекса подала Джо Маккарти заявление об уходе. Она испытывала неловкость, однако Джо отнесся к этому с пониманием. Он догадывался, что рано или поздно это произойдет, хотя предполагал, что у нее будет частная практика в какой-нибудь солидной юридической фирме. Но ни о чем вроде ФБР даже не думал.

— Они поступают умно, нанимая тебя, — сказал он. — Так когда ты нас покидаешь?

— Уведомления об уходе за месяц будет достаточно?

— Вполне. Это даст мне время перераспределить предназначенные тебе дела.

Она вспомнила еще кое о чем.

— Спасибо, что помогли мне сохранить за собой дело Квентина, а не просто отдали федералам.

— Следовало это сделать, — поддразнил ее Джо. — Тогда бы они не предложили тебе этой работы. — Он снова обнял ее. — Я счастлив за тебя. Думаю, это хорошее продвижение вверх по служебной лестнице. Черт возьми, мне очень не хочется отпускать тебя, но я одобряю.

— Спасибо.

Слух об уходе Алексы распространился по управлению со скоростью лесного пожара. В половине пятого Джек сидел напротив нее за письменным столом и буравил сердитым взглядом.

— Что все это значит?

— Простите, Джек, — сказала она извиняющимся тоном. — Мне сделали предложение, от которого трудно отказаться.

— Без вас тут будет тоскливо, — удрученно сказал он и вышел из кабинета слишком расстроенный, чтобы продолжать разговор.

Сидя в кабинете, Алекса перебирала в уме нескончаемые вопросы, которые предстояло решить: подыскать новое жилье, расторгнуть договор об аренде нынешней квартиры, переехать, приступить к новой работе, передать свои дела здесь. Внезапно раздался звонок — ей был Эдвард Болдуин.

— Нет ли у меня шанса уговорить вас съесть гамбургер? Я пробуду в Нью-Йорке до завтра. Извините, что не звонил с тех пор, как вернулся. Пришлось заниматься четырьмя сотнями головных болей и провести целую неделю в Чарлстоне. Кстати, как Саванне нравится в Принстоне?

— Очень нравится, — улыбнулась Алекса. Голос Эдварда звучал по-деловому энергично; казалось, сенатор готов действовать в двухстах направлениях сразу. У нее сейчас было такое же состояние. — Предложение съесть гамбургер кажется мне заманчивым. Где встретимся?

— Я нахожусь в двух кварталах от вашего офиса. Что, если я заеду за вами и мы вместе сообразим, куда отправиться?

— Идет.

Пять минут спустя она спустилась вниз, а Болдуин ждал ее у входа в своей машине. Он открыл дверцу, Алекса села в машину, и они направились в бар его гостиницы, чтобы выпить, а потом съесть по гамбургеру.

— Как прошла остальная часть вашей поездки? — спросил он.

— Великолепно. А ваша?

— Очень хорошо. Я много думал о вас и все хотел позвонить, но так и не позвонил. Кстати, на прошлой неделе я видел в Чарлстоне вашего мужа. Должен признаться, он находится в подавленном состоянии, и это понятно: с ним была его жена, а она выглядит так, словно на завтрак жует лимоны и каждую ночь бьет супруга. Я полагаю, судьба расквиталась с ним по всем счетам.

— Возможно, — согласилась она и улыбнулась Эдварду. Для нее все это, наверное, осталось в прошлом.

За гамбургерами Алекса сообщила ему о переезде в Вашингтон и о будущей работе в ФБР.

— Вы? Вот это перемена так перемена! Смелый поступок! — воскликнул потрясенный сенатор.

— Сейчас, когда Саванна уехала к колледж, самое время это сделать. Раньше я, наверное, не отважилась бы, — сказала Алекса. Но она за последнее время совершила немало смелых поступков. Отпустила Саванну в Чарлстон, побывала там сама, заключила мир с Томом, а теперь меняла работу и переезжала в другой город. — В самое ближайшее время мне придется начать присматривать квартиру.

— Я вам помогу, — с энтузиазмом отозвался он. — Когда вы приступаете к работе? — Эта новость весьма обрадовала Болдуина. Большую часть времени он находился в Вашингтоне. Ему хотелось видеться с Алексой, даже если бы она жила в Нью-Йорке, но переезд в Вашингтон упрощал дело и давал им возможность лучше узнать друг друга.

— Я выхожу на работу первого ноября. А до этого предстоит сделать множество дел.

— Почему бы вам не отправиться туда в ближайший уик-энд и не начать присматривать жилье? — предложил Эдвард.

Не имея определенных планов на выходные, она с улыбкой взглянула на него через стол и согласилась.

— Мы могли бы подыскивать квартиру весь уик-энд, — многозначительно сказал сенатор. Кажется, он что-то планирует.

Глава 23

Алекса покинула канцелярию окружного прокурора первого ноября. Для нее это был день со сладковато-горьким привкусом. Перед ее уходом Джо Маккарти устроил ужин в ее честь. Ей презентовали табличку с ее именем, до сих пор висевшую на двери, и множество смешных шутливых подарков.

На следующий день Алекса отправлялась в Вашингтон с заездом в Принстон. Она на неделю отложила начало работы в ГЮС, чтобы иметь время переехать в свой новый дом. Мебель прибывала в Вашингтон через два дня. Всю последнюю неделю она жила у матери, к удовольствию обеих. Эдвард звонил по нескольку раз в день с самыми разными предложениями или приглашал куда-нибудь. Он пригласил Алексу пойти с ним в Белый дом на ужин, который должен был состояться через две недели.

Захватив последние вещи, она отправилась в Вашингтон на машине, где уже ждал Эдвард возле небольшого, похожего на кукольный домика, арендованного ею в Джорджтауне вместо квартиры. Эдвард помог найти новое жилье; Алекса не сомневалась, что «кукольный домик» понравится Саванне. Верхний этаж словно специально предназначался для дочери. И в нем было столько комнат, сколько нужно Алексе. Он находился неподалеку от квартиры Эдварда, просторной, современной и очень удобной. Он помог ей разгрузить машину, и они вместе обошли пустой дом. Алекса воспрянула духом. Новый город, новый дом, новая работа и, может быть, новый мужчина... Она пока еще не уверена. Но все остальные изменения облегчили ее переживания из-за отъезда Саванны в колледж. Обе они перешли на новый этап в жизни. Взволнованная происходящим, Алекса походила на Саванну с ее новой жизнью в Принстоне.

В тот вечер Эдвард пригласил ее поужинать в «Ситронеллу», а потом проводил назад в гостиницу, где она остановилась всего на одну ночь. Уходя, он ее поцеловал. Поцеловал впервые, и поцелуй этот удивил обоих.

На следующий день, когда прибыли ее вещи, он пришел к ней и остался до полуночи, помогая распаковывать коробки. Она нашла свое постельное белье, и он помог ей приготовить постель. Он рассказывал какие-то глупые истории, вспоминал всякие розыгрыши, и оба хохотали, пока, обессилев, не упали на кровать и, продолжая смеяться, не посмотрели в глаза друг другу.

И вдруг он сказал:

— Мне кажется, я влюбляюсь в тебя, Алекса. Ты не возражаешь? — Он знал, как сильно обожглась она в первом браке, и не хотел расстраивать, опережая события.

— Думаю, нет, — тихо ответила она. — Кажется, я тоже влюбляюсь в тебя. — Говорить это было страшновато, но безумно приятно, тем более что она не кривила душой. Она влюбилась так, как ни разу не влюблялась за последние двадцать лет. Именно такой мужчина ей нужен. И она ему полностью доверяла.

— Это может быть очень хорошо для нас обоих, — сказал он, обнимая ее и притягивая ближе к себе. Все встало на свои места. Ее новая жизнь в Вашингтоне давала им время ближе узнать друг друга.

— Ты хочешь остаться здесь на ночь? — неожиданно для себя спросила Алекса. Ее жизнь набирала обороты с каждой минутой. Было страшно, но так прекрасно.

— С радостью, — сказал Эдвард, не разжимая объятий.

Потом она приняла душ и легла в постель на чистые простыни, а несколько минут спустя он тоже пришел в постель. И перед ними в ту ночь открылся целый новый мир, снова обрести который они уже не надеялись, да и не хотели. Это казалось чудом.

В оставшуюся часть недели Алекса приводила в порядок дом. Как только выдавалось свободное время, приходил Эдвард. Он оставался с ней каждую ночь. Они никому ничего не говорили, решили помалкивать, пока не осмыслят происходящее сами. Может быть, это не продлится долго, но пока все было великолепно. Большего Алексе не хотелось.

Она приступила к новой работе. Здесь все ее ожидания сбылись, и даже более того. Ей нравилась престижность работы в ФБР. А на следующей неделе Эдвард взял ее с собой на ужин в Белый дом. У входа дежурила толпа репортеров. Ужин устраивался в честь президента Франции. На следующий день в новостях показали красивую пару — сенатора Болдуина, появившегося в Белом доме под руку с очаровательной женщиной.

В Чарлстоне этот эпизод с сенатором от Южной Каролины показали несколько раз. Глядя на них, разъяренная Луиза вскочила.

— Ну и сучка! Ты видел?! — воскликнула она, обращаясь к Тому.

Том на минуту отвлекся и пропустил эпизод.

— Ты о ком? О первой леди или о супруге президента Франции?

— Конечно, нет! Об Алексе! Ты видел Эдварда Болдуина, входящего в Белый дом? Под руку с Алексой!

— С Алексой? Нашей Алексой? — переспросил ошеломленный Том.

— Не нашей, а бывшей твоей Алексой, благодарю покорно! Она с ним встречается! Наверное, подцепила на свадьбе, — злобно прошипела Луиза.

— Она его не подцепила. Я их сам представил друг другу, — удрученно сказал Том.

— Зачем ты это сделал? — набросилась на него Луиза.

— Мы столкнулись с ним, когда танцевали. Вот я и познакомил их, — объяснил он, горько теперь сожалея об этом. Он потерял Алексу, но отнюдь не хотел знакомить ее со следующим мужчиной в ее жизни. Ему больше нравилось считать ее одинокой.

— Проститутка! — выпалила Луиза и выключила телевизор.

— Э нет, — возразил Том, — ошибаешься. Ты была проституткой, так же как и я. Но не она. И она никогда бы не поступила так, как мы. Она не захотела иметь ничего общего со мной, потому что я женат или даже если бы не был женат. Это мы проститутки, Луиза. Но не она. Ты спала с мужем другой женщины, а я обманывал жену. Не очень-то это благородно?

— Понятия не имею, о чем ты, — возмущенно отмахнулась Луиза.

— Все ты понимаешь. Так что она, может быть, все-таки заслуживает достойной партии, — сказал Том.

Луиза, больше ни слова не говоря, вышла из комнаты. Эдвард Болдуин взял Алексу в Белый дом! Уж этого-то она никак не заслуживала.

А Том продолжал сидеть, уставившись в пустой экран. Алекса, как никто другой, была достойна всего, что происходило с ней сейчас. Наконец судьба вознаградила ее за то зло, которое ей причинил Том. И когда он представлял себе ее с сенатором Болдуином, по щекам его скатились две слезы.

— Как мы будем праздновать День благодарения? — спросил Эдвард в следующий уик-энд после посещения Белого дома. До праздника оставалось еще две недели, и Алекса озадаченно взглянула на Болдуина.

— Я даже не думала об этом, занятая наведением порядка в доме. Мы обычно собирались в этот день у мамы. Только Саванна, я, моя мать и ее друг Стэнли. Но я не знаю, захотят ли они приезжать сюда. Лучше я позвоню маме. И Саванне. Почему ты спрашиваешь? Что-нибудь придумал? — Она наклонилась и поцеловала его.

Они лежали в постели с воскресной газетой, страницы которой были разложены по всей кровати и на полу, и с чашками кофе на прикроватных столиках. Обоим нравилась их совместная жизнь — спокойная, уютная и радостная. Эдвард оказался теплым, любящим человеком и очень добрым — надежды Алексы оправдались. А он считал, что Алек-

ДАНИЭЛА СТИЛ

312

са именно так идеально подходила ему, как это предсказывала его бывшая жена.

— Я обычно бываю у Сибиллы. Слетаются дети, и мы все проводим этот день вместе. Хорошо, если бы ты была с нами. Хочу познакомить тебя со своими детьми.

— Я позвоню Саванне и маме, — сказала Алекса.

Она так и сделала в то же утро, но очень удивилась услышанному. Саванна сказала, что если мама не слишком возражает, то она хотела бы поехать в Чарлстон и провести этот день с отцом и Тернером и, конечно, с Дейзи, Генри, Трэвисом и Скарлетт... и Луизой. Это была единственная ложка дегтя в бочке меда. Саванна умоляла мать дать разрешение, и та сдалась.

А потом оказалось, что Стэнли купил билеты в круиз на Багамы, но Мюриэль еще не собралась с духом сказать об этом Алексе.

— Я ни за что не поеду, если ты останешься одна, — уверяла мать, когда Алекса рассказала ей о поездке Саванны в Чарлстон.

— Со мной все будет в порядке, — заверила Алекса. — Поезжай в круиз. Желаю вам хорошо провести время.

— А ты что будешь делать? — с беспокойством допытывалась Мюриэль.

— Эдвард только что пригласил меня провести День благодарения с его детьми и бывшей женой.

— Эдвард? Ты имеешь в виду сенатора Эдварда Болдуина? — переспросила мать.

— Да, — уклончиво ответила Алекса. Об ужине в Белом доме она тоже не сказала матери, а та каким-то образом пропустила упоминание об этом в прессе. Зато Саванна не пропустила и, очень довольная, немедленно написала об этом бабушке по электронной почте.

— Это интересно, — заключила Мюриэль. Она заметила, что Алекса не хочет об этом говорить; наверное, сенатор сейчас рядом с ней. — В таком случае я скажу Стэнли, что мы можем отправляться в круиз, — с улыбкой сказала она, чувствуя перемены.

— Кажется, мы все пристроены, — сообщила Алекса после разговора с матерью. — Все семейство бросило меня, — улыбнулась она Эдварду, — так что на День благодарения я целиком и полностью в твоем распоряжении.

— Вот и отлично. — Он поцеловал ее.

В понедельник утром он позвонил Сибилле и сообщил новость. Она тоже обрадовалась. Все были довольны, особенно Эдвард и Алекса, а также клуб фанатов, тайком болевших за них.

День благодарения у Сибиллы был явлением хаотичным, но проходил в атмосфере любви и тепла, как и все прочее, что она делала. Вместо индейки она приготовила великолепную баранью ногу по французскому рецепту с чесноком и зеленой фасолью. Перед ужином подали икру, а в качестве первого блюда — соте фуагра. Сибилла подала также тыквенный пирог, потому что дети его любят, но и умопомрачительный десерт «Печеная Аляска» тоже приготовила. Ужин получился изысканный, хотя и несколько отличался от общепринятого. А вина, принесенные Эдвардом, удостоились всяческих похвал.

Собрались все дети Сибиллы, в том числе и ее общие с Эдвардом. Алексе понравилась его дочь. Она напоминала Саванну и была на три года старше ее. Сын Джон, интересный, умненький, забавный и несколько экстравагантный, видимо, пошел в мать. Молодой актер Шекспировского театра, он получал в Лондоне весьма приличные отзывы. Волосы носил такие же длинные, как у Алексы, а его подружка, тоже актриса, была ростом чуть ли не десять футов.

Находясь в их доме, Алекса словно попала на съемочную площадку. Когда все немного угомонились, Сибилла повернулась к Эдварду и Алексе, и, отхлебнув отличного «Шато д'Икем», вкусом напоминавшего карамель, спросила с озорной улыбкой:

— Ну, что с вами происходит? Я умираю от любопытства. По-моему, ты влюблен, — сказала она Эдварду. — Я пока мало знаю Алексу, поэтому у нее не спрашиваю. Она пока мне не невестка. Но ведь будет?

— Не твое дело, — добродушно огрызнулся Эдвард. — Когда придет время, мы скажем. А пока найди себе другое занятие и не суй нос в мою жизнь.

— Фу, как грубо, Эдвард! — поддразнивая его, сказала она.

А он был очень доволен тем, что его детям Алекса явно понравилась. Может быть, Саванна, которая ему нравилась, его детям тоже понравится.

— Надеюсь, вы придете к нам на Рождество, — сказала Сибилла, провожая Алексу и Эдварда.

— Мне придется жить у моей матери. Но может быть, вы все смогли бы зайти к нам на коктейль? — добавила Алекса с надеждой в голосе.

— С удовольствием, — заверила Сибилла.

Надо бы предупредить мать о нашествии, пусть даже только для того, чтобы выпить по коктейлю. Она придет в замешательство, если в ее маленький квартирке неожиданно появятся знаменитая писательница, известный кинопродюсер, сенатор да еще их пятеро детей. Хорошо, если они придут только выпить. Мюриэль едва ли смогла бы приготовить ужин. Она даже для себя и Стэнли почти не готовила, готовил в основном он. А она, когда оставалась одна, питалась салатами, купленными по дороге с работы домой. Мюриэль никогда не была хорошей кулинаркой.

Эдвард и Алекса остановились в отеле «Карлайл» на уик-энд, включая День благодарения, потому что на следующий день собирались снова встретиться с его сыном и дочерью. Легкие на подъем, Сибилла, трое младших детей и муж уезжали на уик-энд в Коннектикут, где у них был дом. А Эдвард и Алекса провели уик-энд великолепно. Они ходили на обеды и в кино с его детьми, гуляли в Центральном парке, побывали в Музее современного искусства. К концу уик-энда все они стали друзьями, и Алекса обо всем рассказала дочери. Судя по голосу, Саванна наслаждалась жизнью. Луиза даже не испортила ей настроения в День благодарения. А это уже кое-что. Дейзи радовалась ее приезду. А Генри привез с собой своего «соседа по комнате» Джеффа, который Саванне тоже понравился.

Мюриэль пришла в ужас, когда по возвращении из круиза услышала от Алексы, что за люди придут к ней на коктейль в Рождество и в каком количестве.

— Ты, наверное, шутишь? Они же не поместятся в моей квартире. — Однако ей хотелось познакомиться с Эдвардом и посмотреть на них с Алексой. Было также любопытно увидеть его бывшую жену и детей. К тому же она читала все книги Сибиллы.

— Поместятся, мама, — заверила Алекса. — Они придут только выпить, и люди они самые обычные. По правде говоря, все они, кроме детей, немного сумасшедшие, но с ними очень весело. Уверена, что тебе они тоже понравятся.

— Ты, кажется, счастлива, — ласково сказала Мюриэль.

— Так и есть, — тихо призналась Алекса. — Он великолепный человек.

— Не звон ли свадебных колоколов мне слышится? — спросила мать. Быть женой сенатора совсем неплохо. А еще того лучше, если нашелся великолепный человек для ее дочери. Давно пора.

— Нет, мама, это просто счастливые колокола, — сказала Алекса. — Не хочу я выходить замуж. Я уже это делала. — И слишком сильно обожглась, чтобы сделать это снова. Но ведь Эдвард не Том. В нем нет ничего от слабого или бесчестного человека. Он воплощение честности и порядочности.

— Вот и я так же отношусь к браку, — сказала Мюриэль. — Но я много старше, чем ты, и поэтому не вижу смысла. А ты в своем возрасте должна быть более храброй.

— Зачем? Я счастлива, и пусть все остается как есть.

— Если он хороший человек, ты, возможно, будешь счастлива с ним и в браке. Не исключай такой возможности. Нельзя предугадать, как ты будешь относиться к этому позднее.

— Возможно, — уклончиво сказала Алекса, оставаясь при своем мнении. Брак ее пугал и, наверное, всегда будет пугать.

Когда сенат был распущен на рождественские каникулы, Алекса взяла свободную неделю, и они с Эдвардом полетели в Нью-Йорк. Саванна остановилась у бабушки и Стэнли, а Алекса и Эдвард снова поселились, как и в День благодарения, в отеле «Карлайл». На следующий день после Рождества ждали Тернера. Они с Саванной намеревались поехать с друзьями кататься на лыжах в Вермонт, а Эдвард и Алекса в Новый год оставались в городе.

В канун Рождества в квартиру Мюриэль прибыла со своей маленькой армией Сибилла. Она не захватила с собой только попугая и собак. При ней находились все пятеро детей и подружка Джона, которая снова приехала с ним из Лондона. Брайан неожиданно привел свою племянницу и двоих взрослых детей от первого брака, о котором Алекса не знала, и все они, столпившись в квартирке Мюриэль и Стэнли, пили яичный ликер и шампанское. Мюриэль похвалила книги Сибиллы, Брайан и Стэнли беседовали о любимых старых фильмах и рыбной ловле на муху, Джон и его подружка разговаривали с Саванной, а Эшли, дочь Эдварда, ссорилась по сотовому телефону со своим бойфрендом, который находился в Калифорнии, и плакала. Словом, царил полный хаос, и Алекса с Эдвардом расхохотались при виде этой картины.

— Моя семья явно разрослась, — сказала Алекса. — В прошлое Рождество здесь были только я, Саванна и мама. Стэнли приехал только после ужина, потому что навещал больного приятеля.

— Что тебе больше нравится? — спросил Эдвард. — То, что было, или то, что сейчас?

— То, что сейчас, — ни секунды не сомневаясь, ответила Алекса. — В этом столько жизни, радости и любви.

Потом мать предложила заказать еду в китайском ресторанчике и разбить лагерь на кухне и на полу в гостиной. Правда, она поставила в духовку небольшую индейку, но ее можно будет съесть завтра. Сибилла со своим войском одобрили идею и проголосовали за то, чтобы остаться и выбросить за ненадобностью обед, приготовленный дома, который, по ее признанию, все равно получился не очень удачно.

Молодежь сидела на полу в гостиной Мюриэль. Взрослые уселись в столовой, где помещалось всего восемь человек. Но так или иначе все как-то разместились. Это было лучшее Рождество в жизни Алексы. Даже лучше, чем в самые хорошие дни в Чарлстоне.

Оставив Саванну у бабушки еще на одну ночь, Эдвард и Алекса отправились пешком в «Карлайл». Пошел снег, и они принялись, отчаянно фальшивя, петь дуэтом «Белое Рождество», а потом он остановился посередине улицы и поцеловал ее. Так они встретили первое Рождество в их совместной жизни. Когда-то в молодости Эдварда вполне устраивал брак с Сибиллой. Но сейчас все было серьезнее. Иногда выходки Сибиллы были слишком эксцентричными даже для него, при всей его любви к ней.

— Может быть, снег продолжится, и мы сможем завтра поиграть в снежки, — сказала мечтательно Алекса, держа его под руку.

318

— Я так не думаю, — заявил Эдвард, глядя на нее сверху вниз с серьезным выражением лица.

— Почему? Ты не любишь играть в снежки?

Это было совсем не похоже на спортивного, подтянутого Эдварда.

— Я люблю играть в снежки, — признался он, неожиданно остановившись. — Просто я подумал, хорошо ли будет жене сенатора бросать снежки в людей, гуляющих в парке. Можно попасть в какого-нибудь незнакомца и появиться в новостях в разделе скандальных происшествий. Что ты скажешь по этому поводу?

— Об игре в снежки? — тихо спросила она.

— Нет, относительно жены сенатора. Ты считаешь, это безумная идея?

Эдвард знал, что ее приводит в ужас мысль о браке, но он слишком долго ждал встречи с ней. Сибилла оказалась права. Алекса идеально ему подходила.

— Я... да... нет... — невнятно пробормотала она, и Эдвард снова поцеловал ее. — Да. То есть нет. Нет, я не считаю эту идею безумной. И да, я согласна.

Он принялся снова целовать ее, а она то плакала, то смеялась. Так они и вошли в отель «Карлайл» — Алекса со счастливой улыбкой и сенатор от Южной Каролины с сияющим лицом.

Литературно-художественное издание

16+

Стил Даниэла
Огни Юга

Роман

Компьютерная верстка: *Р.В. Рыдалин*
Технический редактор *О.В. Панкрашина*

Общероссийский классификатор продукции
ОК-005-93, том 2; 953000 — книги, брошюры

ООО «Издательство АСТ»
127006, Россия, г. Москва, ул. Садовая-Триумфальная, д. 16, стр. 3
Наши электронные адреса: WWW.AST.RU E-mail: astpub@aha.ru

Отпечатано в соответствии с предоставленными материалами
в ООО «ИПК Парето-Принт», г. Тверь, www.pareto-print.ru